PAR AMOUR

Valérie Tong Cuong a publié dix romans, dont les très remarqués *Providence* et *L'Atelier des miracles*. Elle écrit également pour le cinéma et la télévision.

VALÉRIE TONG CUONG

Par amour

ROMAN

JC LATTÈS

© Éditions Jean-Claude Lattès, 2017.
ISBN : 978-2-253-07109-9 – 1re publication LGF

À mes grands-parents Edmond et Henriette,
ma mère Édith et toute ma famille havraise.
À Éric.

« C'est à nous d'entrer en lice, avec notre plume la plus acérée au service d'une encre indélébile.

Contre les guerres. »

Julien Guillemard (*L'Enfer du Havre*, exergue non censurée du manuscrit original)

LUCIE

Lundi 10 juin 1940

Dès que maman a poussé la porte, j'ai compris que cette journée serait différente des autres. D'abord, il était six heures du matin, ça je le savais parce que les cloches de Sainte-Marie ont sonné six coups, or d'habitude, les jours de classe, nous nous levions à sept heures pile. Et puis maman portait ses habits du dimanche alors que nous étions lundi et ses joues étaient toutes creusées, comme si on l'avait chiffonnée.

Elle m'a contemplée bizarrement. J'ai pensé que moi aussi, je devais avoir l'air froissée : j'avais roulé d'un bord à l'autre de mon lit la moitié de la nuit en écoutant papa fredonner la berceuse qu'il me chantait lorsque j'étais bébé, ou plutôt en écoutant les souvenirs de mon cœur, puisque papa était parti depuis exactement neuf mois, « *À côté de ta mère Fais ton petit dodo Sans savoir que ton père S'en est allé sur l'eau* », neuf mois de silence ou presque, une permission seulement, mais comme disait maman :

« Les bonnes nouvelles marchent et les mauvaises courent, si c'est pour apprendre qu'il est mort ou prisonnier comme ce pauvre Louis, nous le saurons bien assez tôt. »

Elle portait une grande valise, elle a déclaré que nous devions partir maintenant, maintenant c'était dans la seconde, « Vite, vite, allons Jean, tu lambines, aide ta sœur », le temps de prendre quelques affaires, mais pas trop, un change et notre manteau d'hiver même s'il faisait une chaleur terrible depuis des jours, parce que nous ne savions pas quand nous rentrerions et aussi bien, la semaine suivante, le vent du nord viendrait nous mordre les os.

Jean a demandé à maman de quoi elle avait peur. Jusque-là maman répétait que tout allait bien se passer, même après les premiers bombardements sur le port alors que le ciel était en flammes, même lorsque le Petit Paris avait brûlé ou que les voisins avaient décidé d'aller dormir chaque soir en ville haute, elle répétait, il n'y a aucune inquiétude à avoir, la DCA fait son travail, les Anglais vont nous protéger, nous ne sommes pas des rats qui fuient à la première occasion !

À chacune des alertes, nous courions tous les trois à la cave, bouchant nos oreilles et chantant à tue-tête « *Tout va très bien, madame la marquise* » jusqu'à ce que les sirènes s'arrêtent et que maman s'exclame : « Eh bien, qui avait raison ? »

Pour ne pas la contrarier, nous faisions semblant de ne pas sentir cette horrible odeur de brûlé qui nous piquait le nez et les yeux, et maman aussi faisait semblant de rien.

— Je n'ai pas peur, il y a un ordre d'évacuation. Vos cousins seront là d'un instant à l'autre, nous partons ensemble.

Tandis que nous nous habillions à la hâte, elle a sorti de son coffre à bijoux sa bague de fiançailles.

— Pas peur, mon œil, m'a chuchoté Jean en me poussant du coude.

Depuis trois semaines, les adultes ne parlaient plus que de cela, « l'exode », c'est-à-dire un tas de gens qui arrivaient du Nord entassés dans leurs automobiles comme les harengs dans les bocaux de feu mémé Léonie. Jean, Joseph, Marline et moi, nous étions allés les voir passer sur le boulevard et j'avais pensé, on peut donc être riche et pauvre à la fois, posséder une automobile et tout laisser derrière soi ! Nous au moins, nous n'avions rien à regretter.

Pour les regrets, je me trompais, bien sûr.

Maman, depuis la fenêtre, a indiqué du doigt le soleil naissant dans le ciel dégagé : « Voyez ce que nous sommes chanceux ! »

On aurait dit que l'incendie de Port-Jérôme, la veille, qui avait pourtant changé le jour en nuit, n'avait jamais eu lieu.

Nous avons bu un bol de lait, avalé à toute vitesse une tartine de confiture préparée par maman, puis j'ai laissé Jean s'occuper du vélo pour attraper Mouke. Mais à peine l'avais-je soulevé que maman s'est égosillée depuis la cuisine : « Lucie, veux-tu poser ce chat ! »

Alors j'ai compris que la situation était grave. Maman n'appelait jamais Mouke autrement que

Mouke et ne criait jamais ou presque, et uniquement pour des motifs de la plus grande importance, comme le jour où Jean avait cassé la lame d'un couteau de papa.

Je l'ai suppliée : Mouke était un membre de notre famille ! C'était elle qui l'avait recueilli et soigné lorsque papa naviguait encore, avant même la naissance de Jean, elle n'aurait tout de même pas le cœur de l'abandonner ?

Mais elle est demeurée muette, la bouche ouverte, comme si l'univers entier s'était gelé le temps qu'elle réfléchisse, ça, elle était bien embêtée maman, encore une minute et elle changerait d'avis, c'était certain, seulement la cloche du portail a sonné, l'univers s'est ranimé, le chignon de tante Muguette est apparu au-dessus de la grille et j'ai su que c'était fichu.

Mouke avait filé, de toute façon.

— Il se débrouillera, a assuré Jean en me tendant un calot vert brillant, un calot qui me faisait rêver depuis qu'il l'avait remporté en combat singulier contre Eugène Vevey, qui était pourtant le meilleur joueur du quartier et même sans doute de la ville. Je te parie qu'il sera là lorsque nous reviendrons, la panse éclatée de souris. Si je me trompe, ce calot est à toi.

Ça m'a un peu rassurée, il était impossible que Jean abandonne un butin aussi précieux, sans compter qu'il pariait uniquement lorsqu'il était sûr de gagner.

Maman avait ouvert la grille.

— Eh bien mes chéris, êtes-vous prêts ?

Tante Muguette parlait avec une drôle de voix, comme si elle récitait une poésie. Elle tenait d'une main un grand sac de toile et de l'autre Marline, qui était toute décoiffée – et ça c'était encore plus bizarre, car tante Muguette ne sortait jamais sans inspecter mes cousins à la loupe, surtout Marline parce que c'était une fille et qu'elle considérait, tout comme maman, que les filles se doivent d'être parfaitement soignées, la coiffure impeccable et les ongles courts en toutes circonstances.

— Non, ma tante, il reste à débarrasser la table et à laver la vaisselle, ai-je répondu.

— La vaisselle, les Boches n'auront qu'à la faire tantôt, puisqu'il paraît que les voilà, a coupé maman.

Alors là, c'était le bouquet. Maman était certainement la personne la plus propre que j'aie jamais connue, il fallait toujours qu'elle lave deux ou trois fois le sol et cent fois ses mains dans une journée, d'ailleurs lorsque l'inspecteur, le conseiller municipal ou monsieur le maire visitaient notre école, monsieur Vevey prononçait toujours la même phrase en s'arrêtant au beau milieu du réfectoire, « Je vous prie de constater qu'on pourrait manger par terre », et tous hochaient la tête comme s'ils l'entendaient pour la première fois.

L'inspecteur et le conseiller venaient très souvent, enfin je parle d'avant la mobilisation, soi-disant pour vérifier le niveau des élèves ou distribuer de nouveaux cahiers, mais la vraie raison, tout le monde la connaissait, c'est que papa cuisinait tellement bien qu'ils trouvaient n'importe quel prétexte pour s'inviter à la cantine.

Joseph était resté sur le trottoir, près de son vélo auquel était accrochée une carriole. Il avait l'air fatigué, lui aussi, mais il a souri en me voyant, et ça m'a fait incroyablement chaud au cœur, parce que Joseph n'était pas comme Jean qui se prenait pour un adulte et passait son temps à me houspiller pour un oui ou un non, surtout depuis que papa était parti et que maman était trop occupée pour jouer au gendarme, Joseph, lui, blaguait du matin au soir et lorsque je mettais ma main devant ma bouche pour m'empêcher d'éclater de rire, parce que papa et maman m'avaient enseigné qu'une fille se doit d'être discrète, il m'attrapait par le coude et me chatouillait exprès jusqu'à ce que je n'y tienne plus en s'esclaffant, « Rigole, cousine, ça ne te coûtera pas plus cher ! ».

Maman a verrouillé avec soin les portes et les fenêtres. Jean et Joseph ont grimpé sur les bicyclettes qui disparaissaient presque sous leurs chargements et Marline s'est blottie dans la carriole avec le baigneur aux yeux bleus que tante Muguette et oncle Louis lui avaient offert pour ses sept ans. Puis maman a recommandé aux garçons de pédaler doucement pour ne pas prendre trop d'avance et nous nous sommes mis en route.

C'est seulement à ce moment-là que j'ai compris la signification exacte du mot « évacuation ». La rue Demidoff était remplie de gens qui marchaient ou roulaient dans la même direction. On aurait dit que la ville se vidait d'un seul coup, comme l'eau emporte chaque miette dans l'évier, et des miettes il y en avait des centaines, des milliers, jusqu'à l'horizon et même plus loin encore, et le pire, c'est qu'il n'y avait pas que nous autres, les Havrais, ou bien les réfugiés du Nord, il y avait aussi des Anglais !

Maman était outrée. Elle a pris tante Muguette à témoin :

— Te rends-tu compte, pendant des semaines, ils jouaient aux acrobates en rasant les toits, juchés sur leurs carlingues, et les voilà qui s'enfuient ! Attends un peu que je leur dise deux mots !

En vrai, c'est moi qu'elle a grondée.

— Ne rêvasse pas, Lucie. Il paraît qu'il y a cinq kilomètres de queue au bac.

J'ai couru vers l'avant pour rattraper Joseph et j'ai posé mes doigts sur ceux de Marline en espérant la réconforter – sûrement pour me réconforter moi aussi. Mais ma cousine a ôté sa main et regardé au loin, comme si elle se moquait complètement de ce qui arrivait, de toutes ces miettes de gens inquiets et même de nous, sa famille. C'était une apparence bien sûr : Joseph me l'avait expliqué. Il le savait parce qu'à lui et lui seul Marline parlait, je veux dire avec des phrases entières qui possédaient un sujet, un verbe et un complément.

C'était arrivé le jour d'après la mobilisation, d'un seul coup : elle n'avait plus répondu à sa mère et à sa maîtresse d'école autrement que par oui ou par non. Et pour les autres, c'est-à-dire le reste du monde, elle ne les avait même plus regardés, ou alors en se cachant derrière ses cheveux et toujours en silence, comme si elle était enfermée à l'intérieur d'elle-même – si bien que beaucoup pensaient qu'elle était folle. La vérité, selon Joseph, c'est que Marline avait peur de vivre, et ça, personne ne pouvait le comprendre parce que tout le monde autour de nous avait peur de mourir, alors elle préférait se taire.

« Peur de vivre » : pour moi aussi c'était une idée curieuse. Marline ressemblait (en plus jolie, mais en beaucoup plus sage) à Gerty, l'héroïne de *L'Allumeur de réverbères* de miss Cummins, qui était mon livre préféré. Je l'adorais, même si j'étais parfois un peu jalouse à cause de Joseph, parce qu'ils étaient inséparables et qu'ils me faisaient penser à la dernière leçon de morale de Mademoiselle Vioud, juste avant que l'école ferme : « Nos frères et nos sœurs sont nos meilleurs compagnons de travail et de jeux ; ils doivent être nos meilleurs amis. » Peut-être que Marline était trop petite, elle ne voyait pas la chance qu'elle avait : Joseph était le meilleur ami qui pouvait exister.

Nous avons marché longtemps au milieu des poussettes, des charrettes, des autos. Il y avait même des chevaux et des ânes ! Maman et tante Muguette avançaient en soufflant, s'arrêtant parfois pour s'éponger le front ou changer leurs sacs de main. Elles contemplaient la foule autour de nous, discutaient à voix basse (comme si quelqu'un avait pu les entendre avec ce vacarme !) puis reprenaient leurs paquets en criant, « En avant les enfants ! ».

C'était difficile de les suivre. Je n'osais pas appeler maman pour lui demander de ralentir le pas, alors je courais le plus souvent possible pour ne pas être distancée. Dès que la route était plate, Jean me faisait monter sur le cadre de son vélo. Tandis qu'il pédalait, mes pensées volaient vers Mouke : est-ce que les Boches lui feraient du mal ? Et surtout vers papa : la dernière fois que je l'avais vu, c'était en décembre pour la Sainte-Lucie, il avait surgi sans prévenir et je m'étais sentie importante parce qu'il était revenu en permission le jour de ma fête, même s'il assurait que c'était un hasard. Papa était communiste, il détestait tout ce qui concernait l'Église et qu'il appelait les bondieuseries (ce qui chagrinait beaucoup maman), et il n'aurait pas voulu qu'on pense qu'il accordait de l'importance au calendrier des saints. Il n'empêche qu'en entrant il m'avait embrassée la première en chuchotant « Bonne fête, gamine ! » et j'avais aperçu une grimace sur le visage de maman. Elle lui en voulait de ne pas avoir attendu Noël. Je les avais entendus causer, elle se plaignait que « l'hiver était terrible », qu'elle « travaillait comme une bête de somme », sa voix était pleine de larmes, à Noël, c'était son anniversaire à lui, le 25 exactement, ce qui permettait d'habitude à maman de préparer une belle table sous prétexte d'honorer papa tout en célébrant secrètement Jésus.

Par-dessus tout, elle aimait se promener en ville à son bras et admirer les illuminations dans la rue de Paris comme si elles clignotaient en son honneur, ce que j'avais cru longtemps d'ailleurs, parce que dans les yeux de maman, papa était un roi et qu'il était bien normal que la ville entière le salue. Ils marchaient devant nous, le roi et la reine, et nous les enfants, nous aurions bien pu disparaître, maman ne voyait que papa.

Je ne lui en voulais pas. Moi aussi, je trouvais papa exceptionnel, même s'il était dur avec nous, plus dur encore que monsieur Vevey. S'il trouvait notre chambre en désordre ou bien que nous nous levions en retard, il nous faisait recopier cinquante fois « *La discipline peut remplacer bien des qualités, aucune ne remplace la discipline*[1] ». Il affirmait que c'était pour notre bien, que « la bonne éducation ouvrait la porte et que l'instruction éclairait la route ». Papa avait commencé à travailler à l'âge de treize ans juste après le certificat d'études, il avait embauché à la Transat sur l'*Île-de-France* à peler les patates, il avait fait son chemin dans la brigade et fini chef dans les cuisines du *Normandie*, ça c'était sa gloire, « Croyez-vous qu'on devient chef seulement parce qu'on sait lier une sauce, les enfants ? »

À chacune de ses traversées, il avait emporté un de ces livres à la couverture rouge ornée de lauriers dorés, reçus en récompense pour ses prix d'excellence, de grammaire, d'histoire, de géographie ou d'arithmétique, et qui trônaient aujourd'hui sur la commode de sa chambre : *Le Dictionnaire général de la langue française* en deux tomes, *Les Aventures du général La Fayette*, *Les Rivages de la France*, *Les Poètes du foyer*, bien d'autres encore – papa avait continué d'éclairer sa route en fendant les flots. Il disait que la Transat lui avait tout appris et tout donné, *l'ordre et la rigueur, la possibilité de devenir quelqu'un* et aussi l'amitié véritable. Il en parlait tellement, on voyait bien qu'il regrettait cette époque et

---

1. Gustave Le Bon.

que ça déplaisait à maman. Quand Thuriau était en escale et venait en visite, ils s'isolaient tous les deux en buvant du rhum, alors elle devenait d'une humeur massacrante et dans ce cas, il valait mieux filer droit. Elle disait, maman, que les paquebots, c'était comme une ombre amarrée entre eux – mais c'était bien la seule, enfin ça et les *bondieuseries*, parce que sinon, maman était tout pour papa et papa tout pour maman.

Où se trouvait-il aujourd'hui ? Le jour de la mobilisation, il avait pris Jean à part pour lui annoncer qu'il devrait *se comporter en homme pendant son absence*, ce qui signifiait porter les sacs de charbon à sa place pour aider maman. Jean, qui comptait bien, lui aussi, éclairer sa route, préférait la science aux exercices physiques, encore plus lorsqu'il s'agissait de corvées, mais recevoir une mission de papa, c'était comme un cadeau : ça nous avait donné du courage à tous les deux, nous avions tellement peur ce jour-là, peur de la peur de maman, peur qu'il ne revienne jamais, parce que la guerre chez nous avait déjà mangé presque tous les hommes, le père de papa décapité par un obus la veille de l'armistice, le père de maman et une demi-douzaine de grands-oncles gazés par les Boches – eux étaient rentrés en 1918, mais pas pour longtemps, ils étaient déjà asphyxiés et sont morts paraît-il dans d'atroces souffrances.

Tout ça, c'était bien avant notre naissance, heureusement. Mais il y avait ces photos sur le bord de la fenêtre et le chagrin des parents qui s'imaginaient le garder pour eux, alors qu'il nous pénétrait comme l'humidité de l'automne se faufile à travers les orteils.

Et lorsque j'ai vu la porte se refermer sur papa ce jour-là, mon cœur s'est arrêté de battre, j'ai pensé à tous ces morts, j'ai pensé que ce serait peut-être son tour bientôt, j'ai pensé, que deviendra-t-on sans lui pour nous protéger ?

Avant de quitter la maison, aidé d'employés de la mairie venus en renfort, il avait aménagé la cave de l'école avec des sacs de sable pour protéger les soupiraux, puis il nous avait pris longuement dans ses bras et recommandé d'être bien obéissants avec monsieur Vevey, qui, lui, n'était pas mobilisé, peut-être parce que c'était le directeur ou parce qu'il était trop vieux, je ne l'ai jamais su, mais je lui en ai toujours un peu voulu.

Quelques jours plus tard, Jean et moi avions été chargés de barbouiller les vitres avec une peinture bleue pour le camouflage de nuit. Nous étions si heureux de participer à la bataille, si cela pouvait l'aider à rentrer plus vite ! Mais au contraire, tout avait ralenti, les Anglais s'étaient installés à l'Hôtel Frascati, paradant le long de la plage, et durant des mois, la vie était restée la même avec papa en moins : tous les dimanches, maman et tante Muguette nous emmenaient manger des crêpes place Gambetta en rouspétant contre cette guerre qui n'en était pas une, mais qui avait volé leurs maris et nos pères.

À moi aussi, en repartant après ma fête, papa avait en quelque sorte confié une mission. Il m'avait dit, « Tu seras bientôt une grande, Lucie ». Il n'était pas certain d'être présent pour fêter mes onze ans, alors il prenait de l'avance. Une grande fille, c'est-à-dire plus le droit de pleurer pour un rien (mais pas au point des garçons, tout de même), plus le droit de rester au lit le dimanche matin en attendant de sentir l'odeur du lait bouilli, mais en compensation, le droit de se coucher à huit heures et d'écouter la TSF avec maman et Jean. Enfin, pour la TSF, ça n'avait pas duré : j'avais soufflé mes bougies le 5 mai et deux semaines plus tard, à cause des bombardements, maman nous l'avait interdit. Comme si les nouvelles n'arrivaient que par la radio ! Maman oubliait les conversations dans la queue de l'épicerie, les affiches collées aux murs et surtout, les cours de récréation où l'on s'échangeait les informations obtenues en espionnant les adultes.

Le soir, une fois dans notre lit, Jean et moi passions en revue notre récolte, un bateau a coulé dans le port, un avion est tombé sur l'Estuaire, la Hollande a capitulé, la Belgique est envahie aux trois quarts, puis c'est le roi des Belges qui a rendu les armes, l'armée française est encerclée à Dunkerque, à Lille, les réfugiés accourent depuis le Luxembourg, les quais flambent, les magasins généraux sont détruits – jusqu'à cette incroyable nouvelle, la veille de notre départ : Port-Jérôme a été saboté par notre propre armée ! La raffinerie !

Jean avait dit, quand on en vient à brûler ses cartouches, c'est qu'on n'a plus de fusil. Il avait ouvert son manuel à la page de la carte de France et m'avait montré où se trouvait Dunkerque.

— Si tu veux mon avis, on est cuits, avait-il chuchoté, en m'ordonnant de me taire.

Il valait mieux que maman ne s'affole pas, puisqu'elle semblait convaincue que rien n'était vraiment grave, que l'on allait seulement faire un petit voyage, le temps que nos soldats se remettent en ordre et « bottent les fesses des Boches ».

Jean était un peu comédien et il aimait bien me faire peur. Alors, j'avais espéré qu'il ne pensait pas sérieusement ce qu'il disait et que maman avait raison d'avoir confiance dans notre armée, que nous n'allions pas finir cuits, nous aussi – brûlés, en cendres, comme les stocks de Port-Jérôme.

Le lendemain, alors que nous quittions la maison, j'ai demandé son avis à Joseph.

— Bah, cousine, tout ce que je sais, moi, c'est qu'on est en vacances un lundi ! Profite !

Il ne semblait pas inquiet, même si à force de blaguer tout le temps, c'était difficile de savoir ce qu'il pensait vraiment. Tout de même, cela m'a soulagée. Il s'est retourné vers Marline.

— Pas vrai ?

Marline a levé les yeux, sans bouger un seul autre muscle, même pas un sourcil, c'était sa manière à elle de sourire, elle savait allumer ou éteindre la lumière dans ses yeux comme on allume ou on souffle une bougie – c'était stupéfiant, si bien qu'on imaginait parfois avec Joseph qu'elle ferait bientôt le tour du monde à grands roulements de tambour, mesdames et messieurs voici la fille au pouvoir magique, l'enfant de la lumière ! Nous serions ses imprésarios, je porterais des anglaises, Joseph un costume et une grande cravate rayée comme on en voyait sur les affiches de cinéma et Marline recevrait des bouquets de fleurs de centaines d'amoureux.

— Tu vois, Marline est d'accord avec moi : il faut profiter.

Comme si j'avais besoin d'un autre signe pour me rassurer tout à fait, tante Muguette a crié brusquement :

— Nous allons faire un jeu ! Ceux qui atteindront le prochain tournant avant que j'aie compté jusqu'à vingt gagneront un caramel !

Muguette avait emporté ses caramels d'Isigny ! Ces caramels qu'elle achetait une ou deux fois l'an et qui nous faisaient tant saliver, Jean et moi, à chaque visite, sous l'œil agacé de maman qui nous interdisait les friandises en dehors de Noël ou des anniversaires.

C'était un des sujets de dispute entre elle et tante Muguette. Maman estimait que les sucreries, qu'elle appelait *le superflu* (ou parfois *les cochonneries*, si elle était fâchée), devaient rester exceptionnelles et réservées en priorité aux adultes, soi-disant parce que cela nous gâterait les dents et qu'il fallait surveiller les dépenses. Mais la vérité, c'est que maman avait trop souffert d'être un enfant pendant la Grande Guerre, elle avait des comptes à régler, contrairement à Muguette qui était tellement petite à cette époque qu'elle ne l'avait pour ainsi dire pas vue passer.

Jean et moi, bien sûr, nous en mangions tout de même en douce. Il y avait les bonbons que l'on gagnait à l'école en jouant aux billes ou à la marelle et ceux que Joseph nous apportait en cachette. Des bâtons de réglisse, des berlingots : tante Muguette en avait un tiroir rempli.

Elle en avait parfois glissé elle-même quelques-uns dans nos poches, profitant que maman avait le dos tourné, jusqu'à ce que celle-ci découvre le manège. Ce jour-là, maman avait littéralement explosé et nous avions assisté, Joseph, Marline, Jean et moi, à une dispute mémorable. Disons, plus mémorable que les autres, parce que toutes les deux, on aurait dit qu'elles s'aimaient autant qu'elles se détestaient, elles n'étaient presque jamais d'accord. Maman reprochait principalement à Muguette d'être faible : elle disait que l'amour ne se mesure pas en chansons, en bonbons, en caresses ou en belles déclarations, qu'« un oui, c'est plus facile qu'un non, mais qu'à la fin on fait des enfants en caoutchouc qui tombent au premier coup du sort ».

Elle lançait des regards pleins de sous-entendus, « Et ton mari, crois-tu ? ».

Je n'étais pas sûre de comprendre pour le mari et toutes les autres phrases que maman ne terminait pas lorsqu'elle s'adressait à sa sœur. En revanche, j'avais bien remarqué que nos deux familles ne respectaient pas les mêmes règles. Maman nous adorait mais, pour être honnête, n'importe qui (à part elle, peut-être) pouvait voir qu'elle aimait papa un peu plus que nous. À table, elle le servait en premier et lui donnait la meilleure part, tandis que chez tante Muguette c'était l'inverse : les enfants étaient servis d'abord, même Jean et moi lorsque l'on était là, et des meilleurs morceaux. Maman avait beau soupirer et secouer la tête en direction d'oncle Louis et de papa, espérant qu'ils interviennent (mais généralement ils étaient trop occupés à commenter les résultats sportifs), tante Muguette faisait mine de n'avoir rien remarqué et poursuivait la distribution à sa manière.

Quoi qu'il en soit, aujourd'hui, non seulement maman ne s'opposait pas à la proposition de ma tante, mais, c'était à peine croyable, elle l'approuvait !

— Allez-y les enfants, je compte avec Muguette !

Jean et Joseph se sont mis à pédaler comme des dératés, on aurait dit les cyclistes du vélodrome de Graville, tête baissée, zigzaguant parmi les autos et les marcheurs, manquant de tomber cent fois, accablés au passage par des femmes qui craignaient d'être bousculées. Malgré mes mollets en compote, je courais derrière eux à m'en arracher les poumons, fixant la tête de Marline qui dépassait tout juste de la carriole. Après tout, cette journée ne serait peut-être pas si mauvaise ?

— Quinze, seize, dix-sept, dix-huit ! s'égosillaient maman et ma tante.

Nous étions trop éloignés pour entendre les derniers chiffres, mais peu importe : nous étions dans les temps en atteignant le virage.

Je me suis laissée tomber sur le talus à côté des garçons arrivés un instant plus tôt. Bientôt, nous avons vu émerger maman et tante Muguette.

C'est seulement lorsqu'elles ont été tout près que j'ai remarqué leurs yeux rougis et ces traces sombres, comme des coups de griffe sur leurs joues. Elles avaient pleuré ! Mon cœur s'est serré brusquement, mais maman, qui était très forte pour répondre aux questions avant qu'on ne les pose, s'est empressée de me caresser la tête :

— Ces conducteurs sont impossibles, ma pauvre Lucie. Ils roulent sans se soucier des piétons et nous envoient de la poussière et des gravillons plein la figure.

Je me suis tue : maman nous avait appris à ne pas discuter, et puis une partie de moi avait envie de la croire. Mais l'autre partie, c'était tout l'inverse, et c'est elle qui l'emportait.

— Prenez vos caramels, il faut repartir.

J'ai tendu le sien à Marline. Elle l'a saisi, s'est recroquevillée, on aurait dit qu'elle avait disparu au fond d'elle-même.

Sans doute avait-elle remarqué les traînées sombres, elle aussi.

— Nous sommes presque à la route du Hode, a ajouté maman. Si tout va bien, d'ici une heure ou deux, nous atteindrons l'embarcadère.

Mais en vrai, rien n'allait bien. Nous n'avons même pas pu dépasser le croisement, à peine cent mètres plus loin. À perte de vue, des automobiles stationnées en files désordonnées empêchaient le passage. Partout, des gens étaient assis à même le goudron et nous mettaient en garde : la queue au bac dépassait maintenant les sept kilomètres. Nous ne traverserions pas aujourd'hui, c'était certain.

Maman et Muguette étaient toutes pâles.

— Les Boches arriveront ici avant qu'on ait posé un orteil sur ce fichu bac, a grommelé Jean sans qu'elles l'entendent.

J'ai serré très fort les dents pour empêcher mes larmes de monter, notre départ ne ressemblait plus du tout aux promesses de maman, « Tout est prévu, tout est organisé les enfants, disait-elle, la mairie s'en est occupée, ce sera une grande promenade, nous qui ne voyageons jamais, croyez-moi, il n'y a rien à craindre ! ».

Autour de moi, je ne voyais que des sourcils froncés, des enfants en pleurs, des vieillards épuisés par l'inquiétude, alors j'ai supplié en silence que papa surgisse, qu'il vienne nous sauver parce qu'il aurait trouvé comment faire, c'est sûr, il nous aurait pris dans ses bras et aurait traversé la foule jusqu'au bac, mais évidemment il n'y a pas eu de miracle, papa est resté là où il était et il a bien fallu nous asseoir à côté des autres.

— Hé, cousine, a murmuré Joseph. Moi, j'ai dormi une fois à la belle étoile, c'est bath. En plus, il n'y a pas un nuage. Je te montrerai les constellations. En attendant, j'ai mes osselets dans ma poche. On joue ?

Il semblait convaincu, alors ça m'a redonné un peu de force. Peut-être que j'étais trop sensible, après tout : c'est ce que maman disait toujours. Avec Muguette, elles dépliaient déjà un linge sur le bord de la route pour que l'on puisse s'installer confortablement. C'était un drôle de spectacle, notre petit campement au milieu de tant d'autres. Nous étions si nombreux et si seuls à la fois.

Pour la première fois de ma vie, j'ignorais à quoi ressemblerait le jour suivant. En réalité, j'ignorais même à quoi ressemblerait la nuit.

Je ne savais rien des constellations, des bruits, des cris.

Le soleil brillait dans le ciel, Joseph lançait ses osselets.

J'en ai rattrapé deux d'un coup.

La vie est ainsi, m'avait confié papa. Le monde est une roue qui tourne vite, à peine es-tu en haut, que te voilà déjà en bas.

MUGUETTE

Juin 1940

Leurs corps gisaient face contre terre, l'homme et la jeune fille, serrés l'un contre l'autre à quelques mètres du talus.

J'ai cru d'abord qu'ils dormaient, j'étais si fatiguée, depuis plus de quatre heures nous marchions chargés comme des animaux : dormir, cela me semblait une idée logique.

Les garçons étaient à l'arrêt, occupés à consolider l'attache de la carriole, attendant Lucie qui trottinait à l'arrière. Émélie a mis la main devant sa bouche pour s'empêcher de crier, j'ai regardé un peu mieux, ils étaient couverts de mouches, le paletot de l'homme troué, des coulées noirâtres sur la jambe tordue de la jeune fille. Mon cœur s'est soulevé jusqu'à me boucher la gorge lorsqu'une dame à côté de nous a commenté : « Vous ne les avez pas entendus tantôt, les Boches, quand ils ont mitraillé ? »

Émélie lui a fait signe de se taire, elle pensait aux enfants bien sûr, c'est là que j'ai eu cette idée, une course pour un caramel.

Qu'ils ne les voient pas, surtout Marline.

L'homme et la jeune fille étaient nos premiers morts. Il y en avait eu bien d'autres dans la ville, paraît-il plus de cent cinquante depuis la mi-mai, mais à peine avait-on lu leurs noms dans les colonnes du *Petit Havre*, tandis que ceux-là, j'aurais pu les toucher.

Les enfants poussaient des cris de joie en s'éloignant tandis que les larmes nous étranglaient.

Pendant longtemps, je n'ai pas eu peur. Lorsque les sirènes du cimetière Sainte-Marie hurlaient après la mobilisation, lorsque Louis et Joffre ont rejoint leurs régiments, lorsque la défense passive a appelé à s'engager pour le bien commun, « On a besoin d'agents de liaison, de téléphonistes, de vigies d'incendie, de gardiens, d'ingénieurs, de chefs d'équipe, d'électriciens, de plombiers, de charpentiers, de maçons, de terrassiers, de manœuvres, de médecins, d'infirmières, de secouristes, de brancardiers, de chimistes, de pharmaciens, de conducteurs ; pour les femmes mariées, consentement du mari, pour les mineurs, autorisation des parents ! ».

Même lorsque les masques à gaz ont été distribués et que tous, enfants et adultes, nous avons dû les porter en bandoulière avant d'y renoncer, vaincus par l'odeur insoutenable du caoutchouc. Ou lorsque nous avons su que les Anglais avaient signé des baux de sept ans par précaution, parce qu'en 14 ils avaient loué pour trois ans, péché d'orgueil.

Lorsque le charbon polonais a commencé à manquer, puis lorsqu'en avril l'ennemi a envahi le Danemark et menacé la Norvège, je n'avais toujours pas peur : puisque tout allait s'arranger ! Nous la gagnerions, cette guerre, personne ne se vantait ici, c'était seulement une question de bon sens. J'envoyais Joseph collecter la ferraille avec Jean ou expédier journaux et tricots à son père qui s'ennuyait et gelait sur les bords de la Meuse, tandis qu'aux dernières nouvelles Joffre était quelque part dans le Centre où le climat était moins rigoureux. Je chantais, je riais de bon cœur aux blagues que Joseph glanait dans la ville : « S'il croit apeurer les gens, ce vieil Adolf se met le doigt dans l'œil jusqu'au canal de Kiel ! »

Mon fils chéri, mon éternel optimiste, ma force vive. Trouvant toujours matière à s'amuser, prendre les événements du bon côté et surtout, à protéger sa sœur. Jouant les guides touristiques dans le tramway si les rideaux baissés à cause du black-out nous empêchaient de voir les stations et que l'on se trompait à la descente, lui enseignant à faire des ricochets sur la glace après que le gel avait saisi le bassin Notre-Dame, se faufilant avec elle dans la cour de l'hôtel de ville pour assister à l'inauguration de la nouvelle échelle des pompiers, trente mètres ! Reprenant même avec moi « *Dans la vie faut pas s'en faire, moi je n'm'en fais pas*[1] », à tue-tête pour couvrir les premiers

---

1. Albert Préjean, *Dans la vie faut pas s'en faire*, 1934.

tirs de la DCA – pourtant, j'avais du mal à croire qu'il n'était pas un peu inquiet.

C'est cette joie de vivre qui m'a donné le courage de leur mentir lorsque la peur s'est finalement abattue comme une gifle. La guerre, la vraie, commençait alors que l'on ne s'y attendait plus. Les Boches ont attaqué la Hollande, la Belgique et le Luxembourg d'un coup de sabre, ils ont bombardé Nancy, Colmar, Lyon, plus encore disait le journal que je cachais sous mon lit, c'était une pluie d'affreuses nouvelles, il y avait des tués et des blessés chez les civils, des cadavres brûlés dans les rues, des bombes transperçant les berceaux, quant aux soldats, n'en parlons pas !

Et voilà que depuis quelques jours, les barbares étaient à nos portes. Leurs avions avaient esquivé les ballons captifs, le ciel s'était allumé, les explosions avaient secoué les murs, lacéré les toits, incendié Sainte-Adresse, puis les quartiers du port et de la gare, le Petit Paris, Unifix, et pour finir cet immeuble tout près de chez nous, deux étages entiers partis en fumée.

Cette fois j'avais terriblement peur, oui : des gerbes de feu crachées par les canons, de notre cuisine qui oscillait, des éclatements, des cris, des mines qu'on entendait sauter dans le port, des maisons éventrées, de la mitraille sur les trains, des titres alarmants de la presse, du déferlement des chasseurs ennemis sur les Ardennes, comme une vague immense qui semblait prête à engloutir le pays en entier et notre pauvre ville d'un jour à l'autre. J'avais peur que mes enfants meurent, que Louis meure, que je meure moi aussi, que notre famille, notre avenir s'effondrent, mais je n'ai rien dévoilé.

Émélie m'avait avertie : « Ne montre rien, jamais, ou bien les enfants n'auront plus confiance. » Alors j'ai serré les dents, les doigts, le ventre, j'ai retenu mes frissons, j'ai menti à Marline en affirmant que les réfugiés emportaient leurs matelas par économie, parce que la laine était chère et le sommeil précieux, j'ai juré à Joseph qu'il n'y avait aucune raison de s'affoler, que ces dégâts à côté de chez nous étaient purement accidentels, les habitations seraient désormais épargnées, forcément, en quoi aurions-nous donc été une cible ? J'ai répété bravement la déclaration de Churchill « J'ai une foi invincible en l'armée française » et nous avons fêté tous ensemble l'arrivée du Maréchal au gouvernement ainsi que celle de Weygand à la manœuvre, comme si c'était le signe d'une victoire imminente. Ni les enfants ni Émélie n'ont su que le soir même, agenouillée près de mon lit, je sanglotais en me tordant les mains, mon Dieu ayez pitié de nous.

Une semaine plus tard, j'ai appris que Louis était prisonnier à Sedan avec son régiment, relative bonne nouvelle quand tant d'autres avaient péri sous le feu des Stukas, voilà à quoi sert d'être première vendeuse et de dorloter les dames de la Croix-Rouge – par chance, le dévouement n'empêchait pas la coquetterie, ni la guerre les livraisons au rayon lingerie du Printemps. Pour me remercier d'avoir mis de côté les déshabillés en soie tout juste arrivés de Paris, les bonnes âmes avaient mené l'enquête.

De Joffre, en revanche, nous ne savions rien. Émélie n'en parlait plus depuis Noël, sans doute parce que son absence la faisait trop souffrir, peut-être aussi par superstition. Si l'un d'entre nous mentionnait par mégarde son prénom, elle le coupait, prétendant qu'elle n'avait pas le temps pour les lamentations, elle avait bien assez à faire, garder l'école propre et belle, faire chauffer les cuisinières, se montrer courageuse et dure à la tâche, elle disait, « À chacun son combat ! ».

Je l'admirais de ne pas fléchir quand moi je ne tenais pas sur mes jambes. Elle n'avait pratiquement rien changé à ses habitudes, ni d'ailleurs renoncé à nos différends. Elle continuait à me reprocher mon mariage – ou plutôt mon mari – et à critiquer sans cesse mon attitude envers mes enfants. Mais elle savait aussi me consoler lorsque je sombrais, dévorée par l'angoisse, en préparant des gâteaux aux pommes et des flans au lait. La cuisine, c'était sa manière à elle de montrer son amour, parce que les mots, je voyais bien qu'elle les cherchait sans jamais les trouver, quand ça sortait, presque toujours ça faisait mal et je la détestais, puis aussitôt je lui pardonnais ; elle faisait de son mieux et s'en voulait sincèrement de m'avoir blessée.

Maintenant, ma sœur regardait les enfants s'éloigner. Lorsqu'ils ont disparu dans le virage, ses yeux se sont noyés, c'était comme un signal, une autorisation qu'elle me donnait de pleurer à mon tour, et nous sommes demeurées ainsi plusieurs minutes, pétrifiées, le regard rivé sur le corps de la jeune fille, sur ses chaussettes tachées de terre et de sang.

Elle tenait ma main écrasée dans la sienne avec une rage triste, exactement comme elle l'avait fait la veille lorsque je l'avais rejointe devant la mairie, après que l'incendie de Port-Jérôme avait plongé la ville dans l'obscurité et le froid. Nous avions lu ensemble l'affiche ordonnant l'évacuation, les gens, déjà, s'entassaient dans les autocars, les remorques, les camions poubelles et filaient à travers les rues vers les bacs et le port, portés par un vent d'effroi. Il n'y avait plus de gaz ni d'électricité, il se disait même qu'à l'hôpital on opérait à la lampe torche. J'avais pensé m'enfuir moi aussi, obéir à ces hommes qui hurlaient dans les haut-parleurs, attraper Joseph et Marline, grimper sur-le-champ dans un de ces véhicules, n'importe lequel, mais il aurait fallu partir sans Émélie et bien sûr sans Jean et Lucie, parce que ma sœur refusait obstinément d'abandonner l'école, comme si nous pouvions empêcher les bombes de tomber, comme si nous étions responsables de la ville entière, comme si elle s'attendait à un miracle ou bien à un contrordre – et il faut dire à sa décharge qu'il y en avait eu plus d'un ces derniers jours.

Elle contemplait le ballet des fuyards et s'offusquait, « Qu'ils partent, les lâches, qu'ils galopent ! Nous avons du charbon, et s'ils coupent l'eau, eh bien nous en prendrons à la fontaine ! ». Je n'avais ni le courage d'objecter ni celui d'avancer seule. L'avenir me terrifiait autant que le présent, paralysait mon cerveau, qui avait raison, qui avait tort ?

Par bonheur, ses certitudes avaient volé en éclats dans la soirée en même temps que les vitraux de Sainte-Marie, percutés par les bombes : à mon grand soulagement, elle était venue gratter à ma porte alors qu'il était presque minuit pour organiser notre départ à l'aube.

La queue au bac était une nappe immense, presque immobile : il y aurait des heures d'attente, peut-être une journée, et encore étions-nous chanceux puisque la priorité était donnée aux piétons et aux cyclistes. Le monde marchait sur la tête, la guerre renversait tout, les riches étaient contraints de stationner dans leurs autos remplies de linge et d'objets précieux en laissant les autres traverser, des femmes accouchaient dans le fossé et des malades s'effondraient sans que personne s'en émeuve, puisqu'une seule chose comptait désormais, passer de l'autre côté de l'eau, à n'importe quel prix, s'il fallait laisser des cadavres se putréfier au soleil pour se sauver et sauver nos enfants, alors tous, nous étions prêts à devenir sourds et aveugles.

Joseph jouait aux osselets avec ses cousins, ils riaient ensemble – se pouvait-il que les enfants échappent à ce point à la réalité ? Je me suis accrochée mentalement à la ligne de sa joue ronde découpée dans l'horizon, réprimant une envie de vomir. Émélie, qui savait lire dans mon cœur du plus loin que je m'en souvienne, m'a entraînée à l'écart.

— N'aie pas honte, a-t-elle chuchoté, fébrile, n'aie pas honte de vouloir vivre, de chercher à protéger ceux que tu aimes, personne d'autre ne le fera à ta place. Sais-tu pourquoi j'ai voulu que nous partions nous aussi, pourquoi j'ai finalement abandonné l'école ? Écoute ce que j'ai appris hier au soir, de la bouche même de monsieur Vevey : notre propre maire a embarqué en fin d'après-midi sur un canot de sauvetage, en compagnie du sous-préfet, de l'archiprêtre et de la moitié du conseil municipal, oui, tu as bien entendu, à cette heure-ci, ces couards sont en sécurité, confortablement installés, tandis que nous, il nous faut lutter non seulement contre la mitraille allemande, mais encore contre nos propres frères de débâcle, puisque c'est sauve-qui-peut et chacun pour soi !

L'ordre d'évacuation recommandait aux Havrais de ne pas se porter en masse vers les points d'embarcation, mais eux, les politiciens, les puissants, ils s'y étaient jetés les premiers, quand tout le monde les croyait encore aux commandes. Combien la désillusion devait être grande pour ma sœur ! Émélie et son mari vénéraient leur hiérarchie. Depuis que l'adjoint leur avait proposé ce poste de concierges d'école, ils s'étaient sentis honorés, investis d'une mission. Bien plus que surveiller les enfants, entretenir les bâtiments, cuisiner, ils se dévouaient à la ville, à l'éducation, à la patrie même !

Émélie avait quitté le Printemps – où nous étions pourtant si heureuses toutes les deux – sans une seconde d'hésitation. À ceux qui lui opposaient qu'elle revenait en arrière, puisqu'elle était sur le point d'être nommée responsable de l'étage, elle rétorquait gonflée de fierté qu'elle préférait servir la cause commune. À dire vrai, ce choix servait plus encore sa propre cause. Elle avait trouvé là une occasion unique de garder Joffre près d'elle jour et nuit, mais ça, elle ne l'aurait jamais avoué et moi, jamais souligné – il y avait bien longtemps que je retenais mes remarques à propos de leur relation et de cette manière extravagante qu'elle avait de le jucher sur un piédestal.

Par un processus demeuré pour moi assez mystérieux, l'amour qu'elle portait à son mari, quoique désormais absolu, irréfutable, s'était construit peu à peu. Elle n'était pas tombée amoureuse, elle n'avait pas senti son estomac se nouer, son cœur exploser, son corps entier vibrer comme sous l'effet d'une collision, toutes ces sensations qui m'avaient submergée à l'instant où j'avais croisé le regard de Louis. Elle avait épousé Joffre avec satisfaction, mais sans excitation, parce que lui en avait décidé ainsi et parce que depuis les aïeux de nos aïeux, nos familles étaient à la fois alliées, amies et voisines. Il l'avait choisie, l'avait fait savoir chez nous, je crois qu'il aimait sa rugosité, sa persévérance, son absence de frivolité, mais aussi cette solidité qui émanait d'elle, qui la rendait si rassurante, et elle avait décidé de l'aimer à son tour, simplement parce que c'était dans l'ordre des choses.

J'avais observé ses sentiments croître mois après mois sans que je puisse me l'expliquer, comment l'amour pouvait-il survenir après le mariage et non le précéder (ou bien ne jamais se produire), cela me semblait tellement étrange, presque suspect, un amour qui grignotait discrètement, mais inexorablement l'espace, qui s'imposait et nous volait Émélie, à moi, à ses propres enfants, pas entièrement bien sûr, elle nous aimait toujours, elle nous aimait aussi, elle nous aimait assez, sans doute, elle mourrait même pour nous s'il le fallait, car c'était là aussi dans l'ordre des choses, mais seulement en seconde position : Joffre resterait à jamais le centre de son système solaire, et nous, ses satellites.

De gros tuyaux en ciment étaient entreposés au bord la route, dans l'attente de travaux stoppés par les progrès des Boches. Émélie et moi y avons tassé une partie de nos vêtements afin que les petits dorment à l'abri du vent – le prétexte – et surtout des balles – la véritable raison. Marline s'est glissée dans les bras de son frère, Lucie et Jean se sont allongés tête bêche, et malgré le grondement de la foule et des moteurs, tous les quatre se sont laissé emporter par la fatigue. Le bruit courait que certains profitaient du sommeil des autres pour les détrousser, alors Émélie et moi nous sommes relayées pour monter la garde. Tandis que je veillais, j'ai interpellé le ciel en silence, comment tout cela avait-il pu arriver, si vite, comment était-il possible que le monde soit assez fou pour plonger à nouveau dans le sang, après l'horreur que nous avions vécue, moins de vingt ans en arrière ? Je pensais à nos cheveux emmêlés, à nos manteaux trempés de sueur, à nos sous-vêtements souillés et nos semelles couvertes d'urine parce qu'il fallait bien se soulager, et nous avions beau marcher le plus loin possible dans les champs, à deux pour que l'un puisse masquer l'intimité de l'autre, nous étions si nombreux sur cette route à devoir assouvir les mêmes besoins que la terre était encore boueuse d'excréments à plus de cinquante mètres du bas-côté.

Je pensais à la faim et à la soif qui s'annonçaient depuis que nous avions épuisé nos réserves de pain, de biscuits et d'eau, je pensais à notre petit appartement que j'aimais tant, le grand fauteuil douillet que les enfants se disputaient le soir lorsque nous jouions aux cartes ou au jeu de l'oie et dans lequel nous finissions tous les trois enlacés pour un dernier baiser avant d'aller dormir. Je pensais aux fleurs fraîches que j'avais déposées ce dimanche matin sur le chevet de Marline : auraient-elles pourri à notre retour ? Ou bien était-ce nous qui allions pourrir ? L'image de nos cadavres dansait dans ma tête, nos trois corps affalés et inertes, bientôt dissous par les pluies qui ne manqueraient pas de tomber, les paupières de Marline entrouvertes comme celles de son baigneur, mon impuissance à sauver mes enfants, parce que je savais chanter pour Marline et rire avec Joseph, je savais coudre des robes de princesse que je découpais dans les vêtements mis au rebut, je savais décorer le pain d'épice et faire du patin à glace, mais le danger, la maladie, la possibilité de la mort, je ne saurais pas y faire face, pas plus que je ne savais hausser le ton, donner du coude, ouvrir le chemin comme le faisait Émélie qui, elle, était plus forte face à l'adversité que dix hommes réunis.

Le jour s'est levé et, enfin, notre tour est venu. Nous sommes montés sur le bac en silence, craignant à chaque pas qu'un incident ne survienne et n'annule cette traversée tant attendue, à la fois euphoriques à

l'idée d'échapper au pire et déchirés de culpabilité,
puisqu'il fallait bien laisser derrière nous, acculés à
la berge, une marée d'autres malheureux, vieillards
harassés, mères isolées et chargées de nouveau-nés,
familles trop nombreuses qui refusaient d'être
séparées.

L'air était frais à bord, débarrassé des puanteurs de
notre cohorte, les cris des mouettes presque joyeux,
comme un encouragement à combattre le désespoir.
Nous avons rempli nos poumons profondément, sur-
veillant le ciel par précaution, mais aucun avion ni
aucun tir lointain n'a troublé notre trajet.

De l'autre côté du fleuve, la cohue se dispersait
en plusieurs routes. Émélie et moi avions prévu de
nous rendre à Lisieux en nous aidant des panneaux
indicateurs et de nos connaissances. À force d'étudier ensemble les manuels scolaires et les affiches
accrochées dans les salles de classe lorsque je venais
l'aider à nettoyer le dimanche, nous étions devenues
imbattables en géographie – comme en grammaire,
en sciences, en histoire ou en arithmétique –, nous
aurions même pu rivaliser avec Joffre. Combien
de fois pourtant avais-je pesté lorsqu'elle m'imposait d'apprendre, engoncée dans un pupitre bien
trop petit pour moi ! Nous avions été écolières
en notre temps, cela me paraissait bien suffisant,
mais elle n'était pas de cet avis. À l'unisson de son
mari, elle répétait que ce que l'on apprend enfant
entre par une oreille et sort par l'autre, que le savoir
se cultive et s'entretient, sans quoi l'esprit rétrécit et
flétrit l'âme. Aussi, lorsque le ministre, auquel elle
vouait une admiration sans borne pour avoir porté

à quatorze ans l'obligation scolaire, avait récemment
réformé les programmes, elle avait décrété qu'il serait
honteux de ne pas en profiter et nous avait mises aussitôt au travail.

Je pensais, c'est dommage que Louis ne nous
voie pas. Il se moquait toujours de moi, de nous, il
disait que Joffre et Émélie oubliaient qu'ils étaient
concierges d'école et non inspecteurs de l'Éducation nationale, que ça leur montait à la tête,
posséder les clés de la grille, les vingt volumes
des *Rougon-Macquart*, l'encyclopédie Larousse et
l'autorité sur une centaine d'enfants, et que j'étais
bien bête de leur obéir comme si j'étais moi-même
une gamine.

Louis disait qu'on peut être très heureux sans
savoir situer le Mississippi, il n'empêche qu'aujour-
d'hui il n'aurait pas su s'il fallait marcher en direction
de Pont-Audemer ou de Pont-l'Évêque. Il aurait été
comme tous ces gens désorientés autour de nous, qui
partaient à l'aventure sur la foi d'un vague souvenir
de voyage ou sur un simple pressentiment.

— Après Lisieux, où irons-nous ? avait questionné
Joseph alors que le bac était déjà loin derrière nous.

— Dans le Sud.

Ce n'était pas mentir. Le Sud, tout le monde
s'y rendait d'une manière ou d'une autre, puisque
les Boches arrivaient par le Nord. La vérité, c'est
que nous n'avions aucune idée précise, aucun projet,
nous n'avions presque plus d'argent sur nous, peu
d'objets de valeur, aucun parent susceptible de nous
accueillir.

Personne n'est préparé à tout quitter ainsi, à devoir inventer les moyens de survivre, quand, le jour d'avant, tout était si parfaitement ordonné, le linge sale dans son panier, le linge propre dans son armoire, la soupe sur la cuisinière, les draps repassés, la journée planifiée. Lorsque les premiers convois avaient sillonné la ville, nous avions murmuré, « Pauvres gens : à nous, cela n'arrivera jamais ! Ce sont des Belges, des Luxembourgeois, de petits pays aux armées tout aussi petites, des fétus de paille face à l'ogre allemand, mais nous ! ». Paul Reynaud n'avait-il pas affirmé que nous vaincrions, parce que nous étions les plus forts ?

Personne n'est préparé à affronter la menace et l'abandon, cette sensation absurde de dépendre entièrement d'autrui et pourtant de ne pouvoir compter sur quiconque, car ceux dont c'était le devoir de nous aider avaient fui les premiers, et la plupart des autres, tout comme nous, avaient été jetés sur les routes s'ils n'avaient pas le bonheur d'être postiers, gaziers, employés de la Compagnie des Tramways, des banques, des chantiers navals ou des entrepôts de café – ceux-là, les chanceux, avaient été évacués rapidement vers Nantes.

Lisieux, cela nous semblait raisonnable : une ville suffisamment loin de la côte pour être protégée, suffisamment grande pour que l'on puisse espérer y trouver l'aide d'une institution, et assez proche pour être ralliée en deux jours – d'autant que nous avions réussi à passer le bac avec les vélos et la carriole, la simple présence de Marline ayant eu raison de la réticence des marins à embarquer tout type de véhicule.

Le silence singulier, jamais insolent, le regard fixe et profond de ma fille construisaient autour d'elle une sorte de bulle qui fascinait ou, plus rarement, effrayait, sans laisser quiconque indifférent. Ma petite, mon adorée, mon énigme, comme je m'en voulais de n'avoir pas su lui éviter cet enfermement. Cela s'était produit si brutalement, elle avait cessé de parler d'une heure à l'autre. Comment Marline, joyeuse et douce, qui aimait tant sa famille, s'était-elle ainsi retirée de cette partie de la vie, avant même son septième anniversaire ?

Joseph assurait que c'était la faute de la mobilisation, du départ de leur père, de tout ce qui se disait et se contredisait – la ligne Maginot était infranchissable, on gagnerait, et vite, mais on assemblait en même temps quatre cents avions anglais à Bléville et nos anciens commençaient à faire des réserves de sucre. Je ne croyais pas cette version. Je soupçonnais même Joseph de broder pour ne pas ajouter à mon inquiétude. Je passais désespérément en revue les événements qui s'étaient produits peu avant, sans parvenir à identifier un motif suffisamment fort pour déclencher ce mutisme. Dans mon entourage, Émélie et Joffre exceptés, on me dévisageait depuis des mois comme si j'étais responsable de l'état de ma fille, soit parce que je l'aurais mal éduquée, soit parce que j'aurais commis quelque affreuse action qui l'aurait bouleversée – et par moments, je finissais par le penser. J'avais consulté des médecins, mais l'un était persuadé qu'elle jouait la comédie et les autres étaient d'avis qu'elle souffrait de mélancolie stuporeuse, ils voulaient me la prendre et lui faire subir toutes sortes d'expérimentations.

Marline n'était ni mélancolique ni folle. Elle refusait de communiquer avec les autres, mais continuait à parler avec Joseph, à jouer, cajoler son baigneur et manger ses crêpes avec appétit. Chaque soir, elle écoutait les histoires que je lui lisais, même si la plupart du temps, elle me fixait avec une gravité troublante que j'étais impuissante à interpréter – cela me brisait le cœur, mais j'essayais de ne rien montrer.

En quittant le bac, elle n'a pas voulu remonter dans la carriole, soucieuse de ménager son frère qui montrait quelques signes de fatigue. Elle a marché, puis couru derrière Lucie de toute la force de ses petites jambes, malgré le soleil déjà haut dans le ciel qui menaçait de nous cuire. Je pensais en la regardant, ça au moins je l'ai réussi, faire le nid de leur amour fraternel, cinq ans peuvent bien les séparer, cet amour-là est si solide, attentif et sans réserve que rien ne semble pouvoir l'entamer, mais après un moment, elle a trébuché dans un cri. Lucie s'est précipitée la première, puis Joseph, tandis que Jean, déjà bien avancé, faisait demi-tour pour aider ses cousins.

Alors j'ai pris le temps de les observer, tous les quatre, appuyés les uns sur les autres, traits tirés, lèvres sèches, corps faibles, penchés. Ils avaient faim. Instinctivement, ma main a raclé ma poche.

Autour de nous, les troupeaux paissaient paisiblement. L'herbe était d'un vert tendre et gai, comme si la vie n'avait pas volé en éclats, comme s'il suffisait de fermer les yeux un instant, puis les rouvrir pour

se trouver devant la devanture colorée de notre cré-
merie favorite, plongés dans nos existences heureuses. Je me suis tournée vers Émélie : quelle sorte
de mères étions-nous devenues, incapables de nourrir
nos enfants ? Nous avions toujours eu du travail
et nos maris aussi. Nous ne roulions pas sur l'or, mais
nous n'avions jamais manqué de rien et certainement
pas de quoi manger. Comment aurions-nous pu imaginer qu'un jour viendrait où tout nous aurait été
confisqué, tout, jusqu'à cela ?

Elle a eu cette mimique particulière qui signifiait :
« Allons, Muguette, ce n'est pas facile, mais tout ira
bien. » Elle avait cette capacité stupéfiante à se réa-
dapter en permanence à la situation, tout comme
Jean, un bon garçon, même s'il était un peu trop
sérieux à mon goût, l'avantage étant qu'il faiblissait
rarement, l'inconvénient, qu'il semblait avoir vieilli
avant l'heure.

Mon neveu admirait follement ses parents et
tenait, c'était visible, à obtenir la même admiration
en retour. Il leur avait annoncé qu'il deviendrait
ingénieur dans l'armement et pour cela, il travaillait
énormément à l'école où il était toujours premier de
sa classe, contrairement à Joseph qui n'était ni bon
ni mauvais, et envisageait une carrière de reporter,
pressé de parcourir le monde.

Émélie ne se privait pas de comparer nos fils, qui
n'avaient que six mois d'écart. Non pour affirmer une
quelconque supériorité – bien que physiquement,
Jean dépassait Joseph d'une bonne tête et d'une
dizaine de kilos –, mais parce qu'elle pensait sincèrement que Louis et moi n'étions pas assez stricts, que

nous étions bien trop jeunes pour être parents, surtout moi, qui étais tombée amoureuse à l'âge de seize ans, m'étais mariée à dix-sept et étais devenue mère à dix-huit.

Elle jugeait qu'étant moi-même une éternelle enfant, qui préférait danser et chanter plutôt que tenir une comptabilité ou une cuisine, j'étais peu apte à transmettre le sens des responsabilités. Elle en donnait pour preuve les plaisanteries continuelles de Joseph qu'elle soulignait souvent d'un soupir réprobateur.

Je ne lui en voulais pas du tout. Je savais d'où germaient ces idées ou plutôt ces craintes, elle était elle-même devenue adulte avant l'âge, sans l'avoir choisi, à cause de cette horrible Grande Guerre et surtout à cause de notre maman qui était lunatique, de santé fragile, avec des os épais comme ceux d'un poulet et la fâcheuse habitude de se consacrer à des jeux de patience qui lui occupaient tant l'esprit qu'elle oubliait même que nous existions.

Jean avait posé sa main sur l'épaule de sa mère, l'air décidé. Ils se sont souri. J'enviais tant cette confiance, celle qu'ils éprouvaient l'un pour l'autre, mais aussi celle qu'ils avaient en leur destin, moi qui ne faisais que douter, encore et encore.

— Si tu n'attends pas les belles choses, comment veux-tu qu'elles se produisent ? aimait à répéter Émélie.

On aurait dit à les voir si tranquilles que la mort n'existait plus, ni la peur, ni le danger, ni cette épouvantable saleté qui nous collait à la peau. On aurait dit qu'ils reprenaient simplement leur souffle, comme s'ils n'étaient pas des fuyards aux poches vides, mais de simples promeneurs.

— Un peu de courage, mes enfants, vous serez bientôt récompensés.

Sa voix était comme l'acier, droite, puissante, une canne sur laquelle nous pouvions tous nous appuyer. Et elle avait raison : Pont-l'Évêque n'était pas si loin, même si avancer par cette chaleur, respirer sous les épaisseurs déraisonnables de vêtements enfilés à la hâte ce matin pour en emporter le plus possible me semblait presque insurmontable.

Jean, déjà, était parti en reconnaissance à l'avant. Je marchais, les yeux rivés sur Marline, puisant dans mes souvenirs de quoi me réconforter, la sensation de ses lèvres douces dans mon cou, celle des bras de Joseph serrés autour de ma taille, lorsqu'il a réapparu en s'époumonant :

— Nous y sommes presque ! Il y a là-bas une boulangerie qui sert du pain !

— Je vous l'avais bien dit ! a triomphé Émélie. Les voilà, les belles choses !

Au dernier instant de mon existence sur cette terre, quand défileront les événements qui auront soulevé la peine ou la joie dans mon cœur de mère et dans mon cœur de femme, le bonheur éprouvé plus tard devant mes enfants mordant dans du pain chaud dansera par-dessus tous les autres, j'en suis sûre.

Nous avions retrouvé subitement foi en notre bonne fortune : il avait suffi de cela, mordre dans cette mie fondante, pour oublier la fatigue, les blessures de nos dos et de nos cous fourbus.

Le reste de notre voyage jusqu'à Lisieux s'est déroulé presque facilement. Les habitants par ici étaient moins inquiets, plus généreux, la menace demeurait sourde, ils avaient encore le goût de déjeuner dans leur jardin, s'étonnant de notre fuite et nous tendant volontiers un bol de cidre pour nous rafraîchir – persuadés, comme nous l'avions été auparavant, qu'à eux *cela* n'arriverait jamais.

Ils n'avaient pas entendu, comme ce fut notre cas quelques heures plus tard, une fois installés parmi d'autres réfugiés dans l'école réquisitionnée par la mairie, les récits épouvantables qui circulaient parmi les rescapés des bombardements belges. Il se disait que les Boches embrochaient les nouveau-nés à la pointe de leurs baïonnettes, coupaient les doigts des enfants et leur offraient des bonbons empoisonnés, violaient les femmes et massacraient les hommes.

Que deviendrions-nous s'ils gagnaient encore du terrain ? Qui leur ferait obstacle, si nos armées au nord et à l'èst ne cessaient de reculer ? Comment les misérables barrages faits de troncs et de planches semés çà et là sur la route pourraient-ils ralentir leurs chars ?

Dès le lever du jour, après la douche tant espérée, vêtements enfin nettoyés, Jean et Joseph avaient emmené leurs sœurs jouer sur la place centrale. Des dizaines d'enfants déplacés s'y retrouvaient, piaillant, sautillant en volées de moineaux heureux, rassérénés, à nouveau gonflés d'énergie. J'aurais voulu prolonger indéfiniment ce répit et leur permettre de jouer encore, rire, oublier les marches forcées, interminables, les protéger des nuits à venir sur le sol dur des bas-côtés, des estomacs brûlés par le vide, mais il fallait les interrompre, ne pas céder à la tentation de s'arrêter plus longtemps, descendre plus au sud.

Il n'était pas midi lorsque Émélie a levé la main en signe de rassemblement. Sans une plainte, sans une question, Jean, Joseph, Lucie et Marline ont repris leur place dans notre petite troupe et nous avons quitté Lisieux en direction d'Alençon.

Nous avions trouvé une sorte de rythme naturel, marquant de courtes pauses à chaque heure de marche. Jean poursuivait son ballet, s'éloignant en reconnaissance sur quelques kilomètres, puis revenant partager ses observations – des voitures abandonnées et dévalisées, un ruisseau frangé de tilleuls au bord duquel prendre le frais. Joseph pédalait le plus doucement possible, s'arrêtait lorsqu'il prenait trop d'avance. Lucie avançait courageusement – elle avait insisté pour porter un sac bien trop lourd pour elle et ployait sous l'effort, aiguisant mon sentiment d'impuissance.

Le soleil était plus brûlant encore que la veille, les compagnons de misère plus nombreux, les gorges râpeuses et les pieds hésitants lorsque soudain, nous avons aperçu, dressée au milieu d'un champ au bout d'un chemin de terre, enveloppée dans le ciel rougeoyant, une ferme à laquelle était adossée une haute grange.

Une ferme ! C'était peut-être un toit, un verre de lait, peut-être même des œufs frais. Autant dire un trésor.

— Voyez notre bonne étoile qui persiste à nous aider, s'est écriée Émélie, résumant notre espoir commun. Nous dormirons bien ce soir !

Aussitôt, nous avons pressé le pas, chacun rêvant déjà au paradis promis. Mais à peine avions-nous approché le bâtiment principal qu'une femme en est sortie, traînant à ses basques une petite fille au fichu coloré et moulinant vigoureusement des bras pour nous barrer la route.

Dans son dos, on pouvait distinguer un groupe de voyageurs essaimés dans la grange, éternelles silhouettes voûtées de femmes, d'enfants, de vieilles personnes.

— Allez-vous-en, a-t-elle lancé vivement, il y a déjà bien trop de monde ici. Si encore vous aviez un homme avec vous. Mon mari est au front, croyez-moi, j'ai besoin d'aide, plus que de bouches à nourrir !

Lucie a grimacé, anxieuse, tandis qu'Émélie cherchait à formuler une réponse. Alors, Jean est descendu de son vélo, l'a couché au sol avec précaution, s'est rendu à l'entrée de la grange et s'est emparé d'une fourche. Des femmes se sont mises aussitôt à crier, se figurant à l'évidence qu'il allait les attaquer, mais il a planté la fourche dans une imposante botte de foin et l'a portée crânement jusqu'à la fermière.

— Je suis un homme, a-t-il rétorqué. Je soulève des sacs de charbon chaque jour et ma mère est sans doute la meilleure cuisinière du Havre.

La fermière s'est tournée vers Émélie, qui a hoché la tête en guise de confirmation.

Un silence s'est installé, la femme réfléchissait, soudain la petite a lâché sa robe pour aller se planter devant la carriole. Elle a désigné le baigneur que Marline tenait serré contre elle.

— Le bébé, a-t-elle murmuré.

Je lui donnais trois ans au plus, elle avait de grands yeux noirs, des joues rouges rebondies, une véritable gravure, à peine plus haute que ce baigneur, le plus gros que nous avions trouvé au magasin de jouets, splendide avec sa culotte courte rayée, sa chemise de coton blanc, ses cheveux blonds et son nez retroussé plus vrai que nature, si beau que Marline avait pleuré de joie lorsqu'on le lui avait mis dans les bras.

Ma fille s'est tassée, lèvres closes, fixant le plancher de la carriole.

— Le baigneur, de l'aide pour la cuisine et le ménage, et les poulots feront la traite, a lâché la fermière. Je vous loge jusqu'à la fin du mois, la pitance en plus. Vous prendrez la chambre du garçon de ferme, je vous donnerai des couvertures et de la paille parce qu'il n'y a qu'un lit. Vous rangerez les vélos dans l'appentis, mais je vous avertis qu'il faudra le nettoyer : les poules l'ont couvert de fientes.

— C'est honnête, a répondu Émélie.

— C'est sûr, a ajouté la fermière. D'autant qu'à Alençon, paraît-il qu'il n'y a plus un matelas de libre.

— Le baigneur, on ne peut pas vous le donner, a coupé Joseph en me lançant un œil affolé. C'est le cadeau d'anniversaire de ma petite sœur.

Il tremblait de tous ses membres. La fermière a haussé les épaules, ce qui signifiait clairement que la négociation était terminée. Elle avait changé d'avis à cause de ce poupon spectaculaire, c'était évident, c'était une mère elle aussi, au fond nous avions des préoccupations identiques, protéger notre enfant, lui offrir de quoi oublier la guerre et la mobilisation, et s'il fallait ôter son jouet à une petite fille pour consoler la sienne de vivre sans son père et de voir sa maison assiégée d'inconnus nécessiteux, alors elle le ferait sans ciller.

— Le bébé, a répété la petite.

Tous les regards se sont tournés vers moi – celui de Marline, plein de larmes retenues.

Comment pourrait-elle, à sept ans, comprendre que je sacrifie son bonheur à l'intérêt de notre communauté ? Mais si je refusais, comme Joseph me suppliait de le faire en silence, qui en supporterait la responsabilité ? Nous ignorions si nous pourrions trouver refuge plus loin. La toilette faite à Lisieux était un lointain souvenir, nous étions à nouveau exténués, couverts de poussière et de transpiration, le ventre vrillé, et pour la première fois depuis notre départ du Havre, nous avions l'occasion de faire une véritable halte. Il y aurait du beurre, du lait, des œufs, de la volaille, des légumes et des fruits. Il y aurait un vrai lit, que nous saurions partager. Nous ne resterions sans doute pas jusqu'à la fin du mois, au train où avançaient les Boches – à moins bien sûr que nos armées ne préparent une contre-offensive, hypothèse improbable au vu des derniers événements –, mais au moins quelques jours, de quoi nous préparer à la suite.

Les mains posées sur ses hanches, Émélie fronçait les sourcils, je savais ce qu'elle pensait, il n'y avait pas la moindre hésitation à avoir, un poupon contre un abri, c'était désolant pour Marline, bien sûr, mais à la guerre comme à la guerre !

— Alors quoi, s'est agacée la fermière, vous venez ou vous venez point ?

Quoi que je fasse, j'aurais tort. Je crucifierais ma fille et je décevrais mon fils, ou bien je serais celle qui aurait remis sa famille sur la route. Pour ajouter à ma confusion, l'air s'était subitement alourdi, le ciel assombri, l'orage guettait, jusqu'à présent le temps avait été clément, mais s'il fallait marcher sous la pluie battante ? Mon esprit s'emballait, les images s'entrechoquaient, les enfants fiévreux et affamés, la gadoue maculant nos jambes et nos vêtements, la fureur d'Émélie, les soupirs de Marline, sa tristesse, j'étais incapable de prendre une décision, Émélie avait raison, je n'étais qu'une enfant parmi les enfants, j'ignorais comment établir une hiérarchie entre les êtres, les objectifs et les justifications, je n'étais bonne à rien.

— Bien sûr qu'on vous offre le baigneur, a répliqué Émélie en s'avançant vers la carriole.

Elle s'est adressée à Marline.

— On en trouvera un autre, c'est promis. Et ce soir, je te ferai des crêpes avec le bon lait de la ferme.

Le tonnerre a grondé au moment où elle terminait sa phrase, comme une ponctuation féroce. La pluie s'est déversée, une pluie drue, lourde, asphyxiante. Émélie a attrapé le baigneur et l'a tendu à la petite au fichu qui l'a saisi aussitôt et a couru s'abriter. Marline me dévisageait, bouche ouverte, j'ai pensé, elle va parler, parler, crier, elle va réclamer son baigneur, au moins ce choc sera-t-il salutaire !

Je lui ai tendu les bras, « Viens mon ange », je voulais l'écouter, la caresser, la consoler, lui demander pardon, peu importe qu'il s'agisse de lâcheté ou de réalisme, je lui demanderais pardon, puisqu'elle avait si mal ! Mais rien n'est sorti, pas le moindre son, ses lèvres sont restées arrondies, paralysées de stupéfaction, elle a simplement détourné la tête.

Joseph avait fait signe à sa cousine. Ils ont pris Marline par la main avec délicatesse malgré l'averse qui les détrempait et ils l'ont conduite jusqu'au porche.

Jean était demeuré près de moi avec Émélie.

— Tu as pris la bonne décision, tante Muguette, a-t-il conclu.

— Exactement, a ajouté Émélie. Je suis fière de toi. Maintenant, allons nous mettre au sec.

Je n'avais pris aucune décision, mais je n'ai pas eu la force de le souligner. Je me sentais si faible.

La fermière nous attendait dans sa cuisine, la soupe frémissait sur le feu. Lucie, Joseph, Marline collée contre son frère et la petite fille, le baigneur sur les genoux, étaient déjà assis en silence autour de la table. L'orage grossissait, l'averse cognait contre les vitres.

— Nous serions dans un bel état si nous étions sur la route, m'a chuchoté Émélie. Pense à ceux qui dormiront ce soir dans les fossés. Les enfants ignorent ce qui est bon pour eux, mais nous, nous le savons. Marline oubliera son baigneur, et plus tard, nous lui raconterons de quelle manière il nous aura sauvés d'un triste sort.

Elle avait sûrement raison, mais cela n'enlevait rien à ma peine. Pourquoi fallait-il que Marline, la plus vulnérable d'entre nous, mon oiseau tendre, paie le prix fort de notre sécurité ?

La nuit durant, j'ai contemplé ma fille. Nous avions réussi à installer les quatre enfants dans le lit et prévu de nous coucher, Émélie et moi, à leurs pieds. Le cœur de Marline soulevait sa poitrine, elle respirait par à-coups, j'ai pensé qu'elle pleurait dans son sommeil. Peut-être parce que j'étais si fatiguée, ou perdue, les pensées les plus sombres m'ont envahie, j'aurais voulu me faufiler dans la chambre de la petite au fichu, lui arracher le baigneur, je la détestais maintenant, cette affreuse peste de trois ans, je la trouvais laide et méchante, je voulais qu'elle étouffe, qu'elle meure dans ses draps écrasée par le poids de son crime, puisque c'était une voleuse !

Il a fallu que le coq hurle pour que je me souvienne qu'il s'agissait d'une enfant à peu près innocente, et que je tempère ma hargne et mon ressentiment. La fermière, qui n'était pas une mauvaise femme, avait demandé à sa fille de ranger le poupon dans sa chambre, et Marline, après quelques heures passées prostrée, avait retrouvé un peu de vie grâce au chien de la maison, un bâtard à la patte coupée qui s'était pris d'affection pour elle et la suivait partout en claudiquant.

Le beau temps régnait à nouveau. Jean et Joseph s'étaient attelés à leur tâche avec un certain plaisir, soignant les bêtes, tirant le lait, curant l'étable. Lucie, discrète, aidait sa mère à la cuisine, jouait avec Marline, tandis que je nettoyais le fourneau ou balayais la maison. Parfois, je me rendais jusqu'à la route pour observer le flot intarissable des réfugiés.

Nous étions en fuite depuis une semaine. Chaque soir, groupés autour de la TSF, nous écoutions les nouvelles, toujours plus accablantes. Les Anglais – ou plutôt ce qu'il en restait – terminaient de se replier, le Nord était à genoux, Saint-Nazaire était bombardée et pire, Le Havre s'était rendu le 13 juin, notre pauvre chère ville, puis Paris avait suivi le lendemain !

De nouveau, nous ne nous sentions plus en sécurité : notre halte avait assez duré. Ce 17 juin, c'était un lundi, Émélie m'a prise à part, proposant d'emporter avec nous une poule ou deux, quelques bouteilles de jus de pomme et un peu de bouillon, de filer d'une traite jusqu'à Alençon, puis de cavaler vers le sud avant que la nasse ne se referme. Nous étions encore à discuter de notre itinéraire lorsque cinq de nos soldats, débraillés, désarmés, ont fait irruption dans la cour en hurlant, provoquant la frayeur des enfants et la stupeur des adultes, suppliant qu'on leur donne au plus vite des vêtements civils.

Les Boches étaient tout près, ravitaillant leurs tanks à Flers après avoir mitraillé Sées : nous étions encerclés.

Nous nous sommes regroupés en silence dans la cuisine. Ainsi, ils arrivaient, les ogres, prêts à nous dévorer. Nous avions couru pour rien.

J'ai pensé soudain au baigneur, aurions-nous survécu si j'avais refusé de le laisser ? Ne serions-nous pas malades, affamés, mais tirés d'affaire à des kilomètres au sud ? Et cela m'a déchirée.

Mais la fermière a allumé la TSF, il était environ midi, par la fenêtre entrouverte le soleil nous baignait d'une lumière crue, insolente, soudain nous avons reconnu la voix pleine de gravité du Maréchal, il parlait d'un « ennemi supérieur en nombre et en armes », il annonçait l'impensable, « c'est le cœur serré que je vous dis aujourd'hui qu'il faut cesser le combat, je me suis adressé cette nuit à l'adversaire pour lui demander s'il était prêt à rechercher avec nous, entre soldats, après la lutte et dans l'honneur, les moyens de mettre un terme aux hostilités ».

— La guerre est finie, a lâché un des soldats.

Personne n'a réagi, nous étions pétrifiés.

— La guerre est finie ! a-t-il répété, hurlant, les bras ouverts, le Maréchal va demander l'armistice !

Alors, autour de la table, tout le monde s'est mis à pleurer, les uns prenant les autres dans leurs bras à l'exception d'Émélie, demeurée raide, immobile, renonçant même à balayer les larmes qui débordaient de ses yeux fixes tandis que Joseph soulevait Marline en la couvrant de baisers : « La guerre est finie, nous serons bientôt à la maison ! »

Je me sentais si soulagée.

Nous ne sommes pas partis immédiatement. Par précaution, nous avons attendu que l'armistice soit signé, cinq jours plus tard. Le message est passé puis repassé à la TSF, les Français étaient appelés à rentrer chez eux, tout serait mis en œuvre pour les y aider.

Nous avons repris notre route en sens inverse le matin du 23 juin, parmi des milliers d'autres exilés. Quand la plupart d'entre nous étaient excités à l'idée du retour, Émélie s'était singulièrement assombrie. Elle avait empoigné le vélo de Joseph et le poussait sans un mot, traînant la carriole sur laquelle Marline avait regagné sa place. Je les contemplais, ma fille et ma sœur, recluses dans leurs pensées, deux territoires distincts aux frontières fermées, cohabitant dans le silence. Tout au contraire, Lucie et Joseph avaient retrouvé leur joie d'enfants, chantaient et échangeaient plaisanteries et devinettes en cheminant côte à côte. Bientôt, un convoi militaire allemand nous a dépassés, c'était la première fois que nous les approchions de si près et nous nous sommes jetés dans le fossé, la peur était encore affleurante, il suffisait de peu pour la réactiver, mais en fin de compte, rien de mauvais ne s'est produit, ils ont filé sans nous accorder la moindre attention.

À Lisieux, on pouvait lire placardé sur les murs : « Faites confiance au soldat allemand ! » Des autocars et des camions avaient été mobilisés pour transporter les réfugiés qui formaient de longues et patientes files d'attente. L'un d'eux, à destination du Havre, nous a pris à son bord. Il nous a fallu abandonner la carriole, mais le chauffeur a réussi à accrocher nos vélos sur le toit parmi l'amoncellement de valises et de sacs.

Le temps n'avait pas varié, le ciel était parfaitement dégagé lorsque notre véhicule a démarré. J'ai retenu mon souffle, alors voilà, ai-je pensé, le cauchemar est terminé. Nous avions perdu la guerre, ce n'était pas fameux, il y aurait bien sûr des conséquences, mais nous étions ensemble, au complet, nous allions retrouver notre appartement, nos habitudes, tant pis si j'étais épuisée et malade, toussant comme en plein hiver, tant pis si les enfants devraient sûrement apprendre à parler allemand, je me sentais à nouveau optimiste.

J'ignorais bien sûr que tout, absolument tout changerait, et bien plus vite que je n'aurais pu l'imaginer.

Je croyais que nous avions vécu le pire, que nous finirions par nous en accommoder, par oublier la fuite, le retour, que nous saurions nous réinventer, retrouver une forme d'équilibre, je n'avais pas encore compris que ce mot, équilibre, ne signifiait plus rien.

Il n'y avait plus d'endroit ou d'envers, de tort ou de raison, de bon ou de mauvais côté : tout cela venait de disparaître dans le fracas de la défaite.

Désormais, il y aurait seulement la vie et la mort.

ÉMÉLIE

Été 1940

Le cri strident de Lucie a déchiré les murs.

— Papa !

L'escalier résonnait des pas précipités de Jean, mon corps refusait de bouger, après quelques secondes enfin, j'ai réussi à poser le panier à linge au pied de la commode.

La dernière fois que Joffre était rentré à la maison, c'était pour cette permission en décembre dernier. Il avait embrassé Lucie, mais c'est moi qu'il fixait par-dessus son épaule. Dans son œil je lisais son désir, son amour, son urgence, et cet œil-là avait dissous ma contrariété de savoir qu'il serait absent pour Noël.

La dernière fois, nous étions encore pleins d'orgueil, de confiance et d'espoir : nous étions invincibles.

Comment peut-on se tromper à ce point ?

Je suis descendue à mon tour, expirant mon soulagement, j'avais eu si peur jusque-là, une peur secrète et corrosive qu'il soit mort, abandonné dans un fossé, parce qu'il ne pouvait être en fuite comme ces pleutres croisés sur la route de l'exode, il combattait forcément sur le front lorsque le Maréchal avait capitulé.

Lucie était blottie contre lui, il avait passé son bras gauche autour des épaules de Jean. Il n'y avait plus un son dans la maison, plus un mouvement, son regard a croisé le mien, funèbre, glacé, sa tête était légèrement inclinée et aussitôt j'ai vu l'invisible, ce qu'il portait de honte et de déshonneur, il était vivant, oui, mais tout ce que nous avions connu de joie et de soif de vivre était mort avec la capitulation.

Je n'ai pas été surprise. J'éprouvais moi aussi ce sentiment de honte depuis ce jour honni où le Maréchal avait demandé l'armistice. Nous n'étions que fuite, têtes basses, renoncement. Sur le chemin du retour, j'avais observé en ravalant des larmes de rage les traces de nos lâchetés collectives. Les autos abandonnées sur le bas-côté par leurs propriétaires en panne de carburant, les valises de draps, de vêtements et les objets de toutes sortes dont s'étaient délestés les piétons rompus, les vaches meuglant de douleur au bord des clôtures faute d'avoir été traites depuis plusieurs jours, certaines mortes, le ventre gonflé, les chevaux affolés cherchant à boire sous le soleil pesant. À chaque arrêt, d'autres voyageurs descendus d'autres camions s'enquéraient fiévreusement de cousins, collègues, parents. Tant de fuyards avaient péri d'épuisement avant d'être dépouillés de leurs biens et de leurs pièces d'identité. Non seulement l'ennemi nous avait jetés hors de chez nous, mais il avait aussi ouvert la trace aux pillards, sur les routes comme au cœur des cités, et nous avions laissé faire.

Honte, honte, honte. La ville puait lorsque nous y sommes entrés, parmi les premiers. De honte et de saleté. Les viandes en décomposition, les ordures amoncelées, chauffées à blanc, soulevaient nos cœurs exténués. Marline avait vomi plusieurs fois dans les bras de Muguette qui avait déchiré le bas de sa robe pour lui essuyer la bouche.

Ma sœur, pourtant, était heureuse. Elle le cachait du mieux qu'elle pouvait, il lui était impossible d'étaler sa joie de rentrer chez elle, pas dans ces circonstances, et pour être juste, j'étais sûre qu'elle avait été assommée elle aussi par notre défaite, mais en ce domaine comme dans les autres, nous n'avions pas les mêmes priorités. Elle avait eu si peur pour ses enfants, pour elle aussi, avec raison sans doute, ils n'auraient pas tenu bien longtemps s'il avait fallu reprendre notre route de ventres vides, de gorges sèches, de pieds meurtris, ces trois brins d'herbe folle et tendre, aussi fragiles que Jean, Lucie et moi étions solides et durs à la peine.

Lorsque à l'arrivée du bac des soldats allemands nous avaient pris la main pour nous aider à descendre, offrant des pierres de sucre aux enfants, le visage de Muguette s'était brusquement détendu comme si ses derniers doutes s'envolaient, les barbares ne semblaient pas prêts à nous assassiner, c'était donc que la situation était acceptable et que l'on pouvait souffler.

Je savais, moi, que cette main tendue n'était qu'un leurre, une tactique pour nous endormir, et ils pouvaient bien essayer, les Boches, je n'étais pas près de fermer l'œil ! Mais je n'ai rien dit : elle n'était plus capable de m'entendre.

Nous avions pénétré une ville désertée, dévastée, des immeubles éventrés, des maisons détruites, pas par l'ennemi, non ! Par notre propre armée. La débâcle avait emporté avec elle ce qui restait de bon sens à nos chefs de guerre, quant à nos alliés, ils s'étaient dérobés sans le moindre remords. Nous avions croisé dans un silence mortuaire des colonnes de véhicules abandonnés, half-tracks, berlines et camions, trains de roue fracassés, pneus crevés. Nous avions enjambé des caisses de munitions, des uniformes laissés en hâte, des calots piétinés, des cartouchières encore pleines et même des boîtes de corned-beef que Jean, prévoyant, ramassait et dissimulait dans son sac. Je pensais, voilà ce qu'il reste de l'arrogance anglaise, voilà ce qu'il reste de notre défense, j'avais honte, honte, honte.

— Si ça se trouve, les prisonniers vont rentrer, rêvait Muguette. Puisque les Boches ont gagné. Plus d'armée, plus de soldats, plus de prisonniers !

Elle ne citait pas Joffre, mais sa phrase m'était également destinée. Elle cherchait à me réconforter, loin d'imaginer combien ses mots m'étaient douloureux. Plus d'armée : la déroute. Le sentiment d'échec. Comment survivrait Joffre, s'il n'était pas mort au combat ?

Une semaine plus tard, la poussière blanche des gravats crissait encore sous nos pas comme une insupportable neige tombée en plein été. Tracé à la craie, le mot « *Juden* » apparaissait çà et là sur des portes – sans que je puisse en comprendre le motif, il y avait très peu de Juifs au Havre, et à ma connaissance, ils ne suscitaient aucun problème ni aucune controverse. Des pancartes portant la mention « *Das Haus is bewohnt* » fleurissaient sur les façades, accrochées par des habitants craignant de voir leur maison réquisitionnée.

Que penserait Joffre en découvrant cet affligeant spectacle, cette ville qui n'était plus la nôtre ? Lorsqu'il apprendrait de quelle lâche manière notre maire avait fui, ah, la belle administration, et comment deux militaires allemands venus seuls en éclaireurs dans un side-car avaient pris possession du Havre ! Il leur avait suffi d'être deux !

Ils étaient, paraît-il, vexés de ne trouver personne à l'hôtel de ville, des seconds couteaux en quelque sorte. Il n'empêche que l'adjoint Risson, lui, n'avait pas détalé comme un lapin. Il était à son poste, et quoi qu'on pense de ce titre de maire qui lui a été accordé par défaut sur-le-champ, maire sous contrôle, soumis à l'envahisseur, je lui reconnaissais ce courage.

L'école – et dans son enceinte, notre maison – était intacte, mais une bombe ou on ne sait quel autre projectile avait touché le toit de l'immeuble de Muguette. Un vaste trou laissait s'engouffrer le vent et la pluie. Les locataires du dernier étage avaient disparu et les murs de l'appartement de ma sœur, situé juste en dessous, suintaient d'humidité. Les premiers jours, à notre arrivée, je l'avais persuadée de se réfugier chez nous avec les enfants en attendant qu'un couvreur répare les dégâts. Mais il n'y avait ni couvreur ni vitrier pour soigner la ville blessée, la plupart des Havrais étaient encore sur les routes, les ouvriers comme leurs familles, redoutant de retrouver les bombardements. Muguette était donc rentrée chez elle, contre mon avis, elle tenait à ses repères, assurait-elle, et puis ils n'étaient pas bien loin, une poignée de mètres, si nécessaire ils reviendraient !

La vérité, c'est qu'elle était réellement convaincue que Louis réapparaîtrait d'un jour à l'autre, libre, et ne voulait pas rater son retour. Elle pensait avec naïveté qu'entretenir les prisonniers coûterait trop cher aux Boches, sans voir qu'au contraire ils constituaient une main-d'œuvre à la fois soumise et gratuite.

Dès son départ, j'avais entamé un vaste nettoyage de notre maison et de l'école, où la poussière s'était insinuée en notre absence dans chaque recoin de placard, sur chaque bordure de fenêtre. Lorsque Joffre reviendrait, il ne tolérerait pas la moindre trace de saleté, peu importe si la classe ne reprendrait pas avant longtemps puisque nous étions désormais en période de vacances : mon mari rappelait souvent que c'est justement lorsque rien ne nous y oblige que nous devons être les plus exigeants envers nous-mêmes, et j'étais d'accord avec lui, sur cela comme sur le reste.

Dix fois dans la journée, je remerciais Dieu de nous avoir unis. Du plus loin que je me souvienne, j'avais éprouvé pour Joffre une brûlante admiration. Son honnêteté, sa droiture, sa force étaient déjà visibles alors qu'il n'était qu'un enfant. Lorsqu'il était parti naviguer, bien que je n'aie que huit ans, je me souviens d'avoir pensé, rêveuse, que ce garçon-là n'aurait jamais peur de rien et que rien ne pourrait jamais l'arrêter. Ses voyages étaient interminables, il disparaissait des semaines, parfois des mois, puis réapparaissait un beau matin, et dans la rue, les filles devenues grandes chuchotaient en se bouclant les cheveux et en tirant sur leurs jupes : « Joffre est de retour ! »

Beaucoup étaient amoureuses, je ne l'étais pas, mais ce que je ressentais était bien plus puissant et durable, l'amour est né ensuite, le grand amour, le cœur battant, le frémissement des peaux, après qu'il m'a épousée, après qu'il est légitimement devenu mon mari, mon homme, mon monde, mais cela je l'ai gardé pour nous. Joffre disait que l'on ne doit pas exposer ses sentiments ni ses désirs, que seuls les faibles se l'autorisent et que cela les rend plus faibles encore : sur ce point aussi, j'étais parfaitement d'accord, il n'était que de voir Muguette, Dieu sait combien je l'adorais, combien j'avais toujours agi dans le souci de la protéger – car à part moi qui l'aurait fait ?

Frivole, insouciante, extravertie autant qu'elle était curieuse, gaie et généreuse, mais surtout si vulnérable, sans la moindre défense, montrant tout d'elle à qui voulait. Elle vivait sans s'interroger, semblait se nourrir de baisers, de câlins, de chansons, prétendait que penser à demain nuit au plaisir de vivre aujourd'hui et que s'endurcir ne sert qu'à mourir avant l'heure.

Cela semblait lui réussir, il me fallait l'admettre, au moins jusqu'à ce maudit exode. Elle semblait heureuse, épanouie, même depuis que Louis avait pris ses distances à la naissance de Marline : la présence des enfants, qui avaient hérité sa nature légère et joyeuse, comblait apparemment les absences et le peu de consistance de leur père.

Souvent, je me mordais les lèvres pour me retenir de lui montrer combien son attitude était dangereuse, une posture tenable seulement lorsque l'on est porté à bout de bras et que les solutions vous arrivent avant même que le problème ne soit posé – en d'autres termes, lorsque l'on dispose d'une sœur plus raisonnable en rempart. Que deviendrait-elle sans moi ? Cent fois depuis notre départ précipité, je l'avais observée, prête à fléchir, à s'écrouler comme un faon maladroit qu'il est nécessaire de guider pas à pas.

Je ne lui en voulais pas. Nous étions faites ainsi l'une et l'autre, nous n'avions pas choisi ce que nous étions, ni les circonstances dans lesquelles nous avions grandi. J'avais fait de mon mieux pour assumer mon rôle d'aînée, j'avais donné à Muguette l'éducation dont nos origines et la défaillance de notre mère nous avaient privées, lui enseignant lecture et grammaire pendant la Grande Guerre, lui offrant ses premiers romans. Elle m'avait récompensée en étant studieuse et en supportant sans protester mes remontrances. Combien de fois l'avais-je reprise sur sa manière de s'exprimer ! Petite, elle prétendait que cela n'avait aucune importance, nous n'étions pas, disait-elle, « de ces bourgeois qui ampoulent leurs phrases pour afficher leur supériorité » ! Il n'empêche, lorsque je lui avais trouvé cet emploi au Printemps, elle s'était montrée bien contente de pouvoir donner la réplique aux dames de la bonne société havraise.

Aujourd'hui encore, dans le quartier Sainte-Marie, on m'appelait l'Institutrice et Joffre, le Mandarin. C'était envoyé comme une moquerie lorsque nous avions le dos tourné, s'ils avaient su, les persifleurs, de quelle manière ces sobriquets résonnaient à nos oreilles, combien Joffre, dont l'*Encyclopédie* était le livre de chevet, aurait aimé étudier plus longtemps, combien j'aurais rêvé me présenter au concours de l'École normale primaire !

Lorsque cet emploi de concierge d'école s'était présenté, je l'avais reçu comme une bénédiction répondant à mes nombreuses prières. J'avais supporté les critiques de Muguette et celles de mes collègues, consternées de me voir quitter le Printemps. « Tu ne vas tout de même pas faire la bonniche, m'avait lancé l'une d'elles, maintenant que tu es quelqu'un ! »

Il fallait être bien sotte pour penser de cette manière, mais je n'avais pas cherché à m'expliquer, sauf auprès de monsieur Huet, le directeur du magasin que je respectais plus encore que mon défunt père pour la passion qu'il vouait aux beaux livres. Monsieur Huet m'avait surprise un jour devant la grille du Printemps, attendant l'ouverture plongée dans *Le Père Goriot*, et nous avions échangé sur Honoré de Balzac dont j'appréciais tant le style. Il avait été très étonné de découvrir mon goût pour la lecture, je l'avais été presque autant d'apprendre qu'au dernier étage du magasin, où se trouvait son appartement, il entretenait une collection d'ouvrages anciens de grande valeur, et ces aveux bien innocents nous avaient en quelque sorte liés.

Monsieur Huet avait sincèrement regretté mon départ, car, avait-il commenté en présence des collègues tandis que je luttais âprement pour dissimuler mon émotion et ma fierté, « des employés d'une telle loyauté et d'une telle rigueur sont plus rares qu'une édition originale des *Maximes* de La Rochefoucauld ». Une allusion que moi seule pouvais comprendre, monsieur Huet m'ayant raconté qu'il avait échoué à remporter lors d'une enchère cet exemplaire tant désiré. Il avait dû se contenter de la sixième édition, datée de 1688, certes dans un parfait état et absolument introuvable elle aussi, mais qui lui rappelait à chaque instant sa défaite.

Monsieur Huet savait mon choix guidé par des considérations personnelles et familiales. Élever mes enfants au sein de l'école était une chance unique, pour eux comme pour moi, mais c'était aussi le moyen de nous réunir, de ramener Joffre sur la terre ferme. Depuis la naissance de Jean, et plus encore depuis celle de Lucie, je souffrais de ses absences plus que je ne l'avais imaginé. J'avais beau compenser en lisant, en cuisinant, en briquant la maison, le manque se faisait cruel, sans compter qu'à chacun de ses retours je devais encore partager mon mari avec son camarade Thuriau. Bien que l'un soit sur le pont et l'autre dans les cuisines, une amitié indéfectible avait soudé ces deux-là dès leur première traversée. Je n'y aurais pas vu d'inconvénient si Thuriau m'avait laissée profiter en paix de mon mari entre deux voyages, mais une fois débarqués, ils n'avaient de cesse de se revoir. Ensemble, ils débattaient sans fin de l'état des navires, des lignes empruntées, de l'organisation à bord et de ceux qui les commandaient, mais aussi de boxe et surtout de politique.

Thuriau était communiste comme Joffre (du moins, jusqu'à l'été dernier, parce que, après l'approbation du pacte germano-soviétique par le Parti, j'avais senti mollir leurs convictions), et j'en venais à éprouver une sorte de jalousie embarrassante, aussi cette proposition m'était-elle apparue comme un don du ciel. Il fallait absolument un couple pour le poste, *un couple de confiance*, avait précisé l'adjoint qui avait aussitôt pensé à nous : il y avait eu tant de morts dans nos familles après le Grand Carnage que nous figurions en bonne place parmi ceux dont la mairie, au nom de la patrie, se sentait un peu responsable.

Jean avait quatre ans et demi, Lucie trois, j'avais exposé à Joffre qu'ils ne pourraient grandir mieux qu'au sein même de l'école, sous l'œil attentif d'un père vénérant l'instruction. Les enfants, c'était un motif réel, mais secondaire bien sûr, la pudeur m'interdisait d'ajouter la véritable raison, le désir devenu irrépressible, le ventre tenaillé, la nécessité désormais de sentir cet homme et aucun autre près de moi, en moi, une nécessité vitale, permanente, physiologique, oh comme j'aimais ce mot qui mélangeait amour physique et amour logique !

Et cet amour-là, ce besoin impossible à combler, mon mari en partageait la brûlure, je le lisais dans ses yeux, dans la lenteur de son geste lorsqu'il s'arrachait à moi pour reprendre la mer, alors je savais qu'il lirait à son tour dans les miens. De fait, il n'avait pas été difficile à convaincre. Si j'avais parfois vu, plus tard, son visage s'assombrir lorsque nous nous promenions sur le quai du départ, il avait rapidement pris possession de l'école, exerçant ses talents de chef cuisinier, c'est-à-dire à la fois de chef et de cuisinier, dans les couloirs comme dans la salle de cantine. Les fillettes filaient droit, mais avec bonheur car le délice d'un repas mitonné par ses soins valait bien une discipline de fer, quant aux maîtresses, elles le regardaient avec une admiration confinant à la fascination – il fallait les voir battre des paupières lorsqu'il portait les sacs de charbon, son tablier soulignant sa musculature, ou lorsqu'il préparait la soupe en hiver, la main sûre et précise, ses couteaux alignés, le billot impeccablement nettoyé entre chaque manœuvre et qu'elles l'interrompaient sous un quelconque prétexte.

Je n'étais ni dupe ni inquiète. Elles avaient beau être plus coquettes et souvent plus jolies, Joffre m'avait choisie et cela pour toujours – il n'était pas de ces coureurs de jupon, comme Louis, n'en déplaise à Muguette, et il serait mort plutôt que de trahir son engagement. Chaque soir, il se glissait dans le lit après avoir fermé soigneusement la porte et redressé les oreillers, je posais ma tête sur son épaule puisque à cet endroit, invisible pour tous les autres, naissait le sentiment de sécurité qui m'avait tant fait défaut autrefois, et alors, alors, nous déversions notre amour avec la rage fiévreuse que seule permet la véritable intimité.

Il n'avait pas encore franchi le seuil, comme s'il hésitait encore. J'ai soudain compris que c'étaient les enfants qui se serraient contre lui, et non l'inverse. Il avait l'allure d'un pantin dont on dispose les articulations à volonté, les bras inertes, le front amer. Après un long moment, Lucie et Jean se sont détachés de leur père, puis reculés avec lenteur, ressentant déjà ce que ce retour annonçait de temps obscurs et tristes.

Je me suis avancée et lui ai ôté sa vareuse avec délicatesse. Enfin, il est entré. Il a agité la main sans même regarder les enfants pour leur signifier qu'ils devaient s'éclipser, ce qu'ils ont fait aussitôt, peinant à réprimer leur déception. Puis il s'est tourné vers moi, a soupiré profondément, et dans ce soupir j'ai entendu ce qu'il ne disait pas, sa colère, sa déchirure aussi, car le patriote qu'il était ne pouvait accepter la reddition du Maréchal, mais l'homme droit et honnête se souvenait forcément, tout comme moi, du héros de la Grande Guerre – j'ai entendu son malheur et son accablement et mon cœur s'est recroquevillé sans bruit dans ma poitrine.

Je n'ai fait aucun commentaire, aucune allusion. Je ne lui ai pas demandé où il avait combattu, ni ce qu'était devenu son régiment. D'ailleurs, je ne lui ai posé aucune question. Je n'ai pas non plus décrit les conditions de la collaboration, longuement exposées à la fin juin dans *Le Petit Havre* désormais sous contrôle ennemi, et leur caractère aussi paradoxal qu'angoissant (« La radio est libre », mais il est « interdit d'émettre ou de propager de fausses nouvelles », la « circulation en automobile est interdite [...] sauf à toute voiture servant la reprise

économique », etc.). Je n'ai pas mentionné l'état de
la ville et les premières traces de l'asservissement, les
panneaux indicateurs rédigés en allemand, le changement d'heure imposé (quelle idée stupide d'avoir
avancé les horloges d'une heure !), les Boches de
plus en plus nombreux à quadriller les rues, bottés
et en musique, « *Heidi, Heido, Heida* », leur maudit
mark en circulation et les prix qui flambaient malgré
les consignes du maire, les files de nécessiteux aux
portes des restaurants de la Soupe populaire tandis
que l'occupant se gavait de notre charcuterie et vidait
nos meilleures caves : il découvrirait cela bien assez
tôt.

J'ai déplié une serviette et chauffé la bassine. Il a
fait sa toilette, enfilé des habits propres, puis a brûlé
ce qui restait de son uniforme en touillant l'âtre pour
vérifier qu'il ne restait plus que des cendres. Il a fait
le tour de l'école, inspectant chaque couloir, chaque
pièce, il s'est rendu à la cave et a vérifié le stock de
charbon.

De retour dans la cuisine, il a sorti ses couteaux,
les a affûtés un par un et a pelé des pommes de terre.
Il n'avait toujours pas prononcé un mot.

Les jours qui ont suivi, il a reproduit les mêmes
gestes, toujours en silence, et les enfants et moi avons
compris que cela ne changerait plus. Il était devenu
muet comme Marline, enfin pas tout à fait, car il parlait lorsque son devoir l'y contraignait, par exemple
lorsque le directeur, de retour d'exode, était venu
le saluer et l'informer des consignes pour l'été. En
fait d'information, rien n'était prévu, ni pour l'été ni
pour la rentrée, nous devions nous tenir prêts à tous

les ordres, toutes les éventualités, avait-il expliqué, reprendre la classe ou bien voir les bâtiments réquisitionnés puisque c'était déjà le cas de plusieurs écoles dans la ville.

Comme s'il retrouvait mécaniquement l'usage de la parole, Joffre avait échangé ce jour-là des propos polis avec monsieur Vevey. Il avait hoché le menton lorsque le directeur avait répété en partant « C'est bien malheureux, c'est bien malheureux tout ça ». Puis il lui avait serré la main et était retourné à sa cuisine. Le dîner s'était déroulé comme les précédents, dans un silence éprouvant. Tandis que les cuillères raclaient le fond de nos assiettes, je songeais à Muguette qui autorisait ses enfants à parler à table et que j'avais tant critiquée, persuadée qu'ils seraient incapables de respecter leurs aînés s'ils n'apprenaient pas d'abord à les écouter : je comprenais subitement qu'il s'agissait d'autre chose, d'autoriser la vie à circuler, mais il était trop tard pour modifier les règles, et puis sans doute était-ce justement ce que Joffre recherchait en se taisant ainsi, nous signifier que nous étions morts, tous morts sur le champ de bataille, quoi qu'en disent les apparences.

Chaque jour, vers midi, installé dans son fauteuil, le corps raide, il se plongeait dans les pages d'annonce du journal, « Les Havrais sont priés de déclarer les stocks d'essence supérieurs à vingt-cinq litres », « Les boulangers sont autorisés à se ravitailler en bois dans les décombres de la ville », « Dix-sept pilleurs jugés aujourd'hui », et dans les innombrables avis de recherche offrant des récompenses à qui rapporterait telle ou telle voiture disparue devant l'embarcadère du Hode, de Berville, de Quillebeuf, telle ou telle valise, bicyclette, pompe à huile « empruntées » dans un fossé ou une arrière-boutique.

Lorsqu'il avait achevé sa lecture, interdisant d'un geste sans appel que nous l'accompagnions, il se rendait sur le port et parcourait longuement les quais auxquels étaient autrefois amarrés l'*Île-de-France* et le *Normandie*. Et moi qui n'avais jamais faibli devant la menace et le danger, jamais douté de la force intérieure de mon mari, j'avais si peur soudain qu'il se jette dans l'eau sale, que son corps rejoigne le cloaque des débris flottants de notre déshonneur, que la plupart du temps je me cachais pour le suivre, tremblant qu'il me découvre.

Mais il ne sautait pas, non. Il rentrait d'un pas régulier, je me hâtais d'atteindre la grille avant lui et nous reprenions nos activités quotidiennes d'entretien de l'école, si souvent répétées qu'à dire vrai, nous n'avions plus aucun besoin d'échanger un mot.

Le dimanche, je retrouvais Muguette. Nous déambulions ensemble avec les enfants à travers les rues, mais c'était une errance plus qu'une promenade. Muguette changeait à vue d'œil. Son euphorie et sa gaieté, que j'avais crues longtemps inoxydables, s'estompaient chaque jour un peu plus. Elle s'ennuyait en attendant la réouverture du Printemps et désespérait de recevoir des nouvelles de Louis, le service postal étant interrompu jusqu'à nouvel ordre.

Nous étions tous éteints, même Lucie et Joseph. Il faut dire que la disparition de Mouke, que nous avions cherché en vain durant des semaines, hantait les enfants depuis qu'une rumeur courait, affirmant que les Boches détestaient les chats et qu'ils s'entraînaient à tirer sur ceux qu'ils croisaient.

De nous tous, Jean était le seul qui continuait à faire preuve d'énergie. Il écumait les parcs de véhicules et de matériels abandonnés par les Anglais à la recherche de quelque objet utile, heureux de rapporter ici un blouson de drap ou là un paquet de Craven A ou de Players qu'il échangerait ensuite, car le rationnement avait commencé. Le port marchand, le rail, la navigation fluviale, tout était désormais à l'arrêt. Des légumes et des produits fermiers arrivaient des environs jusqu'aux Halles, mais pour la viande, il fallait faire la queue au Centre de la rue de la Comédie où, parfois, les Boches venaient nous photographier, nous infligeant une humiliation supplémentaire. Par précaution, j'y envoyais Jean vers sept heures, mais il y avait toujours une centaine de personnes devant lui, à croire que ces gens passaient la nuit sur le trottoir ou se relayaient en famille. Alors, s'il réussissait à troquer les cigarettes contre une place plus haut dans la file, il revenait avec le sentiment d'avoir remporté une bataille.

L'espace d'un instant, j'apercevais en mon fils la détermination de son père et cela me réconfortait, mais aussitôt après c'était pire, je mesurais en miroir la désaffection de Joffre, l'ampleur de son abattement, et il fallait affronter cette idée terrible : l'amour que me portait mon mari n'était pas suffisant pour le tenir debout – si même cet amour existait encore.

Le soir, nous dormions dos à dos – nous qui nous couchions autrefois enlacés, les doigts et les jambes entrecroisés –, et si nos peaux se frôlaient, il se reculait vivement, comme brûlé, me détruisant à chaque fois un peu plus.

Notre famille sombrait dans la défaite et j'étais impuissante. C'était une chose de lutter contre un ennemi, contre les circonstances, c'en était une autre de s'adapter au vide. Nous étions perdus, désœuvrés dans l'attente d'un hypothétique retournement, sans le moindre but, sans espoir d'avenir, seulement occupés à observer le mouvement régulier des habitants qui rentraient, cinq à six mille par jour, le regard las et sombre, chargé de leur propre exode, de leurs propres drames, de ce même sentiment flou de lâcheté et pour beaucoup d'entre eux, à l'image de Marline et de Joffre, incapables même de prononcer une parole.

Je savais bien sûr que la vie était pleine de surprises et de retournements – c'était l'un des enseignements de la Grande Boucherie. J'aurais dû trouver en moi le courage, le muscle nécessaire pour patienter et nous relever tous, mais je découvrais au contraire que j'étais moins armée que je ne me l'étais figuré. Je me contentais de prier sans relâche et, chaque dimanche, j'attendais que Joffre soit occupé dans les couloirs de l'école pour me précipiter à Sainte-Marie, où je retrouvais Muguette. Ensemble, nous allumions des cierges, nos quelques sous allaient aux réparations des vitraux, mais nos suppliques, elles, allaient à nos maris et je répétais fébrilement les derniers mots d'une prière à l'usage du soldat, cousue autrefois à l'insu de Joffre dans la doublure de sa vareuse : « Seigneur, je ne vois même pas le ciel s'étoiler, j'ai peur d'être saisi d'angoisse, il me faut toute ma force et tout mon calme, n'êtes-vous plus dans les ténèbres avec nous[1] ? »

Comment pouvais-je autant douter ? Montrer si peu de foi devant l'épreuve ?

Le premier signe m'a été envoyé dix jours après le retour de Joffre. Je m'apprêtais à tourner la clé, ce soir-là, lorsqu'un miaulement singulier a résonné de l'autre côté de la grille. La fourrure poisseuse, la queue raccourcie, une oreille abîmée, mais enfin, Mouke !

La semaine précédente, la mairie, sans que l'on sache si c'était lié aux Boches, avait publié très officiellement l'ordre d'abattre les chiens et les chats errants et de brûler aussitôt leurs cadavres. Depuis, je tentais d'admettre que nous ne le reverrions plus. Le chagrin de Lucie, qui n'y avait plus fait allusion depuis que j'avais refusé de l'emmener en exode, mais qui passait de longues heures à scruter les trottoirs depuis notre retour, avait ajouté à mon fardeau.

Comment avait survécu Mouke entre les jeux cruels des soldats, les injonctions de la ville, l'absence de nourriture, si ce n'était un miracle ? J'ai à peine eu le temps de pousser la porte qu'il s'est faufilé entre mes jambes pour se précipiter dans la cuisine où se trouvaient les enfants. Tous deux ont hurlé

---

1. Francis Jammes, *Cinq Prières pour le temps de la guerre*, Librairie de l'art catholique, 1916.

de joie, un cri que je n'avais plus entendu depuis si longtemps qu'il m'a traversé le corps d'un frisson extatique. Joffre s'est retourné, a considéré Mouke le sourcil froncé, j'ai lu dans ses yeux la contrariété, il faudrait nourrir le chat alors que nous commencions à manquer nous-mêmes, mais étrangement, et pour la première fois depuis la naissance de Jean, l'émotion de mes enfants l'emportait soudain dans mon cœur sur celle de leur père, sans doute avais-je besoin de partager cette joie-là, de respirer à mon tour, de croire à nouveau que la vie pouvait apporter de bonnes nouvelles, de bonnes surprises, offrir de l'espoir – j'ai feint de ne rien remarquer, j'ai serré les enfants contre moi et ensemble, nous avons savouré l'instant.

Le deuxième signe est arrivé peu après. Je m'étais rendue aux Halles pour y trouver des œufs, en vain, une réquisition ayant vidé les étals. Je m'apprêtais à repartir déçue lorsqu'une femme près de moi a murmuré :

— Qu'ils en profitent, les Chleuhs, bientôt le Général leur bottera le cul !

J'ai demandé pourquoi, était-elle avertie d'une manœuvre militaire, et de quel général s'agissait-il ? Elle a répondu que le 18 juin dernier, tandis que la plupart d'entre nous se débattaient encore sur les routes, le général de Gaulle qui était pourtant un membre du gouvernement avait pris ses distances avec le Maréchal et lancé un appel radiophonique depuis Londres, un appel à le rejoindre, à résister, il avait annoncé que « des forces immenses n'avaient pas encore donné », c'étaient ses mots, des forces

qui « s'apprêtaient à écraser l'ennemi ». La femme a
ajouté en baissant la voix que les bonnes volontés se
concertaient, nous devions nous montrer confiants :

— Tous les Havrais ne sont pas des lâches !

Elle faisait allusion à notre ancien maire Meyer, qui
avait réapparu en ville à la fin du mois de juin, et une
fois informé qu'il était remplacé, s'était empressé de
fuir vers la France non occupée, abandonnant encore
ses anciens administrés.

Je suis rentrée bouleversée, tiraillée entre l'excitation – quelque chose de grand pouvait encore se produire, tous n'avaient pas capitulé – et l'appréhension
que Joffre, apprenant à son tour l'existence d'une
France combative et résistante, ne décide d'embarquer aussitôt pour l'Angleterre. *Embarquer*, cette
seule idée de monter à bord, de retrouver la mer
pouvait me l'arracher, j'en étais sûre, or ça, je refusais
de l'envisager, il fallait d'abord nous réparer, nous
retrouver, calmer ma douleur, compenser l'absence
de corps et d'esprit, combler le vide.

Après une longue réflexion, j'ai décidé de ne pas
évoquer ma rencontre – au moins le temps qu'il
demeurerait silencieux. Mais dès ce moment, j'ai
observé attentivement ceux que je croisais, cherchant
à déceler les « bonnes volontés », sans autre objectif
que me sentir moins seule puisque Muguette détestait parler politique ou stratégies militaires, et si au
passage d'un régiment allemand, un homme crachait
discrètement, j'aimais lire dans son regard un appui,
une étincelle qui signifiait : « Vous en êtes, n'est-ce
pas ? »

Les jours se sont enchaînés aux jours. Pour ajouter à la souffrance et à l'enfermement de Joffre, l'Ortskommandantur avait publié un avis interdisant l'accès au port. Aussitôt, il avait cessé ses promenades, limitant ses déplacements aux approvisionnements, et s'était assombri encore un peu plus.

Cette régression m'a plongée dans le doute. J'ai pensé qu'il était peut-être temps d'être moins égoïste, de museler ma peur de le voir repartir et lui raconter ce que j'avais découvert des débuts de la Résistance. Cela pourrait le tirer de son abattement et après tout, me répétais-je pour me rassurer, rien ne prouvait qu'il décide de s'enfuir, le fait qu'il ne manifestait plus son amour ne signifiait pas forcément qu'il n'en éprouvait plus.

J'ai multiplié mes prières, et un troisième signe m'a été offert.

Thuriau a surgi un soir dans l'encadrement de la porte, sa silhouette trapue de lutteur reconnaissable entre toutes. J'ai eu un mouvement de joie qui l'a presque surpris, il faut dire que je m'étais toujours montrée réservée avec lui, mais cette fois j'étais sincèrement soulagée de le voir, il était le symbole de notre vie précédente, la vie d'avant la guerre, il portait en lui tant de souvenirs heureux pour Joffre, peut-être serait-il la clé de sa résurrection ?

J'ai crié à Jean d'aller chercher son père, le visage de mon fils s'est éclairé, il connaissait ce lien qui unissait Joffre à Thuriau, il était soudain plein d'espoir à son tour, car ce silence, cette ombre, ce gouffre, Lucie et lui en souffraient également même s'ils ne s'en plaignaient pas, considérant qu'ils étaient déjà assez chanceux d'avoir leur père près d'eux, plutôt que mort ou prisonnier – et surtout, conscients que de nous trois, j'étais la plus éprouvée.

Souvent, je surprenais leurs regards désolés, désemparés lorsque je m'enfonçais dans la tristesse, et je me sentais misérable de trahir ainsi mes principes en exposant l'étendue de ma blessure, je pensais, ma pauvre fille, tu ne vaux pas mieux que ta propre mère, à ta manière, tu abandonnes tes enfants à leur sort, comment attendre qu'ils soient forts si tu ne l'es pas toi-même ?

Jean s'est rué vers le réfectoire où Joffre nettoyait les fourneaux malgré l'heure avancée, et l'instant d'après, ils étaient là, l'expression de Joffre subitement transformée, Thuriau s'est avancé vers lui, a ouvert grands ses bras, ils se sont serrés l'un contre l'autre, « Mon frère », a murmuré Thuriau, « Mon frère », a répété Joffre et ces deux mots-là m'ont soulagée autant qu'ils m'ont assommée, ils se serraient, oui, Joffre s'appuyant sur l'épaule de Thuriau, j'ai même vu sa poitrine se soulever : la preuve que mon mari respirait de nouveau.

Ils se sont installés dans la cuisine. J'ai fait chauffer la soupe et Joffre est allé chercher une bouteille de vin. Tandis que je montais plier les draps, j'ai entendu le son régulier de leurs deux voix.

Lucie et Jean m'avaient suivie sans bruit à l'étage. Nous nous sommes pris la main, nous avons fermé les yeux pour sentir la vie circuler, la chaleur dans nos paumes, dans nos cœurs et nous sommes demeurés là, sur le palier, une éternité, tendant l'oreille, craignant de briser cet invisible équilibre, puis, comprenant

enfin que cela n'arriverait pas, nous nous sommes
longuement embrassés.

Joffre s'était ranimé au moment même où la
guerre se faisait de nouveau dévorante. Après un
court répit dû à la débâcle générale, les contingents
ennemis se déversaient dans les rues et les bombardements avaient repris, quoique irréguliers. Cette fois,
cependant, c'étaient les Anglais qui larguaient leurs
bombes, et maladroitement, depuis cinq ou six mille
mètres, à croire qu'ils ne se souciaient pas des dégâts
parmi les civils. Les Boches n'étaient pas en reste,
annonçant fin juillet qu'ils avaient déjà coulé onze
navires et abattu des dizaines d'avions alliés, promettant l'Apocalypse à Londres.

Mais puisque Joffre parlait !

Lentement, la ville commençait à se réorganiser.
Les restaurants étaient de nouveau fréquentés malgré
la réglementation qui interdisait de servir plus de
cent cinquante grammes de viande par plat et par
personne, ou encore obligeait le client à des calculs
savants, un fromage et un entremets, *ou* un entremets et des fruits, *ou* un fromage et une pâtisserie,
un potage *ou* des huîtres, une liste sans fin de choix
cornéliens, et même si nous n'étions pas intéressés
(nous n'avions pas d'argent à dépenser en restaurant,
et avec trois fois rien, Joffre cuisinait des merveilles
bien plus rassasiantes), constater la reprise d'une telle
activité me réconfortait.

Le paiement des pensions était annoncé, une
grande partie des chemins de fer et le funiculaire
fonctionnaient de nouveau, la circulation des piétons

et des autos était toujours restreinte, mais améliorée, la poste, le téléphone et les télégrammes étaient rétablis.

Et puis, Joffre parlait !

Mon mari ne détournait plus les yeux : bien au contraire, son regard se plantait maintenant dans le mien avec férocité lorsqu'il me rejoignait une fois les enfants endormis, comme s'il portait assaut, comme s'il n'était pas en quête d'amour, mais de revanche, et au fond cela m'était bien égal, il avait retrouvé le chemin de mon corps et si se débarrasser des scories de l'humiliation nécessitait qu'il se comporte un temps en animal, toute honte bue, le cœur allégé et vibrant, je savais y trouver avantages.

Le plus préoccupant était encore le sort de Louis, dont nous étions toujours sans nouvelles. L'Ortskommandantur acceptait d'examiner des demandes de libération, mais seulement pour ceux de la campagne et les gens de métier employés par la Ville. Ainsi, Joffre, s'il avait été prisonnier, aurait été concerné, mais nous n'avions aucun espoir pour Louis. J'avais accompagné Muguette à la Croix-Rouge à la réouverture des bureaux, sans succès, personne n'avait pu obtenir d'information sur le lieu où il se trouvait, c'était à se demander s'il était encore en vie.

Je me sentais coupable d'être aussi bien lotie quand la famille de ma sœur continuait d'être si bancale – une muette et un porté disparu. Pour adoucir sa peine, je lui portais désormais chaque soir une partie de notre dîner. Je trouvais Joseph occupé à lire le journal et commenter à haute voix les informations à sa mère qui ne l'écoutait pas, perdue dans ses pensées, postée à sa fenêtre comme si elle s'attendait à voir Louis apparaître au coin de la rue.

Elle se retournait, secouait la tête d'un air las. Elle n'approuvait pas mon geste, qui lui apparaissait comme une manière de la juger, de lui rappeler que j'étais l'aînée, la grande, la seconde mère, et c'est vrai qu'autrefois je soulignais fréquemment son manque d'organisation, ses repas préparés à la va-vite, mais aujourd'hui cela n'effleurait pas mon esprit, je voulais seulement l'aider à reprendre des forces. Le toit de son immeuble n'était toujours pas réparé et l'humidité progressait inexorablement, rongeant la peinture des murs et gagnant ses poumons. Depuis notre retour d'exode, elle souffrait de quintes de toux effrayantes, s'arrêtant au beau milieu d'un mouvement, se tenant les côtes, le souffle coupé, donnant l'impression qu'elle allait tomber et mourir sur-le-champ, si bien que la nuit, je faisais d'horribles cauchemars où se mélangeaient son visage exsangue et celui de notre mère. Je me réveillais en sursaut, démunie, mais que pouvais-je faire puisqu'elle refusait de voir un médecin ? Et quand bien même elle aurait accepté, les rares consultations étaient prises d'assaut, encore plus depuis que cette vermine de Boches avait réquisitionné l'Hospice général, obligeant à évacuer des malheureux par dizaines – pauvres Havrais, nous étions quantité négligeable.

Chaque soir, déballant mon pot de soupe, je suppliais Muguette de revenir chez nous. Je faisais valoir que Marline à son tour commençait à tousser, alors que nous étions en plein mois d'août et que le soleil brillait la plupart du temps, mais ma sœur ne semblait pas s'en inquiéter, elle s'entêtait dans son refus et c'est ce qui me préoccupait le plus, ma sœur si proche de ses enfants, si prompte à s'effacer dans leur intérêt, semblait presque s'en détacher. Elle ne prenait plus plaisir à coiffer ou à habiller sa fille – c'était Joseph qui nouait les cheveux de sa sœur avec application ou lui tendait un manteau avant de quitter l'appartement – et la pile de livres à côté du fauteuil était couverte de poussière : elle ne lisait plus.

Je désespérais de la raisonner lorsque enfin, enfin, sont arrivées les nouvelles tant espérées de Louis. « Nouvelles » était un bien grand mot, c'était à vrai dire un simple « Avis de capture », une carte frappée du cachet de la *Kriegsgefangenenpost*[1]. On pouvait y lire, typographié : « Je suis prisonnier de guerre et en bonne santé. Dans une prochaine lettre je vous ferai part de mon adresse. Inutile d'écrire avant la réception de la nouvelle adresse. Mon affectueux souvenir. » Les nom, prénom, degré militaire et régiment de Louis avaient été portés à la main par un autre que lui – son écriture, maladroite, aurait été facilement reconnaissable –, et la carte n'était pas signée. Les termes étaient impersonnels et froids, l'essentiel de l'information déjà connue depuis longtemps, mais cela suffisait à ma sœur, elle avait seulement besoin de cela, un signal, et en un instant, je l'ai vue se redresser, les joues rosies, comme une plante assoiffée dont on arrose à nouveau les racines, non seulement elle, mais Joseph !

---

1. Poste des prisonniers de guerre.

Mon neveu était un gentil garçon, trop sensible selon moi et il avait été lourdement affecté par les variations d'humeur de sa mère et l'absence de son père. Lucie avait été la première à le déceler lorsqu'il avait quasiment cessé ses bons mots, lui qui plaisantait à tout propos, soit qu'il ait l'humeur joyeuse et compte la partager, soit qu'il veuille réconforter l'un ou l'autre, ou encore qu'il entende désamorcer un conflit ou une dispute naissante. Dieu sait que cette manie m'agaçait autrefois, mais dernièrement, elle nous avait fait défaut, nous aurions eu bien besoin de son humour et surtout, ce changement indiquait l'étendue du pessimisme qui rongeait notre famille.

Or à l'instant, alors que sa mère, fébrile, commentait ses intentions, envoyer des colis, écrire chaque semaine dès que l'on saurait où envoyer les lettres, et concluait que la collaboration ne se passerait peut-être pas si mal, puisque enfin on semblait prendre soin d'informer les familles, mon neveu avait glissé à Lucie, suffisamment fort pour que je l'entende : « La collaboration cousine, tu sais de quoi il s'agit : donne-moi ta montre et je te donnerai l'heure. »

Cela ne semblait peut-être qu'un bon mot attrapé au vol dans les rues de la ville, mais cela signifiait bien plus, cela signifiait que toute notre famille se rétablissait.

Peu de temps après, le Printemps a rappelé Muguette à son poste. Le travail reprenait, la ville poursuivait sa restructuration, Joffre cuisinait, nous donnait ses ordres, continuait à me rejoindre dans la nuit avec la même sauvagerie et à retrouver Thuriau le dimanche tandis que je me promenais avec les enfants. Le rationnement s'accentuait, mais c'était encore supportable, il fallait tenir, cette guerre se résoudrait d'une manière ou d'une autre, par l'invasion de l'Angleterre si l'on en croyait la rumeur, ou par l'entrée en jeu des *forces immenses* promises par le Général – je m'appliquais, pour ma part, à conserver espoir en des jours meilleurs.

Nous préparions la rentrée, cirant avec soin les bureaux des professeurs, pressés d'entendre de nouveau les rires aigus des fillettes et les gronderies de leurs institutrices lorsque la Mairie a envoyé l'adjoint nous annoncer l'affreuse nouvelle : l'école était réquisitionnée par les Allemands.

Il n'y aurait pas de rentrée des classes rue du Docteur-Fauvel. Les écolières, parmi lesquelles notre propre fille, seraient envoyées dans un autre établissement et encore fallait-il trouver lequel, rien n'était arrêté, quant à nous, les concierges, nous serions affectés à l'entretien de l'occupant. Pour commencer, nous avions pour consigne de débarrasser les salles de classe où seraient aménagés les dortoirs. Joffre devrait veiller à faire chauffer de l'eau en grande quantité dans la buanderie, les Boches y feraient leur toilette et y laveraient leur linge dès leur arrivée. Il faudrait demeurer à leur disposition en cas de besoin, répondre à chacune de leurs demandes – et comme l'avait précisé l'adjoint, n'oublier jamais que la force primait la loi.

Joffre se mordait la lèvre, l'œil fixe. Derrière l'adjoint, Jean et Lucie écoutaient, abasourdis.

Ce que l'on m'avait prédit le jour où j'avais quitté le Printemps, contre toute attente, survenait maintenant : nous étions devenus des bonniches – celles de nos ennemis.

JEAN

Hiver 1941

J'ai su que papa n'était plus papa le Jour des Pommes de Terre, le *JPDT*, c'est notre code avec Lucie lorsque l'orage approche.

Il y avait eu des signaux bien avant, déjà à son retour après la démobilisation, ces jours de silence où maman et lui tournaient dans la maison comme deux requins dans le bassin du commerce, une comparaison inventée par Lucie tout à fait farfelue car la seule trace de requins au Havre, à ma connaissance, était une collection de dents rapportées par papa d'Amérique, mais je dois admettre que l'image n'était pas fausse. On aurait dit qu'ils s'en voulaient l'un à l'autre de la défaite et qu'ils comptaient se la faire payer, papa et maman étaient tellement sûrs de gagner quand on avait déclaré la guerre aux Boches, ils avaient dû tomber de haut.

Mais Thuriau était rentré à son tour, papa avait à nouveau parlé, maman avait eu l'air soulagé et on avait pensé, Lucie et moi, que tout redevenait comme avant.

Il était différent, quand même. C'était difficile à expliquer, papa n'avait jamais été bavard et avec lui il valait mieux éviter de se plaindre ou de discuter ses ordres, la guerre n'avait rien changé à ça, c'était plutôt son expression qui n'était plus la même lorsqu'il nous regardait, comme s'il cherchait à comprendre quelque chose sans jamais y arriver. Lucie et moi pensions que c'était une question de temps, il devait avoir besoin de s'habituer à l'idée, mais au contraire, c'est allé en empirant.

À la fin du mois d'août, Thuriau a été appelé à Marseille par la Transat parce qu'on ne pouvait plus faire naviguer les paquebots depuis la Normandie alors que depuis la zone libre, en Méditerranée, le trafic tournait à plein, et au même moment, les Boches ont occupé l'école. Papa et maman ont indiqué que c'étaient les ordres de la mairie, que nous n'avions pas le choix, mais on voyait bien qu'ils étaient très contrariés et l'expression de papa a encore changé : cette fois on aurait dit qu'il y avait un obstacle entre nous, un mur invisible.

Comme les parents surveillaient leurs propos lorsque nous étions dans la pièce, je me postais le soir en haut de l'escalier pour espionner leurs conversations, mais ça n'a jamais rien donné de très éclairant. Maman était remontée, elle répétait que les Boches étaient mauvais, cruels et fourbes, qu'ils allaient tout mettre en l'air, ils avaient déjà creusé une tranchée qui traversait la cour, ils avaient cassé des cloisons entre deux salles de classe, dans quel état nous rendraient-ils l'école, à la fin ? Papa la laissait parler, comme s'il attendait qu'elle se vide de toutes ces critiques qui lui remplissaient la tête, puis, au bout d'un moment, il finissait par la couper en répliquant, « Les ordres, c'est les ordres et la fin, personne ne sait quand elle arrivera, ni à quoi elle ressemblera ».

Moi, j'étais d'accord avec maman. Les Boches, je leur en voulais à vie d'avoir choisi les écoles pour s'installer (sans parler de l'hospice et du reste), comme s'ils s'en fichaient que nous, les enfants, on ne puisse plus étudier. Lucie, Joseph et Marline, eux, n'y voyaient que des avantages : dans les écoles encore ouvertes, il avait fallu diviser le temps de classe, le matin les garçons, l'après-midi les filles et encore, quand il y avait classe, parce que souvent les maîtresses devaient se partager ici et là, les maîtres étant presque tous prisonniers lorsqu'ils n'étaient pas morts.

On en avait pourtant eu bien assez, des vacances, depuis la fin mai et l'exode. Dans mon for intérieur, j'étais persuadé que c'était une stratégie des envahisseurs : ils voulaient empêcher les gars comme moi d'apprendre et d'inventer les armes qui les détruiraient. Alors, j'essayais de travailler seul avec des livres que maman avait stockés avant leur arrivée. Le reste du temps, quand on ne jouait pas, je donnais un coup de main à papa en espérant qu'il finirait par partager avec moi plus que des corvées, après tout j'avais tenu parole, je m'étais comporté en homme exactement comme il me l'avait demandé avant de rejoindre son régiment, mais il n'y avait rien à faire, il persistait à me traiter comme un gosse. La goutte a fait déborder le vase le jour où une compagnie de Boches a traversé la rue devant nous, marchant derrière six tambours et six fifres ridicules et que j'ai murmuré à leur passage : « Les fifres ne pourront pas longtemps battre les clairons ! »

J'étais plutôt fier de moi, surtout lorsque j'ai vu un sourire dans les yeux de maman qui signifiait « Ça, c'est envoyé, mon fils ! », mais papa m'a mis une gigantesque calotte qui m'a fait monter les larmes.

Après cette histoire, j'ai réservé l'essentiel de mes réflexions à maman, c'était un aspect étonnant de la guerre, papa et maman changeaient comme s'ils suivaient une course à l'opposé l'un de l'autre, maman devenait plus proche et plus tendre et papa bien plus sec et lointain – même si quand l'alerte sonnait, il était toujours aussi rapide pour nous mettre en lieu sûr.

Les bombardements avaient vraiment repris en septembre et n'avaient plus cessé jusqu'à la fin de l'année, ils commençaient vers vingt-deux, vingt-trois heures, parfois c'était plutôt à l'aube, il fallait courir jusqu'à la tranchée-abri et, là-bas, papa nous faisait jouer aux petits chevaux pour que l'on oublie les tremblements et les explosions. On aurait pu croire que c'était par amour, mais il y avait toujours ce vide dans son regard qui n'allait pas du tout avec l'amour ou n'importe quel autre sentiment agréable. Lucie aussi l'avait remarqué et pour rigoler, puisqu'il fallait bien se changer les idées, j'avais même réussi à lui faire croire un temps que les Boches faisaient des expériences sur les Français avec des savants fous et qu'ils avaient trafiqué le cerveau de papa : la naïveté de ma sœur était épatante.

Petits chevaux ou non, nous nous doutions bien qu'il y avait un grand danger. Sinon pourquoi maman aurait-elle demandé que l'on dorme tout habillés ? Elle ne disait plus jamais, comme avant l'exode, que tout serait *bientôt fini* ou qu'il n'y avait *rien à craindre*. Elle savait que nous connaissions la vérité, la vérité, c'était que les Anglais visaient les Boches et des Boches on en avait plein le bâtiment, *Quod erat demonstrandum*[1].

Au début, papa avait tenté de nous rassurer en expliquant que les Alliés frappaient des cibles militaires, le port, la DCA, mais lorsqu'ils avaient détruit la prison, puis l'hôpital, et surtout lorsqu'une bombe avait touché l'école de la rue Mailleraye et tué net la directrice, il avait été bien en peine de trouver une explication. Plus tard, c'était le couvent des sœurs de la Compassion qui avait été frappé, six bonnes sœurs déchiquetées d'un coup, de la purée de nonnes, et quand nous étions passés devant la porte restée intacte au milieu des gravats, où était inscrit « Entrez sans frapper », il avait baissé les yeux tandis que maman se mouchait en se signant.

Ce n'était pas tout : nous avions bien remarqué, Lucie et moi, que tante Muguette ne nous rejoignait pas dans la tranchée-abri. Elle ne montait pas dormir en ville haute, comme le faisaient chaque soir un tas de Havrais, chargés comme des bourriques, ça lui

---

1. « Ce qu'il fallait démontrer » (Euclide).

rappelait trop l'exode, mais elle préférait se rendre dans la cave d'un immeuble près de l'église. Ça, c'était la preuve absolue que l'on courait des risques importants, car en principe, tante Muguette tenait à ce que l'on reste ensemble, selon moi à cause de Marline – le temps lui paraissait moins long lorsque nous étions réunis.

Tout le monde avait sa théorie à propos du comportement bizarre de ma cousine, c'était toujours en rapport avec la guerre, parce qu'elle était devenue muette juste après la mobilisation, mais moi, j'avais une autre idée : Marline était sacrément futée pour ses sept ans, elle avait bien réussi son coup, en se taisant elle évitait un paquet de gronderies, de punitions, de discussions polies et d'autres choses désagréables comme passer au tableau devant la classe, ce qu'elle détestait depuis qu'elle était toute petite, allez savoir pourquoi. Le plus fort c'est qu'elle continuait à jouer et à parler avec Joseph sans que ça étonne personne !

Je gardais mon opinion pour moi, tant pis pour les parents s'ils se laissaient berner, et puis, elle méritait bien ma discrétion : se taire avait dû être plutôt facile pendant des mois, mais maintenant que tout partait de travers, maintenant que l'on restait des heures derrière les volets fermés à cause du black-out et du couvre-feu à écouter le bruit des bottes sur le pavé et les cris des Boches ivres, à redouter de mourir presque chaque nuit, maintenant que tout manquait, qu'il fallait faire la queue dans des files de plus en plus longues, les pieds et les mains couverts d'engelures, pour obtenir trois cents grammes d'un pain gris et dégoûtant puisque les Boches avaient interdit la vente de pain frais, où ma cousine trouvait-elle le cran de continuer à se taire ?

Parfois je sentais la jalousie me pincer le ventre, Marline et son silence, Joseph et ses blagues, Lucie et sa naïveté, ils avaient tous les trois une armure qui les protégeait de la guerre, quelque chose qu'ils partageaient sans même le savoir, sans voir que moi, je n'avais rien, je restais à l'écart, à la porte en quelque sorte de leur champ de force. Je pensais que c'était une sale place d'être l'aîné, même de si peu, ça suffisait à être coincé entre les parents qui me jugeaient trop jeune pour être pris au sérieux, sauf bien entendu lorsqu'il fallait se coltiner les corvées, et Lucie et les cousins qui me trouvaient trop sérieux pour m'intégrer à leur clan – pourtant ils m'aimaient bien et réciproquement, mais c'était ainsi, nous n'étions pas quatre, nous étions trois plus un.

À cause de ça, j'avais un grand cri coincé du matin au soir dans la gorge parce que je ne pouvais jamais confier à personne ce que je pensais vraiment. Je ne pouvais pas avouer que j'avais peur, moi aussi, quand l'alerte sonnait, quand les bombes sifflaient, comme j'avais eu peur lorsqu'on avait quitté la ville précipitamment et que j'avais aperçu des cadavres sur le bas-côté en arrivant près du bac, une peur à en vomir, que j'avais réprimée, parce que ça aurait agacé les parents et effrayé Lucie, parce qu'on attendait de moi que je montre l'exemple, que je sois un garçon responsable, c'est ce que papa avait dit avant de partir sur le front et je voulais tellement lui faire honneur !

Je gardais ça au fond de moi, les images des cadavres, la terreur de finir à notre tour dans la boue et l'urine, celle de ne jamais revoir papa, la responsabilité imposée, toutes ces sensations qui s'étaient incrustées pendant notre exode et maintenant la peur que les Anglais rasent la ville, que les Boches nous tiennent en esclavage et m'empêchent de réaliser mon rêve, devenir savant comme Paul Langevin et Frédéric Joliot et rejoindre le Centre national de la recherche scientifique appliquée.

Pour tenir le coup, j'avais écrit le mot en capitales, PEUR, sur un papier plié en huit que j'avais enfoncé dans ma poche, ce n'était pas très scientifique, mais ça fonctionnait à peu près, j'imaginais que ma peur se tiendrait là, bien enfermée, sans jamais se montrer, et quand c'était vraiment trop difficile, je faisais le tour du quartier du Rond-Point en courant de toutes mes forces jusqu'à ce que je ne sente plus rien du tout, ni mes jambes, ni l'isolement, ni la peur, ni le cri prisonnier.

Le 1er janvier, la neige a recouvert la ville, une drôle de manière d'entamer l'année. Aussitôt tombée, aussitôt débarrassée dans la cour par les Fridolins qui y faisaient leur gymnastique. Autrefois, lorsque les flocons pointaient, nous étions les plus heureux du monde : papa nous autorisait à construire un bonhomme le dimanche, maman et tante Muguette ronchonnaient parce que nous trempions nos vêtements à force de nous lancer des boules de neige, mais le soir, elles préparaient de la teurgoule à la cannelle et nous jouions aux cartes en famille. Tout ça, bien sûr, c'était terminé, comme presque tout ce qui était chaud, doux, délicieux, on aurait aussi bien pu rayer la moitié du dictionnaire, les Boches nous volaient tout ce qui était bon, même s'ils étaient malins et savaient s'y prendre pour nous faire avaler la pilule, surtout Hans, celui qui offrait du sucre et des gâteaux à maman pour la remercier de repasser ses chemises – comme si elle avait le choix ! –, ou des bonbons au miel à Lucie.

Je mettais en garde ma sœur : le Boche qui te donne un bonbon, c'est le même qui nous prend le lait, la viande, le gaz, le charbon, c'est le même qui pille la ville et comme dirait Jean de La Fontaine, « *Si ce n'est lui c'est donc son frère* » !

Lucie et moi n'avions que seize mois d'écart, mais on aurait dit que ma sœur avait arrêté de grandir, ou au moins de réfléchir. Elle ne se méfiait pas assez des Boches, tout comme tante Muguette d'ailleurs. L'une et l'autre ne parlaient que des dégâts commis par les Anglais, surtout ma tante : depuis que les Galeries du Havre avaient été détruites, elle était pétrifiée à l'idée que le Printemps puisse être touché à son tour et priait chaque jour pour que le Maréchal nous sauve, trouve un accord, ramène les Boches à la raison et oncle Louis à la maison.

Il faut être juste, le Maréchal faisait beaucoup pour nous aider : il avait même fait incarcérer l'horrible Laval, mais ça n'avait pas duré, l'Horrible était sorti presque aussitôt par un coup bas des Boches, ce qui prouvait bien que le Maréchal n'avait pas autant de pouvoir qu'il le prétendait.

J'avais essayé d'en parler à papa un jour de ravitaillement. Seul à seul, comme une ultime tentative
après l'épisode des fifres. Je croyais qu'au fond il
serait satisfait de voir que je n'étais pas dupe, mais
je m'étais fait recevoir, et dans les grandes largeurs, il
m'avait lancé : « Mon pauvre garçon, qu'est-ce que tu
connais à la politique ? »

Ça m'avait blessé pire que la calotte, les larmes
m'étaient montées pour la deuxième fois en moins
de six mois, alors que j'avais réussi à ne plus jamais
pleurer depuis mes huit ans, même l'an dernier
quand cette andouille d'Henri Mercier m'avait cassé
le bras en glissant du cheval d'arçon.

Une partie de moi espérait encore que c'était une
mise à l'épreuve, mais l'autre partie était assez raisonnable pour comprendre que je m'étais trompé
sur papa. C'est le problème avec les gens qui ne
parlent pas beaucoup, on a vite fait d'interpréter
de travers, on leur prête les intentions qui nous
arrangent, surtout quand ces gens-là comptent énormément pour nous et surtout en tant que fils, parce
que l'on croit forcément que son père a l'âme d'un
héros, mais les pères ne valent pas mieux que les
mères, les commerçants, les conducteurs de tramway
ou n'importe quel voisin. Mon père, comme Lucie,
Muguette et beaucoup d'autres, voulait seulement
avoir la paix dans tous les sens du terme. Il avait collé
sur la logette un portrait du Maréchal sous lequel
était écrit « Suivez-moi. Gardez votre confiance en
la France éternelle » et c'était exactement ce qu'il
pensait, il fallait laisser le Maréchal s'occuper de tout
et qu'on en finisse le plus vite possible. Il agissait

comme si la guerre ne le concernait plus et que son rôle de père était seulement de nous faire respecter à la lettre les consignes données à la population, par exemple il était interdit d'utiliser le terme Boches et si le mot m'échappait devant lui, je devais recopier dix fois la phrase : « Boche, fridolin, fritz, teuton et doryphore sont des appellations irrespectueuses pour désigner l'occupant allemand. »

Lucie, qui lui trouvait toujours des excuses, prétendait qu'il était obligé de faire du zèle, parce que si les Boches étaient mécontents de lui, ils l'enverraient travailler ailleurs. Et c'est vrai que ces saligauds se servaient dans la population comme dans les stocks de viande, ils entraient dans les cinémas en pleine séance, ils arrêtaient la projection et hop, dans le camion pour aller bétonner un blockhaus – il n'empêche que j'aurais été bien étonné s'ils s'étaient privés de ses services à l'école.

Heureusement qu'il me restait maman ! Je voyais bien qu'elle aussi était troublée par l'attitude passive de papa, même si elle m'avait fait comprendre qu'elle n'était pas disposée à en parler : elle l'aimait beaucoup trop pour le dénigrer auprès de ses enfants. Parfois, lorsqu'elle s'occupait du linge ou de la cuisine et que j'arrivais dans son dos sans qu'elle m'entende, je la surprenais à renifler et ça me rendait fou de la savoir malheureuse. J'en voulais encore plus à papa, même si je tirais un certain avantage de leur éloignement : elle ne me traitait pas comme un gamin stupide, elle avait confiance en moi et me glissait à l'oreille des rumeurs qui couraient sur la Résistance, l'avancée des forces alliées ou les termes d'un tract citant Churchill, « Bonne nuit, dormez bien, rassemblez vos forces pour l'aube car l'aube viendra ! ».

Ça, c'était au mois d'octobre ou novembre et, comme l'avait déploré maman, l'aube se faisait attendre, mais passons, j'étais enchanté qu'elle me permette d'accéder à des informations secrètes, dont les origines étaient encore plus secrètes – papa ayant formellement défendu qu'on écoute Radio Londres –, et lorsque je l'entendais asséner à tante Muguette qu'elle pouvait détester les Anglais tant qu'elle abominait les Boches, je me sentais plus fier de ma mère que si elle avait elle-même peint une des Croix de Lorraine apparues dernièrement sur les murs de la rue. Elle au moins gardait la tête froide quant à l'ennemi et ses tactiques de boa constrictor ! Je ne l'avais vue douter qu'une seule fois, après que nous avions assisté à la messe de Toussaint avec les cousins. L'église était presque remplie de soldats qui avaient magnifiquement chanté et lorsqu'ils avaient mis avec ferveur un genou à terre, au moment de l'élévation, elle en avait été bousculée. Mais dès le chemin du retour, remarquant mon trouble, elle m'avait rassuré, « Ceux-là ne nous feront pas oublier les autres racailles », et jamais plus elle n'avait manifesté de compréhension à l'égard des Allemands.

Depuis la réquisition, maman était envoyée une partie de la semaine à l'école de la rue Clovis pour prêter main-forte aux femmes de service. Elle rentrait exténuée et je m'étais juré de l'aider du mieux que je pourrais pour le ravitaillement. Nous ne souffrions pas du froid, grâce au charbon qui nous chauffait en même temps que les Boches, en revanche, pour l'alimentation, c'était une autre affaire. Si encore les tickets de rationnement garantissaient d'être servi ! Mais la nourriture manquait partout et il fallait partager dix camemberts pour plus de six cents inscrits à la crèmerie du quartier. Alors souvent, je réglais le réveil à cinq heures. Comme papa se levait à quatre heures trente, je le trouvais assis dans la cuisine devant son bol de faux café. Je lui disais bonjour et, s'il était de bonne humeur, il répondait par un proverbe, comme « L'avenir appartient à ceux qui se lèvent tôt », « C'est l'oiseau matinal qui attrape le ver » ou encore « La victoire aime l'effort ».

Avant la guerre, papa adorait se servir de proverbes pour illustrer sa pensée. Il disait que certaines phrases ne traversent pas les siècles par hasard, qu'il fallait avoir du temps à perdre pour essayer de trouver mieux et que c'était le rôle de chaque génération de les transmettre aux suivantes. Avec Lucie, nous les notions scrupuleusement dans un petit carnet, nous les apprenions par cœur et, avant de nous endormir, nous faisions des batailles, c'était à celui qui en citait le plus. Mais à son retour du front, lorsque papa avait enfin recommencé à nous parler, il n'avait plus utilisé aucun proverbe, seulement le minimum de mots, « Prends ton paletot », « Barre donc la porte », alors l'entendre soudain en prononcer à nouveau, c'était comme un coup de couteau qui vous soulage et vous tue en même temps – toutefois, si je suis honnête, c'était aussi ce qui m'encourageait à me lever si tôt.

J'allais prendre ma place dans la file, je n'étais jamais le premier, mais toujours à hauteur raisonnable. Les premiers temps, j'avais même réussi à grappiller quelques grammes de beurre ou un œuf en profitant de l'attente pour attendrir mes compagnons de circonstance, prétendant que ma petite sœur était malade ou mon père blessé, mais depuis que les réserves s'épuisaient, les gens se fichaient bien de savoir ce qui arrivait aux autres, ce qu'ils voulaient, c'était se garnir l'estomac. Je me contentais donc de mon dû et, lorsque je rentrais, le sourire de maman découvrant mon trophée me consolait de tous les sacrifices.

Sans vouloir accuser maman, il faut admettre que ce sourire a eu son importance dans le *JPDT*. Tout est parti de mes treize ans. Maman tenait absolument à cuisiner le ragoût de bœuf et les crêpes que j'aimais tant et qu'elle préparait chaque premier dimanche de janvier pour célébrer mon anniversaire. En additionnant nos tickets à ceux de Joseph et Marline, offerts en cadeau par tante Muguette pour l'occasion, elle avait récolté suffisamment de lait et de sucre pour les crêpes, quant au ragoût, elle avait eu la bonne idée, pour compenser le peu de viande, de faire un délicieux fond de sauce avec les os obtenus à force de supplications chez le boucher.

Le problème, c'étaient les pommes de terre.

Depuis l'Angleterre, le Général avait fait passer l'ordre de ne pas sortir de chez soi le 1er janvier entre quinze et seize heures, pour protester contre l'Occupation. Et cette fois, maman avait mis papa en demeure de respecter l'interdit. Lucie et moi avions pensé que c'était une sorte de vengeance, parce que le jour de Noël, papa avait refusé au dernier moment qu'elle organise quoi que ce soit de spécial, alors que nous savions tous que c'était à ses yeux le jour le plus important de l'année, justement à cause de l'anniversaire de papa et de celui de la naissance de Jésus.

Le 31 décembre, maman nous avait donc rassemblés dans la cuisine pour nous informer de sa décision de respecter la consigne des Français libres et avant que papa n'ait eu le temps d'ouvrir la bouche, elle avait ajouté, triomphante : « Après tout, qui peut savoir si nous aurions eu l'intention de sortir avec ce froid ? »

Seulement ces serpents de Boches avaient de la repartie. Ils avaient annoncé pour la même heure une distribution gratuite de pommes de terre au nom du Maréchal. *La faim primant la foi*, pour reprendre l'expression désolée de maman, des colonnes de Havrais avaient consciencieusement vidé les stocks entre quinze et seize heures, tant et si bien qu'ensuite il s'était révélé impossible de trouver la plus petite patate.

Jusqu'au vendredi, maman avait tourné en rond, ressassant par avance son plat raté, ce qu'elle considérait comme une défaite personnelle. La cuisine, c'était à la fois sa façon de combattre et sa technique imparable pour oublier tout ce qui la tracassait, les bombardements qui massacraient Sainte-Adresse, tante Muguette qui toussait de plus en plus, la froideur de papa ou Lucie qui ne savait plus accorder son passé composé. Lorsqu'elle épluchait ses légumes

ou agitait la cuillère de bois dans la marmite avant
de goûter la soupe, son visage devenait encore plus
beau, tout lisse comme sur les publicités du savon
Palmolive, mais avec ce coup dur, c'était l'inverse qui
se produisait, on aurait dit soudain que maman avait
cent ans.

Alors, j'avais eu cette idée en discutant avec
Pimont après l'école. Sa grand-mère habitait à Sanvic
une maison avec un grand jardin, et des patates, elle
en avait tant et plus, tandis que nous à l'école, c'était
du charbon qu'on avait plein la cave, le charbon des
Boches que papa rapportait par sacs de cinquante
kilos.

Chaque jour, Pimont allait avec son frère sur le
quai Colbert où les charbonniers n'accostaient plus
depuis longtemps, mais où d'anciens dockers rele-
vaient encore quelques briquettes restées engluées
dans la vase. Il échangeait ses pommes de terre
contre quelques grammes de charbon, mais dernièrement, avec la neige qui était tombée, le petit négoce
avait dû s'interrompre et chez Pimont comme chez
la plupart des Havrais, tout le monde grelottait. Qu'à
cela ne tienne, je lui avais fait jurer le secret absolu,
topé, craché, deux kilos de charbon contre deux
kilos de patates, c'était une affaire en or pour lui et
une aubaine pour moi.

Le soir même, j'avais prévenu Lucie qu'elle devrait
distraire l'attention générale pendant quelques
minutes. Elle n'était pas rassurée, et encore moins
lorsque je lui avais expliqué qu'il valait mieux qu'elle
ne sache rien pour sa propre sécurité (j'avais adoré
prononcer cette phrase, relevée dans une bande

dessinée de Joseph). Elle avait finalement accepté de m'aider contre deux de mes plus beaux calots.

J'avais attendu que la voie soit libre de papa, de maman et surtout des Boches et j'avais foncé à la cave. Il fallait traverser la cour et descendre l'escalier de pierre sous le bâtiment principal, enfiler le tablier et les gants prêtés par Pimont pour éviter les taches, dissimuler le charbon dans ma besace tapissée de papier journal, ôter le tablier, les gants, prendre un air dégagé, aller, retour, un trajet qui m'a semblé durer un siècle et au cours duquel j'ai cru mourir dix fois d'un arrêt cardiaque, heureusement tout s'était bien passé.

En partant à l'école le lendemain, je tremblais encore de tout mon corps à l'idée d'avoir omis une trace noire et d'être découvert, mais la chance semblait toujours de mon côté (du moins, c'est ce que je croyais), l'échange avec Pimont avait eu lieu dans les règles et quelques heures plus tard, lorsque j'avais offert les pommes de terre à maman, sa joie m'avait rempli d'un sentiment de fierté inconnu, je m'étais senti incroyablement fort.

Le hic, c'était papa et ça, je ne l'avais pas vu venir. Maman était si contente de pouvoir préparer son plat ! Elle n'avait pas douté une seconde de ma parole lorsque j'avais prétendu que ce cancre de Pimont m'avait obtenu les patates en contrepartie de mes services en science. Mais à peine papa a-t-il aperçu le sac qu'il a soupçonné un échange autrement plus coûteux qu'une poignée d'exercices. Il a aussitôt accusé maman d'avoir inventé cette histoire de devoirs et pire, d'avoir fait de son fils son complice. Maman s'est décomposée, réalisant qu'elle avait été bernée : par ces temps de disette, quel parent aurait laissé filer deux kilos de pommes de terre pour améliorer les notes de son fils, alors qu'on n'était même pas sûrs de terminer l'année ?

Elle m'a lancé un regard affreusement triste quand papa a pris une bassine, y a jeté les légumes, les os et même le morceau de joue de bœuf et menacé d'apporter sur-le-champ le tout au Secours national, si maman ne fournissait pas immédiatement une explication valable.

Moi, je cherchais quoi faire, quoi dire, je me demandais pourquoi il était tellement important de savoir d'où venaient ces pommes de terre.

Après quelques instants de silence général, papa a déclaré qu'il n'était pas question de transiger avec l'honnêteté et que, « puisque personne n'a l'air de le comprendre, on va se régaler à la Soupe populaire ». Il s'est dirigé vers la porte sans même enfiler son manteau.

En moins d'une seconde, j'ai vu s'écrouler un tas de choses dans les yeux de maman, l'espoir d'un moment de joie, le repas d'anniversaire, sa revanche sur la déception de Noël, la confiance qu'elle avait en moi, et tout ça m'a crucifié – une de ses expressions préférées, dont je mesurais pour la première fois la justesse. J'ai bondi, malgré la peur terrible qui m'envahissait, parce que soudain je comprenais que j'avais fait quelque chose de très grave, j'avais volé et pas n'importe quoi ni à n'importe qui, du charbon allemand, je me suis posté devant papa, tête baissée, et j'ai avoué d'une traite les détails de mon forfait.

Maman me fixait avec stupéfaction, papa est d'abord demeuré immobile, la mâchoire serrée comme s'il cherchait la bonne réplique, la bonne sanction, puis il a défait sa ceinture, une large ceinture de cuir marron usée par les années. D'un mouvement du menton, il m'a indiqué l'escalier sur lequel Lucie se recroquevillait, j'ai gravi les marches les boyaux tordus, avec une envie terrible de vomir, surtout quand maman a crié : « Je t'en prie, ne fais pas ça, Joffre ! »

Il a frémi, ralenti son mouvement un court instant, on aurait dit qu'un fil le retenait accroché à maman, mais ce fil était bien trop fragile, papa a terminé de me suivre jusque dans la chambre où je m'étais collé à la bibliothèque, lui offrant mon dos avec résignation.

Il a frappé plusieurs fois. Je hurlais, plus par désespoir et par rage que par douleur, parce que j'avais la preuve irréfutable de sa transformation : papa d'avant critiquait oncle Louis qui distribuait taloches et coups de pied aux fesses plus souvent qu'à son tour, papa d'avant était sévère, mais jugeait suffisant de nous faire recopier des leçons de morale (« Le premier châtiment d'un coupable est d'être condamné par lui-même »), ou encore de nous priver de jeux et de dessert, papa d'avant n'avait pas ce regard d'acier ni cette violence dans les gestes.

Lucie sanglotait, mais bizarrement, cette fois, mes yeux sont restés secs.

Il s'est arrêté dans un soupir sonore, après le sixième coup. Il a remis sa ceinture, puis m'a ordonné de descendre dans la cuisine. Mon dos me brûlait, mais ce qui me faisait le plus mal, c'était de contempler les restes de notre famille, tandis qu'il ôtait une à une les pommes de terre de la bassine, murmurant « Bien mal acquis ne profite jamais ».

Maman est allée chercher les rutabagas qu'elle conservait pour les cas de dernière extrémité, puis elle a préparé son ragoût dans un silence écrasant. Lorsque tante Muguette est arrivée, plus tard, avec Joseph et Marline, déclenchant de nouveaux sanglots de Lucie, papa, glacial, a commenté :

— Pleure, ma petite. Pleure sur ton frère, qui non seulement est un vaurien, mais nous met tous en danger. Pleure sur notre honte, car elle est immense.

Malgré sa peine, maman a sorti son beau service de porcelaine, offert par monsieur Huet en plus d'un roman de Victor Hugo à son départ du Printemps. Elle s'est dépêchée d'appeler tout le monde, « À table ! », sans que je puisse deviner si elle appuyait papa et me condamnait, ou s'il y avait une chance pour qu'elle comprenne – j'avais commis ce crime sans réfléchir, seulement pour qu'elle soit un peu plus heureuse.

Nous nous sommes assis avec lenteur dans cette atmosphère épouvantable. Marline, à côté de moi, caressait mon doigt sous la table pour me consoler et je me suis senti un peu moins seul, heureusement, parce que l'instant d'après, papa a posé une pomme de terre crue encore couverte de poussière sur mon assiette et m'a lancé, hargneux : « Eh bien, régale-toi mon fils, car tu n'auras rien d'autre. »

C'était l'anniversaire de mes treize ans. Je pensais à ce que m'avait raconté papa, lorsqu'il avait embarqué pour la première fois sur un transatlantique, justement à treize ans, parce qu'il fallait travailler et parce qu'à cette époque c'était l'âge auquel l'on devenait un homme sans discussion possible.

Je pensais qu'il avait raison de m'avoir tenu à distance depuis son retour, puisque j'étais au pire un sale voleur et au mieux un idiot.

Je pensais, tout ça, c'est la faute des Boches.

Après ce jour, il y a eu un nouveau changement chez papa. Il n'était plus seulement lointain, il est devenu méfiant, surtout avec maman et moi. Il nous a prévenus que l'accès à tous les bâtiments de l'école, en dehors de notre maison, serait désormais strictement interdit, sauf son accord exprès. Et après avoir lu la une du *Petit Havre* qui clamait « Êtes-vous un bon Français ? Alors achetez les cartes postales du Maréchal ! », il s'est empressé de coller un deuxième portrait sur la logette, sur lequel on lisait « J'ai été avec vous dans les jours glorieux. Je reste avec vous dans les jours sombres. Soyez à mes côtés ».

Maman tenait pourtant de source sûre qu'il s'agissait d'une opération de propagande frisant l'escroquerie, les fonds récoltés n'allaient pas comme prétendu aux prisonniers, mais elle n'a rien osé dire. Ils ne se parlaient presque plus et papa s'adressait à nous, les enfants, d'un ton horriblement sec, à croire qu'il était fâché pour l'éternité. Parfois, sans qu'on sache vraiment pourquoi, il explosait et nous punissait avec sévérité pour une simple broutille. Ces jours-là, nous les appelions les *JPDT* et nous filions droit, de peur qu'il ne défasse sa ceinture.

Lorsque les bombardements se sont intensifiés à la fin du mois, à tel point qu'il a été question d'évacuer la ville en février, il nous a ordonné d'aller dormir seuls en ville haute. Ça aussi c'était nouveau, parce qu'à l'automne, alors que des centaines de familles gravissaient la côte quotidiennement, chargées de couvertures, de chaises longues, de matelas, il affirmait que c'était inutile et, surtout, il refusait absolument que nous nous séparions.

Maintenant, il prétendait l'inverse. Il disait qu'il préférait nous savoir protégés, c'était un prétexte bien sûr, la vérité, c'est qu'il était content d'avoir la paix parce qu'il ne nous supportait plus.

Jusqu'au printemps, nous sommes donc montés chaque soir. Il fallait affronter les averses d'eau gelée, réussir à dormir dans les bruits et les courants d'air. Maman était très inquiète, surtout à cause de Muguette qui avait finalement accepté de se joindre à nous, mais perdait ses couleurs à mesure que l'hiver s'étendait. Elle était sans cesse prise de quintes de toux affreuses et caverneuses, au point que Marline, effrayée, se bouchait les oreilles pour ne plus l'entendre. Moi, je ne pouvais pas m'empêcher de penser que c'était la tristesse qui la rendait malade. Depuis qu'elle avait appris, peu avant Noël, qu'oncle Louis avait été envoyé dans un Stalag en Allemagne – ce qui signifiait qu'elle ne pourrait lui poster aucun colis et recevrait peu de nouvelles, voire aucune pendant des mois –, elle avait énormément maigri.

Cela faisait presque un an que nous avions fui la ville pour la première fois. Un an avait suffi pour que notre famille soit en morceaux.

Je me demandais, tandis que nous marchions, quand tout cela finira-t-il ? Combien de temps faudra-t-il pour reconstruire ?

Même ceux qui ne sont pas forts en sciences savent que l'on tombe toujours plus vite que l'on ne se relève.

MUGUETTE

Octobre 1941

Qu'on ne prétende pas que c'est le hasard, une erreur de calcul, un mal nécessaire.

Même Émélie a dû l'admettre – j'aurais préféré avoir tort, j'aurais préféré que rien de tout cela n'arrive, puisque maintenant tout était par terre.

Je regardais ce train s'éloigner, emportant mes trésors, leur regard stupéfait imprimé dans mon cœur, sans avoir pu leur dire la vérité, sans savoir si je pourrais encore les serrer contre moi, sentir leur odeur, entendre leur voix, et cela ? principalement par la faute de nos alliés.

Mais puisqu'il s'agissait d'un intérêt supérieur.

Il y a d'abord eu la répétition générale, la nuit du 22 au 23 août, cent cinquante bombes explosives, les tirs de la DCA, la ville éclairée au milieu de la nuit, plus de vingt-cinq civils tués et autant de blessés, la peur qui assèche la gorge, Marline et Joseph comprimés dans mes bras, le miroir de ma chambre retrouvé en éclats, à force de trépidation des murs, et surtout, la découverte au petit matin de la façade soufflée du Printemps.

Émélie m'a accompagnée jusqu'à l'angle de la rue Thiers. Alors qu'elle contemplait les dégâts, j'ai insisté, optimiste par nécessité plus que par conviction, la façade était tombée, mais le magasin était debout, il suffirait de remonter un mur, les affaires reprendraient ! J'ai déguisé mon inquiétude et réussi à chanter, forçant ma gaieté, « *C'est un léger nuage Qui passe dans le ciel, C'est un petit orage, Suivi d'un arc-en-ciel*[1] ».

Elle n'a pas réagi : lucide, elle pressentait déjà que les monstres n'avaient pas terminé leur travail.

Trois semaines plus tard, lors de la nuit la plus cruelle qu'on puisse imaginer, une bombe plus grosse encore a percuté l'édifice qui s'est entièrement effondré. Cette fois, les pompiers nous ont tenus à bonne distance lorsque nous sommes accourus, les enfants, Émélie et moi, à peine prévenus de la catastrophe.

La chaussée était couverte de débris, de pierres et de bois noircis. Les grosses conduites d'eaux ayant été crevées, le feu avait été difficile à combattre : tout était anéanti, réduit en poussière, jusqu'à l'immense escalier central dont il ne restait plus trace. D'autres employées étaient déjà là, dans le même effarement, les mêmes larmes. Nous nous sommes regroupées en silence, celles qui jadis se jalousaient comme celles qui s'entendaient puisque désormais nous étions

---

1. Jean Lumière, *C'est un léger nuage*, 1938.

également orphelines, nous tenant la main sans réussir à nous consoler.

— Mon Dieu, a murmuré Émélie. Les livres.

Face aux ruines fumantes, j'ai aperçu monsieur Huet. Par un phénomène étrange, ses cheveux avaient blanchi, du même blanc que les cendres qui recouvraient le sol.

Ma sœur pleurait à son tour. Je me suis souvenue de son enthousiasme lorsqu'elle m'avait raconté les précieux rayonnages, encadrés d'ivoires de Fécamp et de tableaux signés – et aussi de sa foi en ceux que nous appelions nos *alliés*.

Je l'ai interpellée.

— Pourquoi, Émélie ? Peux-tu me dire pourquoi ?

As-tu seulement une réponse que je puisse admettre ? Par quel obscur calcul les aviateurs anglais ont-ils visé un des fleurons de notre ville ? Les locaux du *Petit Havre*, on pouvait encore y voir une stratégie, puisque la rédaction se trouve sous le contrôle de l'occupant. Mais les maisons, les lycées, l'école pratique, la rue Caplet, Monoprix et le Printemps, Émélie, le Printemps !

Dans la nuit, Radio Londres avait, paraît-il, annoncé puis commenté « une forte attaque sur les docks du Havre ». Sans doute était-ce la raison pour laquelle un anonyme avait écrit d'une craie enragée, sur une large pierre encore chaude, au milieu de ce qui avait été l'entrée principale du magasin : « docks du Havre ».

— Il y a forcément une explication, a rétorqué ma sœur. Nous ne sommes pas dans le secret des dieux. Il y a des intérêts supérieurs.

J'aurais voulu laisser éclater ma colère, répliquer, de quelle manière ces intérêts supérieurs pourraient-ils nourrir mes enfants ? Savaient-ils, ces Anglais, qu'ils ne détruisaient pas seulement des robes, des manteaux, des murs, des livres, mais au-delà des morts, des existences entières ?

Chaque jour, je peinais déjà à régler nos achats : avec le rationnement les prix ne cessaient de grimper. Croyaient-ils, ces fichus alliés qui brûlaient nos gagne-pains, que mon allocation de femme de prisonnier suffirait à faire vivre ma famille ?

Mais mon corps s'est soudainement rétracté, comme sous l'effet d'une morsure. Mes jambes ont faibli, j'ai chancelé, le souffle coupé, « Maman ! » a hurlé Joseph, tandis qu'Émélie se précipitait pour me retenir.

Un brouillard nauséeux m'a envahie et je me suis laissée glisser dans ses bras.

La vraie fatigue était apparue après Noël de l'an dernier, une immense fatigue qui pourtant n'empêchait pas l'insomnie. Pour être honnête, cela n'était pas arrivé d'un coup. L'exode et les premiers mois de l'Occupation m'avaient épuisée, j'avais maigri et je toussais déjà beaucoup mais, en vérité, je n'étais pas la seule, la ville était remplie de gens malades à force de manquer de sommeil, de viande, de lait, de fruits, à force de manquer de tout et pour moi, surtout de nouvelles, car c'était cela le plus dur, en savoir si peu sur Louis.

Lorsque j'avais reçu la carte prouvant qu'il était en vie et assurant que je pourrais bientôt lui écrire, j'avais d'abord retrouvé une certaine vigueur. Je m'étais même rendue plusieurs dimanches de suite chez madame Lenouvel, qui, sous prétexte de cours de danse, organisait des bals clandestins rue Jules-Lecesne. Je fermais les yeux dans les bras de mon cavalier et m'imaginais qu'il s'agissait de Louis, peu importe si mon mari n'avait jamais dansé lui-même et s'il méprisait cette activité, mon cœur battait la chamade tandis que mon pied allait et venait au son du fox-trot.

Le soir, je répétais les mouvements avec Joseph en chantant avec lui « *V'nez donc chez nous, y a de la gaieté, y a de la joie, y a de l'amour*[1] », Marline riait, nous imitait, je priais pour que nos voix portent au travers du ciel jusqu'aux oreilles de Louis, je préparais mentalement les colis que je lui ferais parvenir, des journaux, des couvertures, des cigarettes.

Mais les semaines ont glissé, d'autres que moi ont obtenu des adresses à Longvic-lès-Dijon, à Drancy et même à Rouen, tandis que de Louis, je ne savais toujours rien. L'hiver s'est installé dès le mois de décembre avec des vents terribles, presque des ouragans, des pluies torrentielles qui traversaient les murs et les os, je ne chantais plus, je perdais l'appétit de vivre autant que l'envie de manger et d'un côté c'était une bonne chose, parce que je pouvais donner à mes enfants un peu plus que leur ration, mais de l'autre c'en était une mauvaise, bien sûr, Joseph et Marline s'inquiétaient, s'emplissaient de tristesse à leur

---

1. George Milton, *Venez donc chez nous*, 1935.

tour, comme si je leur avais transmis le virus de ma mélancolie.

Nous avons dû attendre la veille de Noël pour apprendre que Louis avait été finalement envoyé à Königsberg, en Prusse-Orientale et peut-être, de là, dans un Stalag plus éloigné encore – il était donc inutile d'espérer le moindre contact avant la fin du conflit.

La nuit, lorsque nous n'étions pas réfugiés dans un abri, je contemplais les trois cartes postales dénichées par Joseph Dieu sait où, le château, la Münz-platz, les rives du Pregel. C'était si beau, Königsberg, aussi beau que notre ville, je pensais, comment est-il possible que des hommes nés dans une telle beauté en viennent à tant de haine ? Désormais, c'était Léo Marjane que je fredonnais en retenant mes larmes, « *Je viens de fermer ma fenêtre, Le brouillard qui tombe est glacé, Jusque dans ma chambre il pénètre, Notre chambre où meurt le passé*[1] ».

À la Croix-Rouge, on m'avait avertie que l'hiver là-bas était bien pire que chez nous. On racontait que les prisonniers, logés par chambrées de douze, étaient envoyés travailler de quatre heures du matin jusqu'à sept heures du soir, nourris d'un casse-croûte et d'un bouillon d'herbes. Louis était fort, mais il n'avait jamais connu les privations. Combien de temps résisterait-il ? Qui de nous deux lâcherait le premier ? Que restait-il de solide dans nos vies ?

---

1. Léo Marjane, *Je suis seule ce soir*, 1941.

Même Joffre et Émélie ne tenaient plus si droit.
Après l'affaire du vol de pommes de terre, pour
l'anniversaire de Jean, leur opposition avait éclaté
au grand jour. Eux qui semblaient indestructibles !
L'intransigeance qui les avait réunis hier les sépa-
rait aujourd'hui. Émélie ne jurait que par la France
libre et les promesses invraisemblables du général
de Gaulle, tandis que Joffre – tout comme moi –
conservait sa confiance au Maréchal. Ils ne se parlaient presque plus et se lançaient à tout propos des
regards accusateurs, rendant l'atmosphère si pesante
que même Joseph, malgré l'amour qu'il portait à ses
cousins, rechignait à leur rendre visite.

Depuis notre retour d'exode, voici maintenant
plus d'un an, mon fils ne cessait de m'épater par
son courage et sa façon bien à lui de traverser la
guerre. Après un temps de pause, en fait dès que
nous avions reçu des nouvelles de son père, il avait
repris sa moisson de blagues, voyant là un moyen de
m'extraire de mon abattement. Il ne perdait jamais
une occasion de les placer, y compris lorsqu'elles
provenaient de Radio Londres – celles-là, je le savais
pertinemment, lui étaient fournies par Jean.

— Écoute ça, maman : on ne dit pas métropoli-
tain, on dit Pétain mollit trop.

— Joseph !

— Voyons maman, il faut savoir rire de tout
lorsque l'on n'a plus rien !

Je le voyais si heureux d'avoir provoqué chez moi
une réaction, même réprobatrice, cela me touchait, je
renonçais à le réprimander.

Pas une fois durant cette année, lorsque l'alerte avait sonné et qu'il avait fallu courir se mettre à l'abri, je ne l'avais entendu se plaindre. Il réconfortait Marline, inventait des explications, des trajectoires imaginaires, des cibles lointaines. Il lisait le journal avec application et sélectionnait les informations rassurantes, rapportait ce qu'il entendait des progrès alliés – un débarquement anglais aurait lieu avant l'été, le Japon s'était proposé d'être médiateur, la situation se retournait, la preuve, il y avait moins d'Allemands dans les rues du Havre.

Plus il gagnait en force et en calme, plus je me sentais vulnérable. Je le contemplais, le petit garçon sensible et fragile qu'il était encore voilà un an à peine était soudain devenu un beau jeune homme solide et responsable, au corps délié et aux traits fins.

Marline aussi avait changé. Elle grandissait en beauté, toujours silencieuse, énigmatique, mais désormais concentrée sur des dessins qu'elle effaçait et recommençait inlassablement, jusqu'à ce que son crayon soit taillé si petit qu'elle ne puisse plus le tenir entre ses doigts. Le soir, il lui arrivait de venir sur mes genoux avec ses feuilles griffonnées, j'aurais dû la féliciter, embrasser ses joues de velours, lui murmurer des douceurs, y trouver des raisons de vivre, mais au contraire, j'étais submergée par un mélange d'angoisse et de découragement.

J'avais honte. Honte d'être une mauvaise mère, tout juste bonne à se laisser glisser malgré l'amour que j'éprouvais pour mes enfants, malgré leur émouvante métamorphose, malgré l'espoir qu'ils portaient vaillamment en eux.

Parfois, je tentais de dater le moment où quelque chose en moi s'était rompu, sans jamais y parvenir. Sans doute était-ce une accumulation, les coups reçus un par un, les attentes déçues, la multiplication des privations, la répétition des peurs.

Sans doute l'habitude avait-elle entraîné ma lassitude.

Après l'automne 1940, puis l'hiver 1941 employés à négocier un morceau de beurre ou une tranche de jambon, à se cacher des bombes, à compter les tirs de DCA, à courir de l'autre côté de la ville en se croyant mieux protégés pour croiser d'autres Havrais faisant exactement l'inverse, à gravir des dizaines de fois le flanc de la colline chargée comme une bête de somme, à regarder passer quotidiennement les convois mortuaires, le ballet des camions poubelles chargés de gravats, j'ai cessé de ressentir la peur, comme j'avais cessé de ressentir la joie.

— Si on chantait, tentait Joseph lors de nos voyages nocturnes, convaincu que je ne résisterais pas à l'accompagner.

À tue-tête, portant à bout de bras un lourd matelas, traînant Marline qui s'accrochait à son manteau, il entonnait bravement, « *Il était un zouave au rire joyeux, Qui n'avait jamais, jamais froid aux yeux...*[1] ». Autour de nous, nos compagnons de marche l'applaudissaient et reprenaient en chœur, « *On n'a pas chaud, mais, Dieu merci, Chez les Boch's il fait froid aussi, Lorsque demain nous marcherons, là-bas, Sans défaillance, Pleins d'espé-*

---

1. Henri Christiné, *Hardi, les gars*, 1915.

rance, Nous chanterons : Hardi les gars, C'est pour la France ! ».

Je ne me joignais pas au groupe. J'éprouvais un sentiment étrange, celui d'assister à un spectacle admirable, mais qui ne me concernait plus. Je me contentais de rajuster mon cache-col, je toussais déjà bien assez comme ça, la moindre des choses que je devais à mes enfants, puisque j'étais incapable de mieux, était de rester debout.

Les bombardements s'étaient calmés avec le retour des beaux jours et de la chaleur. On disait maintenant les soldats occupés sur d'autres fronts, en Grèce, en Yougoslavie, en Lybie, en Égypte, et même depuis juin sur la frontière soviétique, franchie, selon *Le Petit Havre*, suite à une « collusion secrète avec l'Angleterre ».

Le 21 juin, alors que le thermomètre frôlait les quarante degrés, l'accès aux plages du boulevard Albert-Ier et de Sainte-Adresse a été autorisé après un an d'interdiction : les baigneurs se sont rués dans l'eau et les volleyeurs sur le sable. À la même période, le club nautique a rouvert, les cinémas remplissaient leurs salles à chaque séance, Émélie qui s'inquiétait visiblement pour moi a réussi à me traîner au Grillon voir Raimu et Marie Bell dans *Noix de coco*. Au Grand Théâtre, on donnait *Le Pays du sourire*, au Rex le comique Georgius attirait des foules et dans les cafés les orchestres animaient les soirées. Pour la plupart d'entre nous, c'était une autre façon de se nourrir, puisque les estomacs, eux, demeuraient vides.

Je n'avais pas faim de cela non plus. Mon seul refuge, je le trouvais dans mon travail. Après quelques mois de flottement, les clientes avaient réapparu au Printemps. Moins nombreuses, forcément, avec l'explosion du chômage. Mais celles qui s'offraient encore de la lingerie le faisaient avec tant de plaisir, tâtant les étoffes du bout du doigt, s'autorisant à rêver, que l'espace d'un instant, je revenais à la vie.

Pourquoi avait-il fallu que cela aussi se brise ?

Aurais-je dû voir un signe dans la mort de notre cher maire Risson, foudroyé en plein été par une congestion cérébrale, quelques semaines seulement avant que ne s'abatte le déluge de feu ?

Le bombardement du 22 août et cette horrible nuit du 15 septembre ont sonné la fin du répit. La rumeur prétendait que les Russes submergés avaient demandé la reprise des hostilités, il fallait faire diversion, ramener les hommes et le matériel ennemis à l'ouest. Quoi qu'il en soit, ces affreux avions anglais piquaient à nouveau sur nos têtes par rafales incessantes, broyant des maisons par centaines, semant une multitude de foyers d'incendies. À nouveau, les files suantes et soufflantes se formaient dès cinq heures de l'après-midi sur les pentes de la rue Clovis, cherchant abri en ville haute. À nouveau, il fallait vivre sans gaz, sans électricité, parfois même sans eau – et désormais, sans revenu.

Pendant plusieurs jours, incapable d'accepter la réalité, je m'étais rendue rue Thiers habillée, coiffée, prête à rejoindre mon rayon, à conseiller, disposer, ranger les déshabillés et les combinaisons et, à chaque fois, j'avais été prise de stupeur en découvrant les décombres toujours fumants du magasin.

J'ai fini par me rendre à l'évidence lorsqu'une voisine compatissante – elle-même sans ressources après la fuite à Marseille de son employeur, un importateur de café – a frappé à ma porte pour me proposer de partager son nouvel emploi. Ce ne serait ni facile ni gratifiant, a-t-elle prévenu, mais au moins c'était à domicile et puis, a-t-elle ajouté, c'était mieux que répondre à l'appel des Allemands, qui envoyaient chaque semaine des wagons de désespérés faire tourner les usines de la Ruhr.

À vrai dire, même si j'avais songé – et ce n'était pas le cas – à quitter ma ville et mon pays, les Allemands n'auraient sûrement pas voulu de moi. J'avais encore perdu du poids et j'étais loin de ressembler aux travailleuses éclatantes de santé présentées sur leurs tracts. J'ai donc accepté avec soulagement son offre généreuse. Il s'agissait d'enfiler des épingles de sûreté par douzaines, une grande en recevant trois autres, puis quatre moyennes et quatre petites. Cela m'a paru simple au début, mais il fallait aller vite, les rendre par centaines sans se tromper d'une épingle, sans quoi le lot entier était retourné et la paie suspendue. Lorsqu'il me sentait trop fatiguée, et malgré mes protestations, Joseph s'attablait avec moi devant les montagnes d'aluminium et m'assistait dans ma tâche. Après une semaine seulement, mes doigts étaient piqués de tous côtés, gonflés, rouges, mes yeux secs à force de scruter les épingles, mes coudes et mes poignets douloureux et mon dos moulu.

Après deux, c'était encore pire, s'étaient ajoutés la chute des températures, le retour des pluies et le vent sifflant qui passait au travers des fenêtres. Mes poumons s'emplissaient d'une matière épaisse et grasse et mes quintes de toux pouvaient être si puissantes que j'avais parfois la sensation que l'on me portait des coups de hache.

Mon fils, le premier, a mesuré la gravité de mon état. Moi, je refusais de la voir. Je pensais, qui ne serait pas exténué après des journées entières à se courber, à compter et recompter jusqu'à en devenir folle ? Mais un matin, alors que je me levais brusquement de ma chaise pour déplacer un tas d'épingles, j'ai de nouveau ressenti la morsure déjà éprouvée devant les ruines du Printemps. La hache, cette fois, ne se contentait plus de frapper, elle me coupait violemment en deux, perçant ma poitrine et mon crâne, obstruant ma respiration.

Je me suis affaissée, bouche grande ouverte en quête d'un air introuvable, tandis que Joseph se ruait à mon secours. Dans ses yeux, je lisais la panique, dans ceux de Marline l'incompréhension, il m'a aidée à m'asseoir, tremblant autant que moi, a pris mes mains dans les siennes et, avec un sérieux que je ne lui connaissais pas, m'a murmuré de tenir bon, le temps qu'il aille trouver sa tante.

Depuis des mois, ma sœur s'inquiétait de mes essoufflements et de mon épuisement. Elle insistait pour que je consulte un médecin, m'avait suppliée de rencontrer au moins une infirmière visiteuse, en vain : considérant que je n'étais pas malade, mais seulement affaiblie, j'aurais eu le sentiment de voler leur temps. Le manque d'hygiène, d'eau potable et de nourriture, la prolifération des rats, les mauvaises conduites avaient précipité en ville l'explosion d'épidémies et de maladies graves. La diphtérie, la typhoïde, les maladies pulmonaires et même vénériennes remplissaient les dispensaires et, lorsque les médecins n'étaient pas occupés à soigner les malades ou vacciner les enfants, ils couraient prêter main-forte aux chirurgiens débordés par les victimes des bombardements : ils avaient bien assez à faire sans moi !

Joseph est revenu avec Émélie quelques minutes après mon malaise. Le tablier de cuisine encore noué autour de la taille, hors d'haleine et le chignon défait par la course, ma sœur fronçait les sourcils. Elle a posé délicatement son oreille sur ma poitrine, écouté longuement ma respiration, puis a tapoté mon front et mes joues de ses mains fraîches. Sans un mot, elle a fait signe à Joseph de lui tendre mon manteau et m'a emmitouflée avec précaution, tandis que mes enfants s'habillaient à leur tour.

Nous nous sommes séparés au pied de l'immeuble, au grand dam de Joseph qui insistait pour nous accompagner, dévoré d'inquiétude – mais Émélie avait refusé catégoriquement, lui ordonnant sèchement de rejoindre Lucie et Jean en compagnie de Marline.

À son ton dur, sifflant, à sa décision d'éloigner les enfants, j'avais compris combien elle était alarmée.

Le dispensaire se trouvait à bonne distance, marcher était un supplice, tant pour moi, qui me noyais à chaque pas, que pour elle qui me soutenait, mais elle ne s'est pas plainte. Elle avait passé mon bras dans son dos et écrasait mes doigts dans les siens, par peur sans doute de me lâcher, si bien que nous étions à bout de force l'une et l'autre lorsque enfin nous sommes arrivées à destination.

Assises sur un banc de bois, nous avons attendu plusieurs heures, observant le défilé des vieillards décharnés, des mères chargées de nourrissons en pleurs, des hommes à la tête basse, avant de pénétrer enfin dans la salle de consultation.

Tout est allé si vite ensuite : l'auscultation, l'examen au microscope, puis la radio que le médecin tenait au-dessus de son nez, traçant de l'ongle d'indé-chiffrables trajectoires, cet œil sévère, ces phrases que je n'étais pas certaine de comprendre, les larmes sur les joues d'Émélie.

La maladie était déjà très avancée et le médecin en colère.

— Enfin madame, me ferez-vous croire que vous découvrez votre état ?

Il me soupçonnait de mentir, de dissimuler comme tant d'autres les symptômes du mal, il n'était pas bien vu d'être tuberculeux et c'est vrai, je m'étais toujours efforcée d'être discrète, prenant soin de cracher dans mon mouchoir, mais c'était seulement par pudeur, non pour me protéger ni parce que j'avais honte, pas une seconde je ne m'étais crue touchée par le bacille.

— Vos enfants, madame, n'ont-ils pas participé à la campagne des timbres antituberculeux ? Ne vous ont-ils pas rapporté les consignes ?

Ils avaient participé, bien sûr, et même avec plus de cœur que d'autres : leur tante Odette, la sœur de Louis, s'était jetée dans le port trois ans plus tôt, après que ses fiançailles avaient été brisées du fait de la maladie. Elle était pourtant tout à fait guérie lorsqu'elle avait rencontré son promis, ayant été légèrement atteinte, mais apprenant son passé, sa belle-famille avait considéré qu'elle demeurerait trop fragile, impropre à la continuité de la lignée.

C'était donc sur moi que l'infamie se posait aujourd'hui.

Le médecin était formel, je ne m'en tirerais pas avec de la teinture de sauge et du sirop d'hémoglobine. Il fallait envisager d'urgence un pneumothorax artificiel et surtout trouver immédiatement une place en sanatorium puisque, de l'hôpital, il n'était même pas question, mais il préférait m'avertir : connaissant la longueur des listes d'attente et sachant que l'on me préférerait des patients présentant plus d'espoir de rémission, la quête était illusoire.

J'ai rassemblé ce qui me restait d'énergie pour insister, supplier qu'il trouve un moyen de me soigner ici, près de mes enfants, mais il a redoublé de fureur, m'accusant de vouloir les contaminer, eux, leurs voisins et pour finir la ville entière, me qualifiant pour conclure d'égoïste et d'irresponsable. Je me suis tournée vers Émélie, désemparée, je voulais qu'elle m'explique comment tout cela était possible, ma vie s'effondrant d'un coup sous la bombe de la tuberculose, tout comme mon cher Printemps l'avait été quelques semaines plus tôt sous celle des Anglais, je voulais qu'elle s'insurge, qu'elle exige de consulter

ailleurs, que l'on obtienne un autre avis qui démenti-
rait à coup sûr celui-ci !

Mais elle s'est adressée au médecin d'une voix mal
assurée et l'a simplement imploré de ne pas déclarer
ma situation, au moins quelques jours, afin qu'en
plus d'être malade je ne sois pas mise à la porte de
chez moi sans avoir pris de dispositions. Car enfin,
quel logeur ayant connaissance de mon état voudrait
encore s'exposer aux ennuis de la désinfection et aux
dangers de la contagion ?

La tuberculose semait l'effroi depuis la Grande
Guerre, détruisant les esprits autant que les corps.
Ils étaient nombreux, ceux qui, comme Odette,
avaient précipité leur mort, ne supportant plus
d'être tenus à l'écart, chassés, montrés du doigt,
à croire qu'ils avaient contracté à la fois la peste et
la syphilis. D'autres, se sachant condamnés, se plai-
saient à propager l'affection, jugeant injuste d'avoir
été eux-mêmes contaminés et invoquant une vengeance légitime, se réclamant parfois d'une mission
divine – et, dans tous les cas, terrifiant la population. D'horribles histoires circulaient à leur propos,
jusqu'à des rumeurs de messes noires et de fornica-
tions dans les décombres des docks, là où même les
Allemands ne posaient plus une botte.

— Je connais du monde au bureau de l'hygiène
municipale, a plaidé Émélie. Nous la trouverons,
cette place.

Je percevais à peine sa voix, ma tête bouillon-
nait, je pensais, ce n'est pas vrai, ce n'est pas vrai, ce
n'est pas vrai, je pensais, je ne veux pas mourir, je ne

suis pas prête, pas maintenant, pas après avoir survécu à l'exode et aux bombardements, je pensais à
Joseph, Marline, mon fils chéri, ma petite taiseuse,
que deviendraient-ils sans mère alors qu'ils n'avaient
déjà plus de père ?

Le médecin a hoché le menton en se lavant exagé-
rément les mains.

— Eh bien faites vite, madame, croyez-moi vous
n'avez pas une minute à perdre !

Émélie m'a prise par le bras, détournant son
visage, désormais elle craignait elle aussi la contagion,
mais ne m'abandonnait pas. Elle m'a soutenue pas à
pas dans le couloir du dispensaire, sur les trottoirs
irréguliers, puis jusqu'à la maison, a gravi les marches
serrée contre moi jusqu'à pénétrer dans l'appartement, a défait soigneusement mon manteau, déroulé
mon écharpe, m'a conduite près de mon lit et a posé
un petit saladier sur mon chevet en m'avertissant de
cracher seulement à cet endroit.

Puis elle a éteint les lumières et chuchoté,
« Repose-toi, je reviendrai bientôt » avant de quitter
la pièce.

Tandis que son pas s'éloignait, d'irrépressibles sanglots m'ont déchiré la poitrine. Ainsi, une demi-journée
avait suffi à tout renverser, tout écraser, tout effacer ?

J'ai fermé les yeux et laissé le désordre m'enve-
lopper jusqu'à ce que la fatigue me terrasse.

Elle m'a réveillée quelques heures plus tard,
le soleil était bas, mais filtrait encore au travers des volets, elle était incroyablement agitée :
« Nous devons parler, Muguette, sans délai, il y a

d'importantes décisions à prendre qui ne peuvent attendre ! Joseph et Marline sont à la maison avec Joffre, ils partagent la chambre de Jean et Lucie et dormiront tête-bêche pour cette nuit, mais c'est provisoire, tu t'en doutes. Pour la sécurité de tes enfants, tu dois les faire partir. »

— Partir ? Partir où ? ai-je répondu, encore engourdie.

— En Algérie.

Peut-être que tout cela n'était pas réel ? Peut-être était-ce une hallucination due à la fièvre ?

En Algérie ? Et pourquoi pas sur la Lune ?

Émélie a haussé les épaules et m'a tendu un article découpé dans *Le Petit Havre*. Je me suis redressée, écarquillant les yeux, c'était donc bien vrai, la Ligue des familles nombreuses avait organisé la veille avec les centres Guynemer le départ de cent dix petits Havrais vers l'Algérie, où des familles se préparaient à les accueillir.

— Nous n'en finirons pas de sitôt avec la guerre, commentait Émélie. Les bombardements ont repris de plus belle, les Boches menacent l'Angleterre et, crois-moi, elle ne se laissera pas faire. Or vois-tu, pour une fois, je veux bien féliciter le Maréchal, ou plutôt la Maréchale : ces Guynemer sont épatants.

Nous avions tous entendu parler de la fondation du centre Guynemer, au cours du printemps, par la sœur de notre valeureux héros. Elle avait eu l'idée de recueillir et placer les orphelins, les enfants abandonnés, fils et filles de prisonniers, de réfugiés, de chômeurs ou simplement de parents démunis, pour leur assurer une existence décente.

Jamais je n'aurais cru être un jour concernée.

— Ce sont de bonnes personnes, a enchaîné Émélie. Ils travaillent avec la Ligue et avec la Croix-Rouge. Imagine un peu, ce sera un merveilleux répit d'un an qui permettra à tes enfants d'oublier la séparation. Car tu le sais maintenant, quoi qu'il en soit, tu devras partir toi aussi dans les jours ou les semaines qui viennent, dès que nous te trouverons un établissement. Un an loin des bombes, loin de la peur, loin de la faim, un an sous le soleil d'Afrique. Pendant que toi, tu t'appliqueras à te soigner, Joseph et Marline courront dans les orangeraies, nageront dans la Méditerranée, s'instruiront !

L'article précisait que chacun recevrait l'enseignement qui lui conviendrait, primaire, pratique, secondaire, ainsi qu'une éducation morale et religieuse. Chaque mois, les enfants seraient contrôlés et une fiche sanitaire envoyée aux délégués, qui pourraient ainsi fournir des nouvelles régulières aux familles.

— Crois-moi Muguette, c'est un véritable don du ciel. Deux départs sont encore prévus, le 9 et le 16 de ce mois. Tu dois impérativement envoyer tes enfants là-bas. Ensuite, tu pourras t'en aller l'esprit tranquille.

Je la contemplais, son enthousiasme, sa joie et son soulagement d'avoir trouvé une partie de la solution, j'avais envie de hurler, la bâillonner, qu'elle s'arrête de parler, de me démontrer combien tout était parfait parce que, dans l'immédiat, je ne voyais qu'une chose, on allait m'enlever mes enfants d'une manière ou d'une autre, d'un claquement de doigt ou presque, pour une année entière ! On allait creuser des centaines, des milliers de kilomètres entre nous, je ne sentirais plus l'odeur de leurs draps ni le grain de leurs peaux, je n'entendrais plus les plaisanteries de Joseph, je n'admirerais plus les dessins de Marline, je ne chercherais plus de rubans colorés ou de journaux illustrés, je ne les verrais plus gambader le long de la mer, plus jamais, parce que tout cela, d'autres en profiteraient tandis que moi, j'agoniserais.

— Rends-toi compte : c'est un miracle si tu ne les as pas encore contaminés.

Eh bien, pensais-je, si c'est un miracle, si rien ne s'est produit alors qu'on prétend que je suis infectée depuis des jours et des jours, pourquoi tomberaient-ils malades maintenant ?

Vois-tu, Émélie, je crois que l'amour immunise. Je crois que jamais je ne pourrai leur transmettre quoi que ce soit de mauvais.

Vois-tu, Émélie, je crois que j'ai encore besoin d'eux.

— Si seulement j'avais pu les garder. Tu sais bien qu'avec les Boches dans l'école, je n'en aurai pas l'autorisation. Bien sûr, nous pourrions demander à les envoyer dans un de ces centres à la campagne, un camp scolaire, il s'en est ouvert plusieurs dans la région. Mais les bombardements pourraient aussi bien viser l'intérieur des terres, qui sait combien de temps ils seront à l'abri.

« Tu pourras t'en aller l'esprit tranquille », elle était là, la vérité, Émélie. Tu n'osais pas être explicite, mais tu te préparais déjà à ma disparition, à raison d'ailleurs, puisque je l'avais compris moi aussi dans le bureau de cet affreux docteur : j'allais mourir bientôt.

Mourir seule, donc.

Tu étais bonne, tu nous aimais, je savais chacun de tes mots guidé par ton souci de nous protéger. Tu cherchais à éclairer, autant que possible, le sombre et ultime tableau de ma vie.

Mais tu me blessais, Émélie – si seulement tu savais combien cela faisait mal. Je n'avais plus de perspective, plus d'avenir, tu parlais de mettre mes enfants à l'abri, mais se met-on jamais à l'abri de la mort de sa mère ?

— Il me faut ton accord maintenant, Muguette. Il reste peu de temps pour les faire porter sur la liste, et, crois-moi, les candidats sont nombreux.

Peu de temps, combien de temps ? Le temps avait-il encore un sens ? Voilà un peu plus de deux ans, j'étais en pleine santé, je dansais avec ma fille dans les bras et au bras de mon fils, je bouclais mes cheveux pour plaire à mon mari et lui chantais « *Je n'ai qu'un seul amour, qui durera toujours*[1] », j'ornais la table de bouquets de fleurs, je marchais mollets nus dans l'eau sur la plage de Sainte-Adresse, je m'exerçais à la recette des crêpes dentelle, je t'écoutais déclamer un poème de Victor Hugo.

Je n'étais pas stupide. Je savais où se trouvait l'intérêt de mes enfants. Allais-je trouver la force de leur mentir ? De prétendre que nous nous

---

1. Berthe Sylva, *Je n'ai qu'un seul amour*, 1938.

reverrions ? Un an, c'était déjà une éternité pour une mère – mais pour une tuberculeuse !

Et l'Algérie !

— Il paraît qu'ils sont déjà plus de deux cents enfants sur place, partis de Saint-Nazaire avant l'été pour s'éloigner de la guerre. Sans compter des dizaines envoyés en Suisse – mais ceux-là n'auront pas tant de soleil. Si j'étais prioritaire comme toi, crois-moi, je me dépêcherais d'inscrire Jean et Lucie – hélas, ils n'auront pas cette chance.

Une chance. Une chance d'avoir le cœur brisé, sans aucun doute. Il n'y avait aucune photo dans le journal, aucune illustration. J'imaginais des colonnes interminables d'enfants embarquant sur un paquebot. Tout cela pour éviter quoi, au fait ?

L'acharnement de nos « alliés ». Et qu'on ne me parle pas de paranoïa : le Maréchal lui-même s'était fait l'écho dans un télégramme officiel de nos pro-testations, après les derniers bombardements mani-festement hors de tout but militaire, dont seule notre population civile avait souffert.

Émélie m'a servi un verre d'eau. Elle a ouvert son sac, en a sorti un morceau de pain et une tranche de jambon – sa ration –, me les a tendus. J'ai repoussé le tout, je pensais, qu'elle le garde, son repas du condamné, alors elle a eu un sourire triste, comme si elle savait exactement ce qui me traversait l'esprit et elle a murmuré : « Tu dois manger, tu sais pour-quoi ? Parce qu'il te faut conserver toutes tes forces pour le sanatorium. Parce que tu seras opérée et que tu vas guérir, justement pour avoir le bonheur de les accueillir lorsqu'ils seront de retour. D'ici là, tu leur auras offert un peu d'insouciance et de liberté. »

À la mi-février, en plus du rationnement de l'alimentation, les restrictions avaient touché les chaussures et tous les articles textiles. J'avais trouvé des astuces dans l'*Almanach de la famille française*, découper un gilet neuf dans une vieille robe, raccourcir les pantalons abîmés ou trop petits de Joseph pour en faire des culottes courtes, retourner les pulls et les manteaux sur l'envers pour leur offrir une seconde vie. Joffre avait fabriqué des galoches aux enfants avec des semelles de bois et des renforts de tôle découpée dans des boîtes de conserve.

Si j'acceptais de les envoyer là-bas, mes enfants ne manqueraient plus de rien. Ils auraient des vêtements ajustés à leur taille, des chaussures de cuir ou de toile selon la température, ils auraient chaud, mangeraient à leur faim, autre chose que du pain fait avec du chiendent ou de la soupe d'orties blanches.

Si je refusais, qu'adviendrait-il ?

Ils apprendraient, tôt ou tard, la gravité du mal et son issue inéluctable, quoi qu'en dise Émélie. C'est moi qu'ils verraient monter dans un autocar ou un train, puis à qui ils feraient leurs adieux, plus tard, dans l'église Sainte-Marie – si l'on ne brûlait pas mon corps par précaution.

Ils continueraient à risquer leurs vies, ils pourraient même mourir les premiers. Nous avions connu la semaine précédente une alerte triplée, jamais encore entendue, qui signifiait « très grand danger »,

et Radio Londres multipliait les avertissements,
« Habitants de la zone côtière, évacuez d'urgence,
l'heure de la délivrance approche ».

Mais l'Algérie, c'était si loin.

— Dis oui, Muguette. Il le faut.

Au bout du monde.

La délivrance.

— Oui.

Aussitôt le mot prononcé, une angoisse épouvantable m'a étranglée : « Va-t'en », ai-je lancé à Émélie
dans un grognement sourd, presque haineux, et elle
ne se l'est pas laissé dire deux fois, bien contente
de m'avoir arraché cet accord en attendant que l'on
m'arrache mes enfants, elle s'est empressée de filer.

Le départ a été fixé au jeudi 16 octobre. Une
infirmière de la Croix-Rouge m'a rendu visite pour
me donner les détails du voyage – les dames orga-
nisatrices ayant refusé de s'en charger, craignant la
contamination. Les enfants, une quarantaine pour ce
convoi, quitteraient Le Havre pour Paris où ils pas-
seraient la journée dans un centre d'accueil. Le soir
même, ils prendraient le rapide de dix-neuf heures
quarante-cinq jusqu'à Marseille, où ils embarque-
raient le samedi 18 à destination d'Alger.

J'ai été un peu soulagée en apprenant qu'ils navi-
gueraient sur le *Lamoricière*, Émélie m'ayant raconté
que Thuriau, le meilleur ami de Joffre, y était affecté
depuis son départ du Havre. Joseph et Marline
l'avaient quelquefois rencontré, apprécié, c'était un
homme chaleureux et doux, et même s'il n'était pas

sûr qu'ils se croisent sur un bâtiment aussi vaste, je
me suis sentie rassurée de les savoir réunis.

Il était également prévu de rassembler les frères et
sœurs, sinon dans les mêmes familles – peu d'entre
elles acceptaient de prendre plusieurs enfants –, du
moins dans les mêmes villes ou villages afin de maintenir leurs liens, cela aussi m'a apaisée, mes petits
demeureraient soudés et pourraient compter l'un sur
l'autre.

J'ai négocié avec Émélie, comme une contrepartie
à mon accord, le secret absolu quant à ma probable
condamnation. Joseph savait que j'étais très malade,
mais son optimisme le porterait naturellement à
croire en ma guérison.

Après le passage de l'infirmière, nous nous sommes
retrouvés tous les quatre, Joseph, Marline, Émélie et
moi, pour une dernière promenade. J'ai revêtu mes
plus jolis vêtements, je me suis lavée minutieuse-
ment, maquillée pour déguiser mes cernes et ma peau
irritée. Au prix d'un effort surhumain, j'ai réussi à
leur mentir, prétendant que j'étais la plus heureuse
des mères. J'ai longuement exposé combien ce séjour
en Algérie était une bénédiction, puisque je devais
moi aussi quitter la ville d'un jour à l'autre pour me
soigner – peut-être à l'autre bout du pays. Savoir
qu'ils profiteraient du soleil et de la paix, ai-je assuré,
serait la plus efficace de toutes les cures et lorsqu'ils
rentreraient, bronzés et joyeux, ils trouveraient une
maman guérie et enfin autorisée à les couvrir de
câlins.

Ils m'ont écoutée avec sérieux. Joseph se mordait les lèvres jusqu'au sang, Marline regardait fixement la pointe de ses pieds, sans ciller, je pouvais bien énumérer les avantages, la lumière et le ciel toujours bleu, les fruits sucrés, l'aventure exotique, la légèreté d'une vie sans combats, ils n'entendaient qu'une chose : nous serions bientôt séparés – et pour longtemps.

Comme j'aurais aimé m'interrompre, revenir sur ma parole, compter sur notre bonne étoile pour nous sauver, cesser de faire semblant, pleurer avec eux ! Mais c'eût été criminel et je le savais bien, si je devais laisser la raison l'emporter sur le cœur une seule fois dans toute mon existence, c'était précisément maintenant.

— Tu verras, Joseph. Ce sera magnifique.

— C'est certain, maman, a bravement répondu mon fils, luttant pour masquer son chagrin.

Je me suis approchée, juste un peu, respectant les distances imposées par le médecin pour écarter le danger et j'ai murmuré, déchirée : « Mon Joseph, mon fils chéri, je te confie ta petite sœur, protège-la, quoi qu'il arrive, ne l'abandonne jamais, je t'en supplie, promets-le-moi. »

Il a tourné la tête, inspiré profondément, ce devait être si difficile de retenir ses larmes.

— Je le promets, maman, surtout ne t'inquiète pas, prends plutôt soin de toi.

Le 15 octobre, alors que je ne dormais plus depuis plusieurs nuits, taraudée par le départ imminent de mes enfants et la nécessité d'affronter ma propre mort, Émélie m'a apporté ce qu'elle qualifiait de grande nouvelle. Quelqu'un au bureau d'hygiène municipal m'avait trouvé une place au sanatorium d'Oissel : je pourrais m'y rendre dès la fin du mois pour y subir les pneumothorax indispensables et suivre une cure le temps nécessaire – terme délicat s'il en était.

— Vois-tu comme tout s'enchaîne pour le mieux ! Si ce n'est pas idéal ! a-t-elle ajouté avant de s'interrompre affreusement gênée, consciente de sa maladresse.

Je ne lui en ai pas voulu. Depuis le diagnostic de ma tuberculose, elle consacrait l'essentiel de son temps libre à notre famille. Elle avait couru à travers la ville pour remplir des dossiers, obtenir des délais, il fallait régler mon départ avec ma logeuse, trouver un garde-meuble, ouvrir une demande d'aide médicale gratuite pour ma prise en charge au sanatorium, préparer les valises des uns et des autres, tout cela s'ajoutant à son travail et ses corvées quotidiennes. Lorsqu'elle venait à la maison, je l'observais qui rangeait, secouait le tapis, ouvrait grandes les fenêtres, énergique, infatigable, souriante, et je pensais, je vais mourir, sans doute, mais j'aurai eu cette chance inestimable d'être choyée, gâtée, considérée, alors tout cela valait sûrement le coup d'être vécu.

Le soleil d'octobre encadrait en douceur les silhouettes du petit groupe d'enfants, sagement assis dans la voiture de queue.

Le train s'est ébranlé : dans quelques secondes, il aurait complètement disparu de mon champ de vision.

En montant sur le marchepied, Marline s'était retournée, bouche en O, j'avais cru un instant qu'elle allait parler, je ne voyais pas nettement ses lèvres, j'étais placée beaucoup trop loin, à plusieurs mètres derrière les autres parents – c'est à cette condition expresse que j'avais eu l'autorisation d'assister au départ.

Mais elle avait repris son mouvement et pénétré dans le wagon.

Près de la portière, j'avais pu distinguer Joseph, il me faisait signe d'au revoir.

L'idée m'est venue que je pourrais mourir sans attendre, me jeter sous le prochain convoi. Exercer cette liberté. Cesser d'être ce misérable jouet, pris entre l'aigle allemand qui m'arrachait le ventre et le lion anglais qui me lacérait les poumons.

Mais je suis simplement rentrée chez moi, je me suis assise une dernière fois dans ce fauteuil que j'avais tant aimé, j'ai clos mes paupières et j'ai fredonné « *Des lames d'argent nous effleurent et vont de bâbord à tribord, Pour ne pas montrer que tu pleures, Chante marin, et chante encore*[1] ».

---

1. Germaine Sablon, *La Chanson du large*, 1934.

JOSEPH

Octobre 1941

Sur le quai, il y avait monsieur le maire, monsieur le sous-préfet et un tas de fonctionnaires en costume. Ils semblaient très satisfaits, se congratulaient en se serrant la main, le journaliste du *Petit Havre* prenait des notes : « Nos chers enfants qui vont connaître la paix et le soleil de l'Afrique, comme ils sont chanceux ! »

Les adultes réfléchissent bizarrement ou bien c'est qu'ils nous prennent pour des imbéciles : ils pensaient nous rassurer alors que c'était exactement l'inverse qui se produisait, on se doutait que la situation devait être très grave, sinon pourquoi tous ces gens importants se seraient-ils déplacés pour nous faire leurs adieux ?

Sans s'être donné le mot, les enfants, par dizaines, faisaient semblant d'être joyeux. Ils souriaient et agitaient les mains pour ne pas peiner les mères qui applaudissaient lentement, comme le singe automate du magasin de jouets rue Thiers.

Marline et moi tracions de grands moulinets avec nos bras parce que maman était loin derrière toutes les autres, mais pas assez pour cacher qu'elle pleurait, elle avait le bas du visage tordu et se mouchait sans arrêt.

Avant le départ, la dernière fois que nous avions eu le droit de l'approcher, elle nous avait expliqué que l'Algérie était la meilleure chose qui pouvait nous arriver étant donné qu'elle était malade et ne pourrait bientôt plus s'occuper de nous, mais qu'ensuite elle guérirait, nous rentrerions et la vie reprendrait comme avant.

Elle parlait en pointillé avec des silences entre chaque mot : elle avait besoin de retrouver son souffle à cause de ses poumons troués et aussi parce qu'elle détestait mentir, or là elle ne mentait pas à moitié, dans le meilleur des cas il était impossible que la vie reprenne comme avant, nous étions en guerre, une bombe pouvait changer les plans à n'importe quel moment en nous écrasant comme des mouches, mais surtout, il y avait peu d'espoir qu'elle guérisse, sans quoi elle n'aurait pas mis la Méditerranée entre nous, et si longtemps, elle nous aurait plutôt envoyés à la campagne dans un centre de repliement.

Le soir même, alors qu'oncle Joffre était occupé à la cave, j'avais rassemblé mon courage pour interroger ma tante :

— Maman dit toujours que ses enfants, c'est toute sa vie, alors pourquoi veut-elle nous éloigner ?

— Elle n'a pas le choix, Joseph. Le sanatorium n'est pas un hôpital comme les autres, c'est un

établissement spécialisé où les séjours peuvent être
très longs et les visites interdites.

— Donc maman va mourir.

— Bien sûr que non, avait-elle répondu.

J'espérais qu'elle me gronderait, qu'elle me secoue-
rait par les épaules, enfin Joseph, quelle idée noire et
saugrenue, veux-tu bien te taire ?

Mais elle n'avait pas levé la voix et parlait au
contraire d'un ton morne, comme si cela ne valait
plus le coup de mettre les formes, comme si c'était
une affaire entendue : maman allait mourir, seulement ce genre de chose, ça ne se disait pas, alors, *bien
sûr que non*.

Le matin du départ, avant de nous rendre à la
gare, j'avais aidé Marline à nouer ses cheveux en
couettes et j'avais bien tiré sur ma chemise pour
que maman soit fière de nous. La chemise me grat-
tait horriblement parce que deux jours plus tôt, à la
visite médicale, on nous avait badigeonnés de souffre
et nettoyés jusqu'à nous arracher la peau avec une
brosse à chiendent pour éviter la gale. Je ne m'étais
pas plaint : au moins, on ne m'avait pas rasé la tête
comme à plusieurs de mes camarades soupçonnés
d'avoir des poux, et puis j'étais parmi les plus âgés, je
n'allais pas pleurer comme les loupiots de quatre ou
cinq ans.

J'avais rangé dans mon sac mon carnet de blagues,
un autre dans lequel je comptais bien écrire mes
impressions pour ne rien oublier au retour et mes derniers numéros de *L'As*, une sorte de porte-bonheur
étant donné que la bande dessinée de la première

page s'intitulait *Le Secret de la victoire*, même si ce fameux secret, les lecteurs l'attendaient toujours, puisque le journal avait cessé de paraître au moment de la défaite – sûrement que les Boches craignaient eux aussi qu'il soit révélé et que ça les conduise à leur perte.

J'étais allé saluer Albert, le libraire du quartier qui me prêtait les journaux gratuitement et me fournissait mes illustrés à prix d'ami. Depuis que l'école ne fonctionnait plus qu'à moitié ou au quart, je passais des après-midi entières dans sa boutique. Il était très vieux, bien qu'il refuse de dire son âge et lorsque je lui avais confié mon projet de devenir reporter, il m'avait tendu sa paume : « Tope là ! »

Albert avait combattu dans les tranchées pendant la Grande Guerre, il avait été projeté dans les airs à cinq ou six mètres par le souffle d'une explosion qui avait massacré tout son régiment et après ça, malgré les apparences, il n'était plus jamais vraiment retombé sur terre. Quand les bombardements avaient commencé l'année dernière, il s'était fabriqué une sorte d'abri au fond de la boutique avec des livres empilés, refusant d'en sortir sauf absolue nécessité, même pendant l'exode, et encore moins lorsque le mois dernier, une bombe incendiaire avait réduit en cendres la pharmacie voisine, emportant au passage le pharmacien et sa préparatrice : Albert prétendait à qui voulait l'entendre que les livres possédaient un pouvoir magique grâce à toutes les émotions qu'y avaient déposées les écrivains, la preuve, il ne restait plus rien de la pharmacie, mais lui ne souffrait pas de la plus petite égratignure.

Selon moi, Albert ne croyait pas un mot de son histoire. Il l'avait inventée uniquement pour que l'on cesse de l'embêter et ça marchait plutôt bien, les voisins avaient renoncé à l'emmener en lieu sûr le temps des alertes, le traitant de sinoque et de vieil excentrique.

Il suffisait pourtant de pencher la tête et de lire les titres des livres qu'il avait empilés, *Illusions perdues*, *Le Dernier Jour d'un condamné*, *Mémoires d'un fou* ou *Comment on meurt*, et bien d'autres tout aussi gais, pour comprendre ce qui lui trottait dans la tête.

— Alors, tu t'en vas pour longtemps ? avait-il demandé tristement.

— Un an.

— La vie est mal foutue. C'est moi qui aurais dû l'attraper, la tuberculose de ta mère.

Il avait raison.

— File Joseph, la croisière n'attend pas !

Le trajet m'a paru court jusqu'à la capitale. La plupart des enfants regardaient le paysage défiler, d'autres, épuisés par le réveil à l'aube, s'étaient endormis malgré le boucan infernal et les secousses du train. Aucun ne pleurait, pour faire honneur aux parents qui nous avaient recommandé d'être exemplaires. Je pensais à maman qui avait si souvent rêvé de se rendre à Paris pour visiter *la maison mère,* comme elle disait.

— Tu regarderas bien, mon Joseph, il faudra photographier avec tes yeux ! La Ville Lumière !

Elle se figurait que là-bas tout était plus beau, plus chic. Elle aurait été surprise d'apprendre que nos immeubles et nos rues valaient bien ceux de la capitale. Ce qui était vraiment différent, c'étaient les effets de la guerre : il n'y avait pas de bâtiments effondrés, les soupiraux n'étaient pas bardés de sacs de sable. Les Parisiens pouvaient se promener tranquilles, les Anglais ne les bombardaient pas et leur Printemps à eux était toujours debout – c'était la première question que j'avais posée aux dames de l'Assistance publique.

Nous sommes demeurés toute la journée dans le centre. Les dames nous ont fourni des blouses à carreaux pour que nous n'ayons pas à défaire nos valises, et à onze heures, elles nous ont servi à déjeuner des pâtes grises absolument dégoûtantes. Puis une autre dame qui devait être la responsable nous a comptés sèchement et nous a annoncé que nous serions répartis dans les wagons pour Marseille par âges et par genres, les filles d'un côté et les garçons de l'autre.

Marline s'est tournée vers moi, elle avait son regard de peur, celui qui criait « Au secours, Joseph ! », alors j'ai expliqué ce qu'avait dit maman, il fallait consulter le dossier, Marline était spéciale et il valait mieux pour tout le monde ne pas nous séparer, surtout la nuit et pour un aussi long voyage.

La dame a feuilleté son classeur en faisant de petits bruits avec sa langue, *t-t-t*, elle était vraiment très contrariée.

Après quelques minutes, elle a levé les bras au ciel en rouspétant :

— Comme si ce n'était pas assez compliqué, tous ces gamins à torcher et à surveiller !

Elle a ajouté qu'il était indécent de laisser dormir une fille avec des garçons et là, j'aurais voulu l'égorger pour qu'elle se taise parce que, maintenant, tout le monde nous regardait de travers, surtout les autres frères et sœurs qui avaient été choisis par la Ligue des familles nombreuses. Marline était secouée de frissons et baissait la tête comme si elle comptait s'enfoncer dans le sol, c'était un vrai désastre.

— Mais puisque mademoiselle est spéciale ! Nous ferons avec, que voulez-vous !

J'ai mis la main devant ma bouche pour murmurer : « À vos ordres, adjudant Ribouldingue », et je lui ai envoyé en secret une série de malédictions qui couvraient au moins quatre générations.

Le certificat médical attestait un « handicap psychique caractérisé par un mutisme quasi permanent » et précisait que j'étais le seul à pouvoir communiquer avec ma sœur. Tante Émélie, qui l'avait obtenu grâce à ses relations au dispensaire, avait demandé que l'on force le trait pour s'assurer que nous resterions ensemble au moins jusqu'en Algérie. Après, ce serait différent : la plupart des familles ne prenaient qu'un seul enfant, parce que, avant nous, il y avait déjà eu plusieurs convois arrivant d'autres villes et les places commençaient à se faire rares.

Heureusement, les infirmières de la Croix-Rouge qui nous accompagnaient étaient bien plus gentilles que l'adjudant de l'Assistance. Elles ont installé Marline dans le filet à bagages, l'ont enroulée dans une couverture grise un peu rêche mais bien chaude, et elle a dormi comme un gros bébé, juste au-dessus de ma tête, jusqu'à l'arrivée en gare de Marseille.

C'était un autre talent extraordinaire de ma petite sœur, apparu à l'époque où elle avait plus ou moins cessé de parler : lorsqu'une situation lui déplaisait, Marline sombrait en moins d'une seconde et se réveillait une fois la difficulté derrière elle, ni vu ni connu.

Ce vendredi, elle a ouvert les yeux pile à l'arrêt du train. À la manière d'une acrobate, elle a sauté hors du filet à bagages et m'a tendu son peigne pour que je l'aide à se recoiffer avant de boutonner soigneusement son manteau.

Je l'ai prise dans mes bras et l'ai fait voler au-dessus du marchepied, le nez dans son cou, elle sentait encore l'eau de toilette de maman dont elle s'était aspergée la veille, ça m'a fait du bien, j'ai pensé, comme elle est gracieuse, comme elle est douce, ma petite sœur, comme c'est bon d'être tous les deux.

Nous avons suivi la cohorte le long du quai, portant nos valises, l'esprit encore embrumé. Contrairement à Marline, la plupart d'entre nous n'avaient pas fermé l'œil de la nuit, bien trop préoccupés par ce qui nous attendait.

La gare de Marseille s'ouvrait sur un escalier gigantesque, impressionnant surtout par la largeur de ses marches plus que par leur nombre – je les ai comptées, cent dix seulement contre deux cent soixante-huit marches pour notre escalier d'Aplemont, Le Havre emportait le match à plate couture !

Les dames nous ont conduits à travers les rues dans un nouveau centre où nous avons dû répondre à un nouvel appel et vérifier une fois de plus nos bagages, nous laver les mains et les dents, déjeuner d'un plat bien meilleur que le précédent (du riz à la tomate) et plus tard avaler une soupe de légumes, puis attendre enfin que la nuit arrive, assis en tailleur, jouant aux osselets pour ceux qui avaient pensé à les emporter ou bavardant à voix basse.

Marline et moi nous étions installés près d'un garçon originaire de Graville, Gabriel Duval, avec qui je m'étais entendu dès le voyage pour Paris. Il était comme moi âgé de treize ans, avait de longs cheveux blonds presque blancs, des yeux sombres, des bras maigres, et possédait dans sa musette une splendide carte postale d'Algérie offerte par la patronne de sa mère, une Alsacienne née là-bas après que sa famille avait fui les Prussiens au siècle dernier. Ça nous avait rapprochés d'avoir un ennemi commun, ces sales têtes carrées qui avaient volé ses ancêtres et retenaient prisonnier mon père. Sur la carte, il était écrit « Souvenir d'Alger » en majuscules et à l'intérieur de chacune d'elles, on pouvait voir des photographies de la ville ou de ses habitants, des hommes et des enfants enturbannés, de hauts palmiers comme ceux qui bordaient les avenues de Marseille, de grands bâtiments à plusieurs étages, la mer, une sorte d'église locale et surtout un mouton bouclé que j'avais aussitôt montré à Marline.

Elle avait passé son index sur la carte, dévisagé Gabriel d'un air curieux et intéressé comme si elle découvrait son existence, puis elle avait tendu la main pour caresser ses cheveux. Gabriel était devenu écarlate, c'était comique, le rouge de ses joues et le presque blanc de ses cheveux, assortis aux croix portées par nos accompagnatrices qui justement nous faisaient signe de ranger nos affaires et de nous rendre rapidement aux toilettes : il fallait s'endormir sans tarder, car nous embarquerions à l'aube.

Le dimanche, avant la guerre, nous nous promenions souvent sur les quais avec tante Émélie, oncle Joffre et les cousins, et nous écoutions oncle Joffre raconter les paquebots et ses traversées. Un jour de Pâques qui restera gravé dans ma mémoire, il nous avait même permis de visiter l'*Île-de-France* grâce à son meilleur ami, Thuriau, un gars aussi costaud que gentil qu'il avait connu quand il travaillait encore à la Transat.

Thuriau n'avait jamais cessé de naviguer car il n'avait ni femme ni enfant : il assurait qu'il n'en voulait pas, qu'il avait épousé la mer parce que rien ne pouvait la remplacer, parce qu'elle était selon lui superbe, capricieuse et exigeante, mais aussi parce qu'elle berçait et consolait mieux que n'importe quels bras. Tante Émélie s'agaçait lorsqu'il tenait ce discours, elle essayait de le raisonner, on voyait bien qu'elle avait peur qu'il finisse par convaincre oncle Joffre de reprendre du service et elle rétorquait qu'un homme sans famille n'est pas un homme complet.

Ce qui m'étonnait, c'était qu'elle soit tellement inquiète : oncle Joffre était le mari le plus sérieux et le plus complet que j'aie jamais vu, pas comme papa qui était si souvent absent que, même lorsqu'il était avec nous, il avait l'air d'être ailleurs. Enfin bien sûr, je parle d'avant la mobilisation et surtout d'avant la défaite parce que, ensuite, tout s'était inversé, c'était oncle Joffre qui avait l'air absent alors qu'il était de retour, tandis que papa prenait toute la place, bien qu'il soit prisonnier à l'autre bout de l'Europe.

Ce fameux jour de Pâques, sur le pont de l'*Île-de-France*, Thuriau nous avait raconté qu'à l'approche de la côte, jusqu'en 1930, on catapultait un hydravion à partir de la poupe pour transporter le courrier postal des voyageurs et gagner vingt-quatre heures. Jean avait les yeux écarquillés, il adorait les inventions scientifiques et voulait connaître tous les détails, le poids de l'avion, la vitesse au lancer, la teneur du mélange d'air comprimé et de poudre – ce que Thuriau était bien en peine de lui fournir – tandis que moi, je préférais imaginer les histoires contenues dans ces enveloppes sur lesquelles on lisait la mention « liaison postale aérienne transatlantique par hydravion lancé par catapulte ». Il fallait être sacrément pressé pour faire catapulter son courrier, c'étaient sûrement des lettres d'amour, un homme qui prévenait sa fiancée de l'attendre sur le quai, une femme qui annonçait à son bien-aimé qu'elle était enceinte de son enfant, ou sinon quelque chose de plus mystérieux, comme une conspiration politique ou la révélation d'une découverte qui révolutionnerait le monde. Je pensais au pilote, qui devait être drôlement courageux, pilote catapulté c'était un peu comme homme-canon, un métier à haut risque, j'aurais bien aimé l'interviewer en tant que reporter et surtout recevoir une lettre catapultée, mais maintenant c'était fichu, non seulement les catapultages avaient été arrêtés parce qu'à force ça abîmait le navire, mais en plus l'*Île-de-France* était consigné en Amérique.

J'avais raconté tout ça à Gabriel tandis que l'on attendait sur le quai. Il était impressionné et un peu déçu : s'il avait été possible de catapulter des courriers depuis l'Algérie, nous aurions eu moins de chagrin à embarquer sur le *Lamoricière*. C'était un joli paquebot à trois hélices, deux fois plus petit que l'*Île-de-France*, avec seulement deux cheminées et beaucoup moins luxueux. Mais oncle Joffre savait par Thuriau, qui travaillait à son bord depuis qu'il avait quitté Le Havre, qu'il était rapide et solide et que les cuisiniers y faisaient de l'excellent travail. Il avait donné des détails rassurants à maman, pas le moindre incident en vingt ans de traversée sur la ligne, les chaises longues sur un pont supérieur presque toujours ensoleillé, des cabines confortables même en troisième classe, de grands et beaux salons.

Malgré tout, en empruntant la passerelle, la main de Marline bien serrée dans la mienne, je pensais, c'est une chose d'être en visite un jour de Pâques et une autre très différente d'embarquer en sachant que, bientôt, nous aurions largué les amarres et verrions les côtes s'éloigner, puis disparaître, retenant tout ce qui comptait pour nous.

Je me concentrais sur ce que m'avait répété maman, c'était une chance, naviguer, séjourner au soleil, déguster des dattes et se gaver d'oranges, admirer des paysages que nous n'aurions jamais connus sans cela, nous qui n'avions jamais dépassé Rouen faute d'être assez riches pour voyager !

Mais puisqu'elle allait sûrement mourir. Alors, sautant d'une idée à l'autre, mon esprit se mettait à patiner, mourir, mourir, mourir, comme ce mot était difficile à prononcer même en silence, surtout collé au mot maman, j'entendais sa voix tendre, « On me soignera bien, mon chéri », puis celle embarrassée de tante Émélie : « Bien sûr que non, elle ne va pas mourir ! »

Lorsque papa avait été mobilisé, le soir où il avait rejoint son régiment, tante Émélie était venue à la maison. J'avais entendu maman dire qu'elle avait le cœur tellement déchiré qu'il ne pouvait plus être ravaudé. Je l'avais trouvée trop sentimentale, je pensais que c'était le propre du genre féminin d'utiliser des images aussi exagérées, mais aujourd'hui je ressentais exactement la même chose, comme si mon cœur était bon à jeter : m'enlever maman, c'était pire que me tirer une balle à bout portant.

Je tentais de me consoler en songeant que la traversée serait une aventure, nos accompagnatrices avaient relâché leur surveillance, convaincues à raison que nous n'irions pas bien loin, et je comptais en profiter pour fureter aux quatre coins du paquebot, peut-être même trouver Thuriau. Hélas, à peine quelques milles parcourus, nous étions tous tombés affreusement malades, à l'exception d'Yves et Eugène Lesueur qui étaient fils de pêcheur et nés avec le pied marin, et nous avions passé deux jours et une nuit allongés ou plutôt affalés, pris de nausées terribles, l'estomac en bataille et la tête menaçant d'éclater, incapables de rien faire hormis se traîner jusqu'aux cabinets ou pleurer de rage tandis que les infirmières nous passaient sur le front des linges humides.

Marline, cependant, comptait parmi les moins touchés. Elle avait retrouvé des couleurs et le sens de la verticale plusieurs heures avant l'arrivée à Alger et s'était même rendue sur le pont avec les frères Lesueur pour observer la baie. Au retour, elle s'était penchée sur moi et avait murmuré dans un souffle émerveillé : « C'est si beau, mon Joseph ! »

Elle avait l'air heureuse, ce qui était aussi réconfortant que troublant, et il m'a fallu sortir à mon tour, une fois le bateau à quai, pour comprendre ce qui l'avait transportée à ce point. Encadrée d'une lumière douce, dessinée dans le ciel d'un bleu inconnu, la ville splendide, éclatante, s'étalait sur la colline. Nos accompagnatrices s'amusaient d'entendre mes camarades pousser des *oh !* et des *ah !* tandis que nous descendions la passerelle, ne sachant plus où regarder, car tout attirait l'œil, les palmiers immenses, la foule pressée, plus dense encore qu'à Marseille, les ribambelles d'enfants portant des paniers de fruits et de gâteaux dorés.

Aussi éblouissant que fût le spectacle, je ne parvenais pourtant pas à me réjouir : je ne pensais plus qu'à une chose, je serais bientôt séparé de ma sœur.

Avant de quitter Le Havre, on nous avait expliqué que des adultes, nos parrains et marraines, viendraient nous chercher dans une école de la ville et nous emmèneraient aussitôt chez eux, un privilège supplémentaire, avaient souligné les dames Guynemer qui cherchaient à nous convaincre de notre bonne fortune, la plupart des groupes précédents avaient dû patienter plusieurs jours avant d'être confiés à leurs familles d'accueil, or, cette fois, les circonstances étaient favorables.

Par les fenêtres ouvertes de l'autobus qui nous menait maintenant vers le lieu de rendez-vous, je respirais les odeurs grisantes mélangées de menthe, de lessive et de friture, j'attrapais au vol les pleurs d'un bébé, je suivais du regard le tramway cliquetant frôlé par notre chauffeur. Il était bondé de gens de toutes sortes, des hommes en costume serrant contre leur poitrine un cartable de cuir, des femmes couvertes d'un voile, d'autres en chapeaux, sans compter la grappe d'enfants resquilleurs agrippés au marchepied qui nous lançaient des signes insolents et joyeux.

De temps à autre, je me tournais vers Marline, mais elle fermait les yeux, le nez en l'air et les cheveux agités joliment par le courant d'air, et ne les a rouverts qu'une fois arrivée à destination.

La cour de récréation était pleine à craquer lorsque nous y avons pénétré, deux par deux. Les adultes se tordaient le cou, cherchant probablement à nous identifier, pressés de découvrir leur filleul en chair et en os et sans doute de vérifier s'ils avaient ou non tiré le gros lot espéré, tandis que les enfants, de leur côté, les dévisageaient avec la même interrogation, mais bien plus de discrétion.

Des dames Guynemer nous ont offert une orangeade, puis nous ont alignés le long du mur d'enceinte avant de débuter l'appel. Gabriel, dont le nom commençait par un D, était parmi les premiers. Je l'ai vu frissonner avant de rejoindre un couple dont la tenue et l'apparence, Dieu sait

pourquoi, m'ont laissé imaginer qu'ils étaient commerçants. Les familles défilaient une à une, parfois l'un des petits murmurait « Pas de pot » ou au
contraire « Veinard ! », comme si la chance avait
quelque chose à voir avec tout ça. Nous, les grands,
il nous avait fallu peu de temps pour comprendre
que nous n'avions pas été tirés au sort, mais choisis,
affectés comme des militaires à leur unité. Des
femmes élégantes prenaient dans leurs bras un beau
garçonnet ou une toute petite fille, un homme portant un costume trop large faisait signe à un gaillard de s'approcher, celui-là avait un regard qui m'a
rappelé les bouchers du marché aux bestiaux où
papa m'emmenait souvent avec lui. Papa connaissait
un gars qui travaillait à l'abattoir et lui obtenait un
rôti ou une côte de bœuf contre des marchandises
diverses, c'était l'avantage lorsque l'on travaillait sur
les docks, un tas de choses tombaient des bateaux
au moment du déchargement, à moins que ce ne soit
avant, mais ça, il valait mieux que je n'en sache rien,
c'était un sujet brûlant, à tel point qu'un dimanche,
le ton était monté très haut entre papa et oncle Joffre
qui clamait qu'il préférait jeûner plutôt que manger
une viande de contrebande.

Je trouvais qu'oncle Joffre y allait fort. Papa n'était
pas un voyou, il profitait des avantages de sa profes-
sion, ni plus ni moins que tous ses collègues, mais
oncle Joffre était obsédé par l'honnêteté, presque
autant que par la propreté, alors il avait tendance à
condamner avant de juger. À bien y penser, j'aurais
aimé voir, d'ailleurs, comment il justifiait désormais
de profiter du charbon allemand à l'œil !

Depuis l'occupation de l'école, oncle Joffre avait beaucoup changé. Il n'en avait plus que pour le Maréchal, comme Lucie ou maman. On aurait dit que tous les trois, ils avaient choisi le camp du confort, quitte à oublier les questions gênantes. Et pourtant, qu'est-ce qu'il avait pu agonir les Boches au moment de la mobilisation ! Mais depuis son retour, c'était un autre oncle Joffre, qui ne parlait quasiment plus de politique. Selon moi, c'était sûrement à cause de la situation entre l'Allemagne et l'Union soviétique, d'abord alliés et depuis peu ennemis, mais ennemis de qui, ce n'était pas très clair, surtout pour nous en France, puisqu'on ne savait même plus si la zone occupée et la zone libre avaient les mêmes alliés et les mêmes ennemis.

À la fin, je crois qu'oncle Joffre ne savait plus très bien lui-même quoi penser, surtout en tant que communiste, alors il se taisait et profitait du charbon.

— Mauger Joseph ! Monsieur et madame Cabrière !

Un couple s'est avancé, je leur donnais une cinquantaine d'années, lui très grand et un peu voûté, elle, raffinée, les cheveux relevés en chignon, tenant un grand sac de cuir d'une main aux ongles vernis, avec ce genre d'allure impossible à décrire, cette assurance tranquille qui révélait qu'ils étaient aisés ou puissants et peut-être bien les deux.

L'homme a tendu la main en souriant gentiment :

— Viens donc, Joseph, que je te présente ta marraine.

Alors tout est devenu réel, comme si jusque-là, je n'avais pas vraiment cru à tout ça, la séparation, la

mer entre maman et nous, la *nouvelle vie*, j'ai serré
les poings derrière mon dos comme si cela pouvait
arrêter le cours du temps, changer les plans, comme
si cet homme allait comprendre qu'il ne fallait surtout
pas m'emmener avec lui, je n'étais pas un bon dossier, il serait déçu, il fallait me renvoyer avec ma sœur
par le prochain retour, mais au lieu de ça, la dame
Guynemer a appelé « Mauger Marline, monsieur
et madame Massia ! », et j'ai vu un autre couple, à
l'opposé de mon parrain et ma marraine, l'homme et
la femme à peine plus grands en taille que moi, vêtus
très simplement avec des chaussures visiblement usa-
gées, un fichu pour la femme, une barbe naissante
pour l'homme, qui s'avançaient vers ma petite sœur
et la prenaient fermement par la main.

J'ai crié :

— Marline !

Elle s'est retournée, je croyais qu'elle se mettrait à
pleurer, qu'elle allait courir vers moi, mais elle a simplement agité la main avec cette petite moue qu'elle
avait lorsqu'elle était embêtée, par exemple lorsque
la crémière lui tendait un morceau de camembert,
seulement à elle et à personne d'autre, parce qu'elle
était tellement adorable. La crémière, le marchand
de primeurs, le boulanger, c'était avant la guerre bien
sûr, parce que, ensuite, il y avait eu le rationnement
et surtout Marline s'était tue, or ça, les marchands
n'aimaient pas, ils attendaient un remerciement qui
ne venait jamais – même si moi, je pouvais le lire dans
les yeux de ma petite sœur –, il leur fallait absolument
obtenir ces satanés deux mots, « Merci monsieur »
ou « Merci madame », alors après une fois ou deux,

ils avaient cessé de lui offrir des cadeaux. Marline n'en avait pas été vraiment peinée, elle n'aimait pas être le centre de l'attention, elle devenait toute rouge lorsque les adultes lui pinçaient les joues et se sentait coupable, comme si ce qui lui était offert était pris sur la part des autres, mais moi, ça m'avait rendu triste.

J'ai demandé à mon parrain l'autorisation d'aller l'embrasser. Je lui ai chuchoté à l'oreille de ne pas s'inquiéter puisque nous irions dans la même ville, mais, pour être honnête, elle ne semblait pas du tout inquiète, et lorsque nous sommes partis chacun de notre côté, elle grimpant avec sa marraine à l'arrière d'un camion conduit par son parrain, moi m'installant dans une confortable voiture, j'ai même cru la voir sourire.

En chemin, mon parrain m'a expliqué que nous nous rendions à Souma, un village situé à une bonne vingtaine de kilomètres d'Alger, près de Boufarik où il était directeur adjoint d'un centre de recherches sur les agrumes. J'étais étonné que l'on consacre un centre entier de recherches aux oranges ou aux clémentines et j'ai pensé à mon cousin Jean, ça l'aurait sûrement fait rigoler, j'allais pouvoir préparer quelques bonnes blagues pour le retour. Ma marraine a ajouté que je serais bien gâté parce qu'ils avaient deux fils, mais qu'ils étaient partis tous deux rejoindre les Forces françaises libres quelque part en Syrie, en Égypte ou au Liban, personne ne savait vraiment, donc je serais seul à profiter de la maison.

En disant ça, elle a sorti un mouchoir, j'ai compris qu'elle n'en était pas spécialement fière, elle aurait largement préféré qu'ils soient restés près d'elle et assis à ma place sur la banquette arrière, mais je ne pouvais pas le lui reprocher, c'était une mère.

Nous avons roulé un moment, et bientôt la route s'est trouvée encadrée de vallons couverts de plantations.

— Dans quelques mois, a commenté monsieur Cabrière, tu verras, Joseph, ces collines regorgeront d'oranges et de citrons. Sans parler de la vigne ! La plaine de la Mitidja, c'est tout simplement le paradis sur terre.

— Grâce à qui…, a soupiré madame Cabrière. Au siècle dernier, tout cela n'était qu'un ignoble marais infesté par la malaria.

Moi j'étais bien surpris, je ne m'attendais ni à des vergers ni à des marécages, je croyais que l'Algérie était un désert avec des oasis comme les trous au milieu du gruyère, et je cherchais mon carnet de voyage au fond de ma musette pour y consigner mes premières impressions, lorsque nous sommes entrés dans le village.

Il était magnifique avec ses grandes rues bordées d'arbres et ses demeures blanches entourées de grilles derrière lesquelles on apercevait des jardins foisonnants. La maison de mon parrain, non loin du centre, était une des plus jolies. Des branches d'un feuillage vert lumineux ruisselaient sur le mur d'enceinte, et sur l'immense terrasse la surplombant, on apercevait des draps séchant au vent. Le soleil était doux et bon, j'ai aussitôt pensé à maman, elle guérirait sûrement plus vite ici que dans l'humidité normande, mais la voix aiguë de madame Cabrière m'a tiré de ma rêverie.

— Yasmine !

Une dame a surgi, la peau foncée et le visage cerclé d'un voile couleur café. Elle portait une sorte de robe qui lui traînait jusqu'aux pieds et trottinait comme si chacun de ses mouvements devait prouver qu'elle était rapide.

Madame Cabrière s'est tournée vers moi :

— Yasmine est notre bonne, Joseph. Elle va t'indiquer ta chambre, mais avant cela, tu iras faire ta toilette. Tu dois être sale comme tout et je ne tiens pas à ce que tu m'abîmes le salon. As-tu au moins un vêtement de rechange ?

J'ai ouvert ma valise. Maman y avait roulé mon pantalon et ma chemise du dimanche, devenus trop courts, mais qui faisaient encore bel effet. Du moins était-ce ce qu'elle croyait, car ma marraine les a tirés du bout d'un doigt, lèvres pincées, puis les a tendus à la bonne :

— Nous nous en contenterons pour ce matin. Après le déjeuner, nous irons acheter des tenues plus…

Elle cherchait ses mots, a fixé monsieur Cabrière, comme si elle espérait qu'il termine sa phrase, mais il est demeuré silencieux et elle a fini par lâcher :

— Adéquates.

J'ai trouvé ce mot bizarre, il sonnait comme une porte que l'on vous claque au nez, mais bien entendu, j'ai gardé mes impressions pour moi et j'ai suivi Yasmine dont le sourire allait véritablement d'une oreille à l'autre, sans me douter de ce qui m'attendait.

Une pièce entière uniquement pour la toilette !
Avec un bain ! Je n'en avais jamais vu ailleurs que
dans des films. J'ai pensé à maman, elle qui était si
coquette et peinait à remplir des bassines pour nous
permettre une toilette complète une fois par semaine,
elle se serait sûrement évanouie de bonheur devant
les carreaux de faïence des murs.

Yasmine m'a demandé si je voulais de l'aide pour
me frotter, mais j'ai répliqué que j'avais treize ans et
qu'un homme n'avait besoin de personne pour se
laver. Elle a éclaté de rire, « Pas encore, monsieur
Joseph ! », et m'a montré comment me servir de
l'eau chaude, puis elle m'a tendu une serviette avant
de quitter la pièce, sans que j'aie eu le temps de lui
demander pourquoi elle m'appelait monsieur, si je
n'étais pas un homme.

Je me suis savonné et j'ai laissé longuement couler
l'eau sur ma tête, mes épaules, dans mon dos, jusqu'à
en être recouvert. C'était une sensation tellement
agréable, j'aurais pu rester ainsi jusqu'au soir, mais
madame Cabrière a frappé quelques coups secs
derrière la porte et m'a averti de me dépêcher : le
déjeuner serait bientôt prêt.

— Eh bien, voilà un autre jeune homme, a fait
monsieur Cabrière lorsque je les ai rejoints quelques
instants plus tard. Il est tout de même moins
chiffonné !

La table était dressée dehors sous une tonnelle.
Tout autour, une dizaine d'adultes élégamment vêtus,
un verre de vin à la main, me dévisageaient avec
curiosité.

— Viens t'asseoir, mon garçon, ne sois pas timide.

— Oui, monsieur.

— Pas de monsieur ni de madame. Nous remplacerons tes parents durant ton séjour, tu nous appelleras donc parrain et marraine.

— Oui, monsieur.

— Oui, parrain !

— Oui, parrain.

— Voilà qui est mieux !

À peine assis, j'ai dû répondre à une foule de questions sur la guerre, la vie au Havre, celle à Paris (dont je ne savais rien), les morts et les blessés parmi les civils, comme s'ils voulaient vérifier combien ils étaient chanceux de vivre ici, loin des bombes. De temps en temps, mon parrain intervenait :

— Laissez-le manger un peu, le pauvre garçon, il est affamé !

Il y avait un immense plat de viande, des tomates, une sorte de grain jaune délicieux dont j'ai appris qu'on l'appelait semoule, des fruits accompagnés de gâteaux au miel. Tout ça était tellement bon et copieux que j'ai dû admettre dans mon for intérieur qu'il y avait tout de même quelques avantages à être envoyé en Afrique.

À la fin du repas, il restait encore la moitié de tous les plats, de quoi nourrir le quartier du Rond-Point. J'ai pensé à Marline en souhaitant de toutes mes forces qu'elle se régale autant que moi, mais aussi en m'interrogeant : pourquoi ces gens qui possédaient un cabinet de toilette, un grand jardin, des chambres vides et de la viande à profusion n'avaient-ils pas également accueilli ma petite sœur ?

Yasmine avait apporté un plateau d'argent sur lequel étaient disposés un splendide service à thé et un autre de café. Les adultes conversaient désormais entre eux, comme s'ils avaient oublié ma présence. Je m'étais accroupi à côté de la grande volière qui jouxtait la tonnelle, hypnotisé par le vol des perruches. Un chien couleur sable se promenait avec nonchalance dans le jardin, on percevait une clochette de l'autre côté du jardin, sans doute un âne monté par un paysan, comme nous en avions croisé à l'entrée de la ville. J'avais presque envie de me pincer pour voir si j'allais me réveiller ou si j'étais entré dans un monde parallèle au nôtre, Jean m'ayant affirmé que l'hypothèse était valable, lorsque j'ai entendu ma marraine mentionner les *dossiers*.

— Il était noté que les enfants seraient bientôt orphelins de mère. Quant au père, il est paraît-il prisonnier quelque part à l'Est, mais dans quel état ? Je n'ai pas hésité longtemps. Qui sait ce que le front me réserve, confiait-elle d'une voix lasse à sa voisine.

— Les enfants ? Quels enfants ? avait questionné l'amie.

— Joseph a une sœur handicapée, avait poursuivi ma marraine. Je veux bien rendre service, mais il y a des limites au dévouement. Rassure-toi, elle a été placée chez des fermiers, les connais-tu ? Les Massia : ce sont de braves gens. C'est beaucoup mieux ainsi. Ils ont des animaux, cela la distraira, tandis que nous avons bon espoir que le garçon passera son certificat d'études.

Je me suis relevé vivement, retenant des larmes de colère puisque j'étais un homme, et j'ai apostrophé ma marraine, d'une traite, sans reprendre mon souffle, maman allait bientôt guérir et papa reviendrait, Marline n'était pas handicapée, elle parlait peu, rien de plus, elle serait tout à fait capable de passer un jour son certificat, mais ça ils n'en sauraient jamais rien car nous serions repartis depuis longtemps retrouver notre véritable famille !

— Quelle insolence ! s'est exclamée madame Cabrière. Qui t'a autorisé à écouter notre conversation ? À parler sans y être invité ! Parler… Injurier, oui !

— Tu as raison, ma chérie, est intervenu mon parrain. Il semble que Joseph a manqué d'une bonne éducation. Mais il vient à peine d'arriver, il est ému et sûrement fatigué. Soyons indulgents pour cette fois.

J'ai failli répondre encore : au prétexte de venir à mon secours, il attaquait à son tour maman, laissant entendre qu'elle nous avait mal élevés, comme s'il n'était pas suffisant de la déclarer morte par avance !

Mais soudain, j'ai pensé à toutes les conséquences possibles : ils me rendraient aux dames Guynemer, je serais envoyé ailleurs, loin de Marline et je ne pourrais plus tenir ma promesse de la protéger toujours. Ces Massia n'étaient peut-être pas si braves, on en connaissait, des fermiers vers chez nous, qui avaient recueilli des orphelins pour remplacer leurs employés partis sur le front et les faisaient trimer

comme des esclaves ! Que feraient-ils d'une orphe-
line « handicapée » ?

Je devais absolument retrouver ma sœur à l'école
dès le lendemain et qu'elle me dise la vérité sur ses
parrains : s'il le fallait, nous nous sauverions en
cachette jusqu'à Alger, nous irions sur les quais
guetter le *Lamoricière*, je mettrais la main sur Thuriau
qui nous embarquerait clandestinement et nous
reviendrions au Havre pour guérir maman – puisque
ses enfants, *c'était sa vie*.

Ce soir-là, j'ai eu bien du mal à m'endormir. Je
trouvais le lit trop souple, ma chambre trop grande,
tapissée de portraits du fils aîné, je rêvais de maman
allongée à côté de moi, rigide et froide, de la mère
Cabrière lâchant d'un ton satisfait, « Je te l'avais bien
dit qu'elle allait mourir ! », puis c'était Marline, portant des seaux d'eau, son petit corps plié en deux, ses
beaux cheveux emmêlés de paille et ses joues noires
de saleté.

Le lendemain matin, après un petit déjeuner pris
dans la cuisine en compagnie de Yasmine, madame
Cabrière m'a inspecté avec minutie, a redressé mon
col, puis fait signe à la bonne que tout était en ordre.
L'école était proche, mon cœur battait fort lorsque je
suis parvenu à hauteur de la grille, tourmenté, prêt
à prendre tous les risques. Mais à peine l'avais-je
franchie que j'ai aperçu Marline fendre la foule des
enfants. Souriante, elle était coiffée à la perfection
avec une fleur rose pâle piquée dans sa queue-de-
cheval, une petite robe que l'on aurait crue dessinée

sur elle, des socquettes blanches impeccables et des sandales toutes neuves.

Elle ne m'a pas laissé le temps de prononcer un seul mot.

Elle s'est jetée contre moi, m'étouffant de ses câlins joyeux et a simplement dit :

— Je t'aime, Joseph.

Alors j'ai remis mes plans d'évasion à plus tard.

JOFFRE

Décembre 1941

Elle m'a regardé avec défi en agitant le journal :

— Si on m'avait dit que je me réjouirais un jour de voir brûler une librairie…

La bombe avait détruit presque entièrement la boutique. Sur la photo, on apercevait quelques lambeaux calcinés des portraits d'Hitler autrefois affichés en vitrine.

— Tais-toi.

Elle a haussé les épaules et s'est tournée vers Jean avec un petit sourire, sa poitrine soulevée de joie contenue. Cet air victorieux, qu'elle avait à chaque fois qu'elle apprenait une nouvelle offensive de la Résistance, la rendait plus belle encore – j'avais envie de l'agripper, la renverser, la dévorer.

Je me taisais : Madec a été fusillé en mai et Lioust en octobre pour sabotage de câbles téléphoniques, les Frisés ont la gâchette facile.

Au début, elle essayait de me sonder. Au début, c'est-à-dire après le retour de Thuriau, parce que avant c'était l'obscurité, la mort lente. La nuit, je revoyais ce jour de la défaite, les mâchoires serrées, « Rentrez chez vous, c'est terminé », disaient les officiers. Les gars ont jeté les armes dans les fossés, certains sont partis en courant.

Moi, je marchais le plus lentement possible. Je n'étais pas pressé d'affronter ma femme, mes enfants, si j'avais la chance qu'ils soient encore vivants. Je n'étais pas pressé d'admettre que nous avions baissé la tête devant les ogres boches. J'ai même pensé ne pas rentrer. Faire croire à ma disparition. Peut-être disparaître vraiment, une corde au cou, une pierre au bout. Qu'ils pleurent un mort plutôt que vivre aux côtés d'un vaincu.

Je suis revenu honorer mes contrats : celui signé avec ma femme, celui signé avec ma ville, l'une comme l'autre asservies par l'occupant. Ma femme, mon aimée, cousue du même cuir que moi, pétrie d'une honte identique après l'infamante débâcle, pouvait-elle comprendre ce que j'échouais à lui dire ? Jusqu'à nos yeux refusaient de se croiser.

Je me suis préparé à la vie mécanique. Plus mes enfants m'entouraient de leur amour, plus la rage enterrait le mien, les mots piégés à l'arrière de ma gorge.

Puis Thuriau est rentré à son tour. Il n'est pas resté très longtemps, déjà appelé à Marseille, juste assez cependant pour me dire l'essentiel : tout le monde n'avait pas capitulé et surtout pas chez nous, à la Transat, pas plus que chez nos amis soviétiques.

— Il ne faut pas croire ce que tu lis dans la presse vendue aux Boches, mon frère, beaucoup travaillent à l'avenir.

L'air, à nouveau, a pénétré mes poumons. Je pouvais vivre, puisque rien n'était encore perdu. Je lui ai répondu qu'il fasse passer le mot : j'en serais, mais à ma manière et à mes conditions. Je veux bien donner ma vie, pas celle de ma femme ni celles de mes enfants.

Thuriau m'a confié tout ce que j'avais à connaître. J'ai appris par cœur les noms, les chiffres, les procédures. J'ai enfilé ma blouse et mes gants noirs, préparé la cave à charbon, creusé un trou dans la terre mélangée de poussière anthracite, puis un trou dans le trou, posé des planches derrière mon établi, organisé mon repaire dans lequel je cacherais bientôt armes et outils.

Peu après, les Boches ont annoncé qu'ils occuperaient l'école. Émélie était effondrée : notre école, notre territoire, c'était à nous, cette fois, qu'ils déclaraient la guerre !

Moi, je voyais une chance inouïe. Délicate, oui, car il faudrait tromper non seulement l'ennemi, mais surtout ma famille, longtemps et sans faillir, sous peine de les exposer au pire. Prendre la couleur des murs, devenir tout à la fois transparent, indispensable, supposément inoffensif pour agir au beau milieu du nid de frelons. La confiance que m'accorderaient les Allemands serait inversement proportionnelle à la déception de ma femme, qu'importe, un jour, elle saurait, elle comprendrait, elle approuverait.

Qu'ils viennent oui ! Qu'ils s'installent ! Qu'ils profitent ! Qu'ils s'endorment dans le confort hypnotique que je tiendrais à leur disposition.

J'ai commencé par afficher mon allégeance au Maréchal. C'était la partie la plus simple, il y avait des arguments objectifs à le défendre, il avait été le premier à alerter sur le danger allemand, le réarmement, bien avant le déclenchement des hostilités, même si tout le monde semblait l'avoir oublié, il avait assez prévenu, discours après discours, que notre armée était insuffisante, sous-équipée, il avait réclamé des crédits, des véhicules, des blindés sans jamais être écouté, alors j'avais beau jeu d'affirmer qu'il était un peu tard pour le critiquer et plus que temps de lui faire confiance.

Émélie fronçait les sourcils lorsque j'accrochais des portraits aux fenêtres, affichant son dégoût, ça me trucidait de sentir sa réprobation, sa distance ainsi que celles de Jean, qui se révélait de la trempe de ses parents, pressé d'en découdre. Comme c'était douloureux de leur mentir alors qu'ils faisaient ma fierté, comme j'avais eu de la peine lorsqu'il avait fallu lever la main sur mon propre fils pour le ramener dans le rang, sans pouvoir lui expliquer qu'il nous faisait courir des risques insensés, qu'il était hors de question d'attirer l'attention et de mener tout droit les Boches à la vérité. Jusqu'au jour de son anniversaire, lorsqu'il avait eu cette idée insensée de voler du charbon ! Il s'en était fallu d'un cheveu qu'il ne découvre mon secret, ou pire, que ses allées et venues n'interpellent l'ennemi.

J'avais dû frapper un grand coup pour lui passer l'envie de réitérer ses exploits. Ce jour-là, j'avais vu dans leurs regards, le sien, celui de sa mère, de sa sœur, de la peine, de la colère, presque de la haine, mais j'avais tenu bon, parce qu'il le fallait absolument, je devais les protéger d'eux-mêmes, de leur fougue magnifique, et je tiendrais bon, le temps nécessaire, même s'il me fallait vomir mon amour à coups de reins lorsque je rejoignais Émélie dans notre lit, même s'il me fallait me cacher la tête sous l'oreiller, lui tourner le dos jusqu'à la fin du conflit pour ne pas m'anéantir dans son regard.

Les Boches, eux, ne voyaient rien. Ils avaient investi l'école avec précaution, presque avec politesse. Un contingent d'officiers, deux simples soldats pour les corvées de buanderie ou d'épluchures et Hans, un sous-officier chargé de la *liaison*, autrement dit des relations avec notre famille car les autres ne nous adressaient jamais la parole. Ils traversaient l'école sans nous prêter la moindre attention, rejoignant au petit trot les classes transformées en chambres ou en salles de réunion, s'exerçant à la gymnastique dans la cour, parfois un peu bruyamment lorsqu'ils chantaient, mais toujours respectueux des lieux, entretenus à la perfection à l'image de leurs uniformes impeccables.

Seul Hans venait nous saluer presque chaque jour. Il m'avait expliqué avec un accent terrible ce qu'il attendait de moi, un peu de cuisine, le ravitaillement et, surtout, la gestion des stocks de charbon et l'entretien de la chaudière. Dès la première semaine, il m'avait accompagné avec un camion pour les chargements les plus lourds, mais m'avait laissé le soin de descendre le précieux combustible à la cave. J'avais compris rapidement qu'il avait, tout comme ses compagnons, une exigence de propreté bien trop élevée pour se risquer dans un lieu aussi salissant et qu'il m'était en quelque sorte reconnaissant de faire le sale boulot.

Tandis que je soulevais les sacs, se tenant à l'écart de la poussière, il me parlait dans un français presque correct : « J'ai des enfants moi aussi, nous voulons pas faire le mal, nous voulons pas être méchants, mais nous, pas le choix ! » Il semblait sincère et puis il était évident qu'il me faisait confiance, j'avais pensé, « Tu as tiré le gros lot, Joffre ». Jour après jour, je m'étais rapproché de lui, avec un sourire discret, un clin d'œil, jusqu'à lui serrer la main – non sans vérifier que j'étais hors de portée d'Émélie.

Dans le camion, nous plaisantions, j'avais même réussi un matin à lui dire que nous n'étions pas si différents, les Français et les Allemands. Pour être honnête, c'était un demi-mensonge. Je voyais bien qu'Hans faisait beaucoup d'efforts, il avait l'air vraiment gêné de nous occuper, il aurait préféré que cette guerre n'ait jamais eu lieu, que la France demeure aux Français et l'Allemagne dans ses frontières et encore plus ces derniers temps, depuis que les Soviétiques leur en faisaient voir de toutes les couleurs. Il faut dire qu'au début de l'été les Boches avaient enchaîné les victoires à l'Est, s'étaient régalés à diffuser aux actualités des images de prisonniers hirsutes, déguenillés défilant par centaines, mais avec l'arrivée de l'automne c'était devenu une toute autre histoire.

— Russie, grand malheur pour nous, beaucoup froid, beaucoup tués ! avait lâché Hans.

Il mentionnait parfois son Führer en levant les yeux au ciel, comme s'il voulait me faire savoir qu'il n'était pas d'accord avec tout ce qui lui était dicté, mais « pas le choix, Joffre ! ».

Je me taisais parce que ça pouvait être un piège pour me tester, mais je ne pouvais m'empêcher de penser qu'il y avait forcément des braves gars chez les Boches, des gens qui ne comprenaient pas plus que moi pourquoi nous en étions arrivés là. La vie au jour le jour ne cessait de se gâter depuis le début de l'année 1941, avec des restrictions de plus en plus sévères, les gosses qui n'allaient plus à l'école faute d'avoir une paire de chaussures à se mettre aux pieds, la ville qui tombait en morceaux, mais aussi des choses plus inquiétantes comme le sort des Juifs, ce que peu de mes concitoyens remarquaient parce qu'ils n'étaient pas nombreux, peut-être une centaine ou deux de Juifs dans toute la ville pour quelques dizaines de commerces, et surtout parce que les journaux l'évoquaient à peine, tout au plus voyait-on çà et là un écriteau « *Juden* » sur une maison, ou « Entreprise juive » sur la devanture d'une boutique.

C'est Orenstein, un étalagiste de fruits et légumes installé rue de Paris et avec qui je jouais parfois aux échecs le dimanche avant la guerre, qui m'avait appris récemment cette étrange nouvelle : les *autorités*, comme on disait pudiquement, après avoir exigé des Juifs qu'ils se déclarent en préfecture dès septembre 1940, avaient ordonné ce mois-ci un recensement de leurs entreprises, mais d'après Orenstein, ce recensement, c'était plutôt une vaste opération de délation. Dans la foulée, on avait vu des mises en adjudication, certains commerces ayant été tout bonnement confisqués sous prétexte d'infractions imaginaires et les immeubles de rapport transférés à des administrateurs aryens – cette épithète acide qui rimait dans ma tête avec *bon à rien*. J'avais su dans la même conversation qu'après avoir été sommé de déclarer ses biens, Orenstein avait été menacé d'être mis en liquidation par la Feldkommandantur au mois de juillet dernier, sans aucune raison valable, et y avait finalement échappé ainsi qu'à la confiscation, parce que son employé n'était pas juif et disposait de bonnes relations à la mairie.

J'étais stupéfait, même si j'avais déjà été sérieusement alerté à l'automne de l'an passé par un article du *Petit Havre*, annonçant que les cent dix mille Juifs d'Algérie étaient rendus au statut d'indigènes en raison de l'abrogation du décret Crémieux. J'avais pensé, quel pays peut ôter son identité à un homme sur la pratique d'une religion ? Comme si ce n'était pas suffisant de déchoir de leur nationalité, les uns après les autres, les patriotes qui avaient rejoint de Gaulle !

Orenstein était l'un des hommes les plus doux que j'aie connus et ça me crevait le cœur de le voir aussi désarmé. Il avait même pleuré lorsque le Rex avait projeté *Le Juif Süss*, qui paraît-il montrait le Juif sous les traits d'un véritable démon, à l'allure crasseuse, spoliant les autres et abusant des femmes. Orenstein était veuf, il avait un petit garçon de neuf ans, Anton, qui me faisait penser à Jean, sérieux et bien élevé, et qui n'était pas le dernier à donner un coup de main à son père lorsque c'était la pleine saison – je parle d'avant la guerre, bien entendu. Depuis le rationnement, Anton aidait son père à fabriquer du savon plutôt réussi avec du gras de bœuf, de la soude caustique, de la résine et un peu de talc, parce que les choux-raves et les topinambours ne suffisaient plus à faire tourner la boutique, et quand ils recevaient des pommes de terre, de toute façon, les Boches les réquisitionnaient.

Je ne peux pas dire qu'on se parlait beaucoup avec Orenstein, mais à l'occasion, je lui avais fait passer quelques recettes, du potage de luzerne ou de la crème de rhubarbe, et je lui avais appris comment faire du sucre de citrouille. Orenstein avait vendu toute sa vie des fruits et des légumes, c'était un as aux échecs, mais pour la cuisine, il avait quelques progrès à faire.

À la maison aussi, j'inventais régulièrement de quoi améliorer l'ordinaire, grâce au butin familial : Émélie s'était liée d'amitié avec une commerçante du marché qui lui fournissait une fois le mois un lapin élevé clandestinement dans son arrière-chambre. Jean, doué pour la négociation, se chargeait des files d'attente avec efficacité et savait obtenir quelques grammes de beurre même lorsque les barattes étaient vides. Quant à Lucie, pourtant d'une nature peureuse, elle allait courageusement chercher des coques sur la plage pouilleuse dans le quartier des Neiges. Il fallait s'enfoncer à marée basse dans la vase, parfois jusqu'à mi-mollets, puis marcher sur un bon kilomètre et être assez rapide pour remplir sa musette avant la marée montante, c'était dangereux, ils étaient quelques-uns à s'être noyés par trop de gourmandise, mais elle n'avait pas son pareil pour repérer les colonies enterrées dans le sable et filer plus vite que le vent. À son retour, je faisais sauter sa récolte dans la poêle chauffée à blanc avec un peu d'ail et une poignée d'orties blanches ou de mouron des oiseaux, et je me régalais plus encore de son triomphe que du succès de mon plat.

Nous nous débrouillions ainsi de notre quotidien, sans réussir pour autant à guérir de notre désolation. Nous ne nous parlions plus, ou si peu, enfermés en nous-mêmes pour des raisons parfois communes et parfois différentes, comme si chacun de nous quatre était appuyé, impuissant, au bastingage de sa vie et observait la vague grossir et le cataclysme approcher.

Je cherchais du réconfort dans ma lutte clandestine, mais sur ce front aussi, nous subissions de terribles revers. Le coup le plus rude avait été porté en avril avec l'arrestation de cinquante de nos valeureux camarades, parmi lesquels de nombreux étudiants, Gérard Morpain, leur mentor et professeur d'histoire et, ce qui m'avait le plus affecté, Robert Roux, qui était chef de réception à la Transat et m'avait le premier confié plusieurs armes dont deux pistolets 7,65 mm, un Ruby et un Destroyer, encore enfouis à ce jour dans mon terrier.

J'avais connu après cela des heures d'angoisse, effrayé à l'idée que tout s'arrête et surtout que l'un d'eux donne mon nom, mais les semaines avaient passé sans que rien de particulier se produise, j'avais poursuivi mes allées et venues en compagnie de Hans, toujours aussi affable qu'aveugle, et bientôt j'avais eu non seulement la certitude que personne ne m'avait trahi, mais en outre la joie de découvrir sur les trottoirs des tracts patriotes portant la devise de Guynemer, « Quand on n'a pas tout donné, on n'a rien donné », et signés d'un mystérieux « Vagabond Bien-Aimé ».

Galvanisé à l'idée que d'autres aient pris le relais de Morpain, je m'étais promis de poursuivre ma mission, cela d'autant plus que chez moi, personne n'avait toujours le moindre doute me concernant – c'était même l'inverse. La famille s'était fendue en deux, mère et fils d'un côté, père et fille de l'autre, et plus Émélie me toisait avec dégoût tandis qu'Hans me tapait fraternellement dans le dos, plus je me sentais fort, songeant à la tête qu'elle ferait lorsque à la fin je lui dirais la vérité. Furtivement, je pensais aussi à Hans, quand tout cela serait terminé, il faudrait bien qu'il apprenne qu'il avait été abusé depuis le premier jour, qu'il n'était pas mon ami et encore moins mon frère, il demeurait un Boche, un Schleuh, un Frisé d'occupant, peu importe les bonbons qu'il offrait à Lucie ou sa main tendue, à la guerre comme à la guerre, « pas le choix » mon vieux.

Rien n'était près d'être terminé, hélas. Depuis la fin de l'été, la pression s'était encore intensifiée, du côté allié comme du côté ennemi. Après avoir nettoyé au printemps le Péloponnèse et les Balkans, les Boches étaient sur tous les fronts, en Europe, en Afrique, jusqu'au Moyen-Orient, bataillant toujours férocement avec les Russes. Les Japonais venaient de pilonner Pearl Harbour, la guerre s'étendait encore un peu plus avec l'entrée en jeu des États-Unis sur qui, désormais, nous fondions de grands espoirs.

De leur côté, les Anglais nous arrosaient sans discontinuer, suscitant l'incompréhension. Des rues tombaient en poussière, des familles étaient décimées, les enterrements se multipliaient et les blessés étaient si nombreux et si difficiles à soigner que l'on avait dû creuser un hôpital sous terre – un établissement paraît-il unique dans tout le pays, une sombre gloire dont nous nous serions bien passés. Encore évitait-on souvent le pire grâce aux artificiers noirs, ces Havrais valeureux venus des Antilles et d'Afrique, recrutés de force par les Boches pour déminer les bombes qui n'avaient pas explosé. Pauvres gens, que leur couleur de peau assignait malgré eux à une tâche aussi périlleuse. Notre *équipe de la mort*, comme nous la surnommions avec respect, et même affection, sachant ce que nous leur devions, avait récupéré, si j'en croyais *Le Petit Havre*, plus de huit cents bombes en un an, parfois à cinq ou six mètres dans nos sous-sols marécageux. Et lorsque le mois dernier, notre maire Pierre Courant avait annoncé le percement du tunnel abri sous la côte, prévu pour protéger des milliers de civils en attendant, lorsque la paix serait revenue, de servir de passage entre ville haute et ville basse, nous avions compris qu'il fallait s'attendre à bien plus de dégâts encore.

Mais surtout, il y avait la tragédie de Muguette.

Ma belle-sœur avait décliné tout au long de l'année, maigrissant, toussant, se recroquevillant comme une fleur flétrie. Les premiers mois, nous avions cru qu'elle se languissait seulement de Louis, mais son état avait empiré et, dès l'été, sa maladie n'avait plus guère fait de doute. Cela nous avait beaucoup préoccupés, Émélie et moi, et même un temps rapprochés. J'aimais beaucoup Muguette et ses enfants, surtout ma petite nièce Marline qui m'intriguait à se taire comme si elle en savait long mais ne dirait jamais rien, cela me faisait l'effet d'un lien entre nous, deux combattants de l'ombre engagés dans nos guerres singulières.

Muguette, quant à elle, m'avait longtemps soutenu dans mon entreprise de mystification, bien involontairement c'est vrai, par sa capacité à concentrer l'attention d'Émélie, mais surtout, à se montrer une pétainiste convaincue. Naïve et sincère, elle voyait le Maréchal comme un grand-père aimant, réaliste et protecteur. Elle le défendait avec moi et s'insurgeait lorsque Émélie le décrivait – à juste titre pourtant – comme un vieil homme fatigué, ayant perdu toute audace, incapable d'espoir et prêt à sacrifier les Français sur l'autel de son propre renoncement.

La vérité, c'est qu'à l'image de tant d'autres, parmi lesquels ma propre fille Lucie, Muguette aspirait de toutes ses forces à la paix qui, croyait-elle, lui rendrait sa santé et son mari.

Mais à mesure que les bombes s'étaient multipliées, sa colère contre les Anglais s'était amplifiée et son état brusquement détérioré, surtout après la

destruction totale du Printemps, *son* magasin, qui
l'avait littéralement achevée.

Quelques jours après cet événement, Émélie était
rentrée livide et m'avait annoncé tout à trac la tuberculose de sa sœur et la gravité du diagnostic. Muguette
allait probablement mourir, notre petite Muguette, et
moi, je me tenais devant ma femme, crevant d'envie
de la prendre dans mes bras, de la rassurer, de lui dire
que je n'étais pas cet homme de pierre dévolu aux
Boches, à Pétain ou à Laval, qu'elle pourrait continuer à compter sur moi maintenant et pour toujours,
elle et nos enfants, et aussi ceux de Muguette, je voulais qu'elle sache qu'elle n'était pas seule, contrairement aux apparences, que l'amour que je lui faisais
avec brutalité n'était que le fruit de ma frustration,
surtout pas celui de ma désaffection.

Bien sûr, je n'avais rien dit, rien fait, il y avait toujours ces 7,65 mm dans la cave, désormais rejoints
par un MAB 6,35 mm, alors je me suis contenté
d'approuver le fait que Joseph et Marline demeurent
avec nous quelques jours le temps de prendre des
dispositions.

Ma femme, en plus d'être incroyablement forte
et droite, était, pour peu que sa famille soit en péril,
l'être humain le plus énergique et le plus inventif
qu'on puisse imaginer. Il ne lui avait fallu qu'une
poignée d'heures pour trouver à Muguette une place
dans un sanatorium, et aux enfants un départ pour
l'Algérie. Elle était si fière en décrivant à Jean et
Lucie le sort promis à leurs cousins, presque embêtée
de ne pouvoir les envoyer avec eux, tant on lui avait

parlé de belles choses, d'écoles fournies en matériel et en enseignants, de vies tranquilles, heureuses, de repas copieux, variés et vitaminés.

J'étais beaucoup moins enthousiaste, sans doute parce que j'étais mieux informé. Les combats faisaient rage en Afrique, où les Alliés connaissaient certes de belles victoires, écrasant les Italiens, mais aussi de grandes difficultés face aux chars de Rommel. Nos compatriotes d'Algérie, à la botte de Vichy, supportaient l'Afrikakorps et poursuivaient leur politique antijuive – Orenstein m'avait ainsi appris que les enfants juifs étaient exclus, là-bas, des établissements scolaires publics, depuis le mois de septembre. Qui sait comment tout cela tournerait au fil des mois ?

Malgré les efforts des familles et de nos dirigeants, les gosses n'étaient pas épargnés par la guerre et certainement pas lorsqu'ils la fuyaient. Tous les Havrais avaient en mémoire les petites victimes de l'attaque du *Niobé*, englouti aux premiers jours de l'exode à la sortie du port du Havre, mais peu savaient que l'an dernier, une torpille allemande avait coulé un navire britannique qui convoyait en hâte des enfants vers le Canada, tuant soixante-dix-sept d'entre eux – et stoppant net le programme anglais d'évacuation. C'est Thuriau, toujours au fait de ce qui touchait à la navigation, qui m'avait raconté ce tragique épisode lorsqu'il était revenu de zone libre pour quelques heures au mois de juillet, à l'occasion de la mort de son père.

Fort heureusement, pour le voyage aller tout au moins, le danger semblait écarté, la zone était calme. Mon cher ami m'avait vanté les mérites du

Lamoricière, qu'il pratiquait depuis de longs mois, un navire solide et un équipage si parfaitement rompu au trajet qu'il aurait pu travailler les yeux bandés.

Émélie n'avait pas toujours porté Thuriau dans son cœur, mais elle avait été bien soulagée d'apprendre qu'il serait à bord pour veiller si besoin sur nos neveux. La traversée s'était quoi qu'il en soit déroulée sans incident et, quelques jours plus tard, à l'entrée du bureau Guynemer, une pancarte avait annoncé la bonne installation des enfants dans leurs familles d'accueil. Ce soir-là, heureux de les savoir à l'abri, nous avions conclu en famille une trêve éphémère et bu un verre de vin à leur santé.

Hélas, le répit avait été de courte durée et les fêtes de fin d'année s'annonçaient désastreuses. Au lendemain de l'attentat de la librairie, la Feldkommandantur avait exigé de la ville déjà exsangue une amende d'un million de francs et annoncé de nouvelles restrictions, notamment un couvre-feu à dix-neuf heures trente, y compris le jour de Noël et celui de la Saint-Sylvestre, qui promettait de ruiner le moral d'un bon nombre de Havrais. Plus grave, Émélie avait reçu le même jour une carte alarmante de Muguette, depuis le sanatorium d'Oissel. Les premiers pneumothorax n'avaient pas eu les résultats escomptés. Muguette écrivait qu'elle se sentait partir et implorait qu'on lui amène ses enfants afin de leur faire ses adieux.

Bouleversée, ma femme avait de nouveau oublié sa froideur et sa détestation pour me supplier de l'aider à plaider sa cause. Elle regrettait amèrement d'avoir séparé Muguette des enfants, se sentait soudain responsable de l'agonie pourtant envisagée, prévue, assumée de sa sœur. La triste réalité la prenait par surprise, et, par un retournement d'esprit, elle s'était mis en tête que faire revenir Joseph et Marline était l'ultime chance de sauver Muguette – sinon l'unique manière qu'elle repose en paix.

Joseph et Marline avaient quitté Le Havre depuis deux mois seulement et les plus courts séjours constituaient un engagement de trois mois – eux étant inscrits pour un an. Nous savions qu'il nous faudrait supporter les remontrances du centre Guynemer, les places étaient convoitées et, après tout, chaque parent envoyant son enfant se savait susceptible de mourir sans le revoir, sinon de la tuberculose, plus sûrement d'un bombardement.

Nous avions passé là-bas un moment éprouvant, comme sur un banc d'accusation. Émélie avait pleuré, ce qui ne lui arrivait que très rarement, j'avais dû écouter sans broncher ma femme bien-aimée s'accabler tandis qu'elle expliquait à une dame au regard intransigeant pourquoi elle avait poussé sa sœur à inscrire ses enfants, de quelle manière Muguette, affaiblie, depuis toujours soumise à son influence, avait obéi sans mesurer les conséquences, en bref combien elle était coupable, mauvaise conseillère, trop pressée, inconsciente des enjeux, voire despotique.

Comme notre interlocutrice persistait à secouer la tête en signe de dénégation, irritée d'avoir à gérer un tel problème et soucieuse de ne pas créer un précédent, Émélie avait même lâché qu'elle avait agi par pur intérêt personnel, parce qu'elle ne voulait pas avoir à s'encombrer de deux enfants supplémentaires. J'étais déchiré de la voir s'accuser ainsi d'inhumanité, jouant le tout pour le tout, elle qui au contraire n'avait jamais pensé qu'aux autres, à ce qui était le mieux pour tous, elle qui s'était battue comme une lionne pour obtenir ces deux places, elle qui, par-dessus tout, aurait préféré mourir à la place de sa cadette.

Mais elle avait gagné.

La femme avait soufflé, me prenant à témoin d'un regard qui signifiait : « Eh bien mon pauvre ami, vous en avez épousé, une mégère, bien du courage pour la suite ! »

Puis elle avait glissé dans son grand cahier la carte écrite par Muguette, averti qu'elle devrait vérifier avec ses collègues l'ensemble des éléments du dossier et surtout la qualité de tutrice d'Émélie, mais que si tout se révélait en ordre, Joseph et Marline pourraient profiter du retour organisé le 6 janvier prochain depuis Alger – ce qui permettait d'espérer une arrivée au Havre autour du 10.

Elle avait insisté sur le fait que la décision, cette fois, serait définitive. Il faudrait mobiliser bien assez d'énergie pour faire porter l'information dans les temps aux bureaux algériens et modifier une organisation réglée au cordeau depuis des semaines : un effort considérable que le centre fournirait par compassion pour Muguette, mais qui devrait demeurer, quoi qu'il arrive par la suite, une exception.

Nous étions le 23 décembre. Dans plus ou moins trois semaines, les enfants seraient près de nous. Le visage d'Émélie s'était coloré de rose, elle s'était jetée sur les mains de la femme, les embrassant avec reconnaissance.

— Vous êtes une sainte, madame, que Dieu vous bénisse, je prierai pour vous et pour tous vos proches.

— Priez plutôt pour que cette malheureuse vive jusqu'à la mi-janvier, a rétorqué la femme. Si elle devait partir plus tôt, vous auriez ramené inutilement et injustement ces enfants dans la guerre et la peine. On ne joue pas ainsi avec la vie des autres.

J'aurais voulu la gifler. Elle était peut-être une personne admirable, dévouée ou simplement raisonnable, mais je n'entendais que la cruauté de ses propos.

Émélie s'était levée en chancelant : manifestement, la leçon de morale l'avait atteinte de plein fouet. Elle avait hoché la tête et s'était dirigée vers la porte en retenant d'autres larmes.

Et tandis qu'elle disparaissait, sans même m'attendre, j'avais soudain pris conscience qu'elle pensait absolument tout ce qu'elle avait dit : elle était une sœur, une tante, une femme égoïste, sans discernement, imbue de sa puissance.

Ma femme était devenue vulnérable.

THURIAU

Janvier 1942

Déjà à l'embarquement, le ciel d'Alger était mauvais, ça gouttait en pluie fine, fouettée par un vent cinglant. Rien à voir avec la mer d'huile de l'aller, on n'avait pas eu une ride ni un nuage depuis Marseille et j'aurais préféré ça pour le retour, pas pour moi, quand on est matelot au pont, on aime les embruns et on ne craint pas la gîte, mais surtout pour les gosses. Ils étaient une vingtaine de Guynemer et, parmi eux, les neveux de Joffre, j'avais su ça grâce aux copains de la Transat qui étaient bien plus efficaces que la poste pour faire passer un message depuis la zone occupée. Pourquoi rentraient-ils déjà au Havre, à peine partis, ça me turlupinait, est-ce qu'il s'était passé quelque chose par là-haut ?

Je pensais trouver le moyen de leur faire signe, sûrement qu'ils savaient pourquoi on les renvoyait si tôt chez eux, mais dès qu'on avait franchi la passe, vers dix-sept heures, on s'était attrapé un vent de nord-ouest de force cinq qui nous avait fait terriblement tanguer, et surtout, bien occupés jusque tard dans la soirée. La journée du lendemain avait été plus mauvaise encore, le vent n'avait fait que se renforcer pour atteindre une force sept, la mer était démontée et la nuit suivante, impossible de dormir, ça claquait de partout, les chaînes, les poulies, un tintamarre de tous les diables, j'ai même pris mon oreiller et ma couverture pour aller me coucher dans les cuisines en espérant un peu de calme. Tu parles, les casseroles volaient, ça frissonnait, ça chantait et pas à l'unisson. Vers minuit, je fermais toujours pas l'œil, le bateau s'est mis à rouler et j'ai compris qu'on avait viré de bord, ce que le matelot de ronde m'a confirmé, le commandant Milliasseau avait reçu un S.O.S. du *Jumièges* à trente milles dans notre sud-sud-ouest.

Il aurait pu décider de poursuivre, c'était pas comme si on était tranquilles, la tempête grossissait, le bateau roulait de bord à bord et commençait à embarquer des paquets de mer par le travers, mais il y avait vingt hommes là-bas en perdition, alors en avant moussaillons, c'était une question d'honneur et le commandant était un homme d'honneur. Moi, je voyais bien quand même que c'était mauvais, on prenait trop de gîte sur bâbord. L'eau rentrait par les portières découpées sur les flancs du navire, juste au-dessus de la ligne de flottaison, quand on l'avait transformé pour le charbon vu que le mazout était devenu introuvable. Le coke était mouillé, déjà qu'il était pas d'une qualité terrible, c'était coton de maintenir une chauffe correcte, à tel point que le commandant a dû revenir au 45ᵉ pour remettre la bête d'aplomb le temps de nettoyer tout ça et de réparer une turbine.

On a repris de la puissance, mais sûrement qu'on avait perdu trop de temps : quand on est arrivés à la position du *Jumièges*, sur le coup des trois heures du matin, on pouvait toujours écarquiller les yeux, on n'a trouvé qu'une nuit bien noire, bien épaisse, pas le cheveu d'un gars ni le moindre bout de métal, par contre on s'enquillait de la lame en veux-tu, en voilà, alors après une demi-heure, le commandant a repris la route vers Marseille et après un bout de chemin je suis retourné dans les cuisines où j'ai finalement réussi à dormir une heure sans plus penser à rien.

Je comptais que la tempête mollirait, ça avait bien assez duré, mais au petit matin quand je suis remonté sur le pont, le mistral grimpait sans vouloir s'arrêter, force sept, huit, neuf, des creux de légende, là j'ai pensé aux gosses, aux autres aussi, pas loin de trois cents voyageurs embarqués à Alger, ça devait drôlement secouer dans les estomacs. Un peu plus tard, un garçon de cabine qui venait respirer un peu d'air frais me l'a confirmé, ça commençait à rouspéter dans les coursives, surtout en première classe, à savoir si le commandant avait bien fait de se porter au secours du cargo ou s'il aurait pas mieux valu s'inquiéter du sort de ses propres ouailles.

En attendant que ce petit monde se mette d'accord, on peinait à tailler la route vers les Baléares, vent debout, sans dépasser les neuf nœuds à cause des chaudières encrassées. Les portières avaient souffert plus qu'on n'avait cru dans la nuit, l'eau rentrait de partout mais ne ressortait guère, à cause de cette espèce de boue d'escarbilles qui bouchait les dalots d'évacuation. Les hublots étaient fermés, ce qui inquiétait davantage les passagers déjà effrayés par les craquements, le bruit de l'eau qui se faufilait au-dessus, en dessous, les pompes qui commençaient à refouler. Certains hommes s'étaient proposés pour aider à la chaîne et les seaux tournaient de main en main, mais pas assez vite pour venir à bout du flot. Pour compliquer encore l'affaire, le temps de traversée normale étant écoulé, les vivres devaient être rationnés et le commandant avait annoncé qu'il faudrait compter sur ceux qui rapportaient dans leurs bagages des oranges, des dattes ou des boîtes de conserve.

La vérité, c'est que les vivres n'étaient pas le problème. Le problème, c'était la pression. On ralentissait, maintenant c'était du cinq, six nœuds. À quatorze heures, le commandant nous a fait savoir qu'il restait moins de quatre-vingts tonnes de coke dans les soutes, ce qui était très loin d'être assez pour naviguer jusqu'à Marseille. Ils se sont réunis, le commandant, le second, le chef mécanicien, le lieutenant de quart et l'officier de la Marine nationale, et ils ont décidé ensemble de nous replier sur Minorque, qui était seulement à une soixantaine de milles et où on pourrait se mettre à l'abri, assécher la chaufferie, ravitailler et consolider l'arrimage de la cargaison qui dansait la gigue.

On savait tous, je veux dire nous, les marins, que c'était risqué. On voyait bien qu'avec ce demi-tour on se mettrait encore au travers, il faudrait envoyer du lourd pour se dégager au plus vite et on était loin d'être équipés pour, mais on savait aussi qu'il n'y avait pas d'autre choix.

Sur les quinze heures, les mécaniciens avaient fait de leur mieux pour pousser les machines, la pression était au maximum. Je peux pas dire qu'on avait peur, parce qu'on n'avait pas le temps pour ça, mais il y avait quelque chose dans l'air, la couleur du ciel, la mer énorme, les vagues qui passaient par-dessus le pont, les coups de roulis qui nous mettaient par terre, j'ai vu la catastrophe arriver.

Le commandant a lancé la manœuvre, mais notre pauvre bête n'avait plus rien dans le ventre, malgré la barre à gauche toute, elle ne répondait plus, alors on a tous su ce qui allait se passer. L'eau a envahi les chaufferies, éteint les feux, balayé le pont principal, je pensais aux poulots, où ils pouvaient bien être, sûrement parqués dans un salon à s'accrocher pour pas se laisser emporter quand la vague soulevait le bateau, je pensais à Joffre qui me les avait en quelque sorte confiés, mais la meilleure façon d'aider à ce stade, c'était de faire repartir ce foutu rafiot, même si on savait très bien qu'il faudrait un miracle pour que ça se produise. On avait organisé deux nouvelles chaînes aux machines avec les passagers qui tenaient encore debout, les premiers apportaient les pelletées de charbon des soutes vers les chaudières, les autres tentaient de vider l'eau de la machine. Tout ce monde-là glissait sur le sol trempé, gras de poussière noire, trébuchait dans les sursauts du bateau qui ballottait continûment de bord à bord, tandis qu'avec quelques matelots de pont venus en renfort, on flanquait tout ce qu'on pouvait de bois à brûler, meubles, madriers, planches à travers la claire-voie pour sauver un peu de chauffe.

Vers seize heures, on n'avait plus qu'une chaudière en service, les hélices étaient à l'arrêt. On était quasi couchés sur le flanc, maintenant je pensais tout le temps aux gosses, qu'est-ce qu'ils pouvaient comprendre de tout ça, le bruit courait que la moitié des passagers rendait son estomac, sans parler des cris, des pleurs, même du côté de l'équipage il y avait des pertes, une dizaine de chauffeurs brûlés aux pieds par le charbon incandescent. On avait beau donner tout ce qu'on avait, ça voulait pas revenir, alors le commandant a dû demander assistance.

Le *Chanzy* et le *Gueydon* ont répondu tout de suite. Ça nous a revigorés, même s'ils étaient bien loin, surtout le *Chanzy* qui était encore au large de Sète, il faudrait trouver de quoi tenir des heures, pas laisser la flotte nous gober, et quand le soir est tombé et que la dynamo nous a lâchés à son tour, c'était dur de garder les idées au sec, mais c'était beau aussi de voir que personne ne s'économisait.

On a refait une chaîne avec des gars de l'équipage et les voyageurs encore vaillants, ils étaient quelques-uns prêts à défendre cher leur peau, on a porté tout ce qu'on pouvait dans la nuit noire depuis la cale bâbord jusqu'au pont supérieur tribord pour opposer du poids à la gîte, tandis que d'autres matelots, sur l'idée du second capitaine, confectionnaient à la hâte une ancre flottante avec deux madriers et un paillet accrochés à deux cents mètres de filin, vindiou, que c'était ingénieux cette affaire. Pour la première fois depuis des heures, on a connu un instant de répit, le roulis a diminué, il y a eu des *oh !* de partout, des poitrines gonflées, parce qu'on avait réussi ! On allait stabiliser et attendre comme une fleur les secours ! On s'est tombés dans les bras avec un novice de passerelle qui était à côté de moi, il tremblait, le gamin, alors je lui ai chanté un couplet d'*Adieu cher camarade*, « *Si je me marie et que j'ai des enfants, je leur casserai un membre avant qu'ils ne soient grands, je ferai mon possible pour leur gagner du pain, le restant de ma vie pour qu'ils n'soient pas marins* » et il a souri le petiot, juste le temps de constater avec moi qu'on n'avait rien réglé du tout : on continuait de s'enfoncer.

C'est à ce moment-là que j'ai compris, on allait passer la pire nuit qu'on ait jamais connue et possiblement la dernière. Le commandant envoyait encore des S.O.S., mais le *Chanzy* et le *Gueydon* devaient batailler ferme eux aussi pour tracer leur route dans cette maudite tempête qui ne voulait pas finir avant de nous avoir tous dévorés, ils étaient encore à des milles et des milles.

Avec les gars, on a commencé à jeter par-dessus bord tout ce qu'on pouvait trouver, à démonter, arracher, balancer puis à passer des filières de l'avant à l'arrière du pont pour pas se faire emporter par les vagues. J'avais les mains en sang, les yeux me sortaient de la tête, je pensais les gosses, les gosses, les gosses, et aussi que j'allais pas lâcher, je préférais crever tout debout et j'étais pas le seul, et on a tenu, comment, je saurais pas le dire, mais l'aube s'est levée, on était bien vivants, on n'avait toujours pas sombré et à neuf heures, enfin, on a vu approcher le *Gueydon*.

La première chose qui m'a traversé l'esprit, c'est que les poulots étaient sauvés. J'avais jamais ressenti une joie pareille, j'ai pensé à Joffre, mon ami, mon frère, à son pinson de belle-sœur qu'allait bientôt pouvoir serrer ses gamins dans ses bras, j'ai pensé, ça fait plus de dix-sept heures qu'on tient le coup, mais ça fait peut-être bien toute une existence que j'attendais de vivre un moment pareil.

Le *Gueydon* nous a longés, a essayé de nous passer la remorque, mais c'était impossible et quand on a coupé l'aussière de l'ancre flottante, parce qu'on pouvait pas courir le risque qu'elle se prenne dans son hélice, notre bateau s'est remis au travers, on a repris aussitôt de la gîte, et ça, c'était pas bon du tout.

Alors on a rassemblé les radeaux et tous les engins flottants et on les a mis à l'eau, puis on a préparé les canots de sauvetage. Il était onze heures quand le commandant a donné l'ordre : les femmes et les enfants d'abord. J'étais à l'autre bout du pont, j'ai vu la petite troupe des gosses se dépêcher d'embarquer dans le canot n° 2, accompagnés de quelques femmes. Comme je me trouvais trop loin pour leur parler et même pour distinguer un petit d'un autre, j'ai agité la main qu'il me restait de libre en espérant qu'ils devineraient que c'était moi, parce que je comptais partir dans les derniers alors rien n'était sûr, et ça m'a fait du bien de dire adieu en quelque sorte à la famille – tant pis si probablement ils ne voyaient rien d'autre qu'une silhouette entre deux vagues.

Le commandant a fait signe de mettre à la mer, on était presque joyeux et vraiment, vraiment, personne pouvait s'attendre à ça, un malheur pareil, une énorme lame a frappé par le fond, soulevant le canot comme une paille, décrochant le garant à l'arrière, puis la poulie, alors j'ai vu, mon Dieu, mon Dieu, j'ai vu le pauvre canot basculer, cogner la coque, j'ai vu tous ces corps s'envoler, les petits, les grands, précipités dans les flots en furie, il n'a pas fallu vingt secondes pour qu'ils disparaissent tous.

J'ai lâché le filin tandis que l'officier de la Marine nationale Lancelot se jetait à la mer pour leur venir en aide, une folie forcément, à peine avait-il touché la surface de l'eau qu'il a été englouti à son tour, tandis que les passagers terrifiés reculaient, refusant de monter dans les canots restants.

Alors le commandant a donné l'ordre du sauve-qui-peut.

Je ne savais plus si j'étais mort ou vivant, pétrifié malgré les à-coups plus violents à chaque instant, comme si le rafiot se rendait, devenu incapable de lutter. Le second capitaine, qui m'aimait bien, m'a dit, « Saute, Thuriau, essaye de te sauver », je ne sais pas pourquoi ni comment, je me suis traîné jusqu'à ma dunette pour enfiler ma cire de sauvetage, j'avais encore dans les yeux des mains agitées à la surface, une femme sans doute qui s'était enfoncée en dernier dans les flots, mon cerveau ne savait plus rien, même plus qui j'étais, mais j'ai sauté dans l'eau glacée tandis que d'autres, équipage, passagers, se précipitaient d'où ils se trouvaient, certains avec leurs manteaux sur le dos, oubliant que ce qui les protégeait du froid les conduirait directement par le fond, tous sautant comme montés sur des ressorts et pour ceux qui ne coulaient pas à pic, nageant tant bien que mal vers les radeaux, les madriers, les bouées, tout ce qui flottait encore au milieu de l'écume.

À peut-être un mille, on apercevait le museau du *Chanzy* tandis que sur le *Gueydon*, les matelots filaient le long des coques des cordages et des échelles.

J'ai réussi à m'accrocher avec une dizaine d'autres malheureux à un radeau sur lequel il ne restait plus un pouce de place, des vagues de dix mètres nous envoyaient dinguer et il fallait encore nager pour le retrouver, la surface de l'eau semblait couverte de corps et de débris, il fallait tenir, tenir, tenir, une éternité, pourquoi ? Jusqu'à frôler la coque en sachant que beaucoup finiraient avalés, déchiquetés par les hélices, et peut-être bien qu'une partie de moi voulait justement ça, parce que ça m'aurait ôté du cœur ce canot plein de gosses, et aussi Joffre, et l'horreur des cadavres, mais ça ne s'est pas produit.

Mes doigts gelés ont agrippé une échelle de pilote, j'ai senti quelque chose m'arracher la tête, un gars me tirait par les cheveux, des mains chaudes m'ont empoigné sous les épaules et je me suis retrouvé sur le pont du *Gueydon*.

J'ai cherché des yeux le *Lamoricière*, je l'ai vu s'enfoncer dans les flots avec notre commandant, la tête haute, droit sur l'aileron de la passerelle tribord.

On avait appareillé d'Alger avec cent soixante-deux passagers et cent douze hommes d'équipage.

On était quatre-vingt-douze à avoir survécu, cinquante passagers et quarante-deux marins.

Et pas un gosse Guynemer.

MUGUETTE

Janvier 1942

Elle me regardait les yeux écarquillés, immobile. Je l'ai trouvée amaigrie, aussitôt j'ai eu peur de l'avoir contaminée, c'était idiot, elle était venue en visite, elle n'avait pas une valise à la main.

Nous sommes demeurées longuement ainsi, face à face. Je lui souriais, j'avais une envie terrible de me jeter, me serrer contre elle, ma sœur chérie qui m'avait tant manqué.

— Tu as l'air… mieux, a-t-elle finalement lâché.

Et cette idée insensée m'a traversée qu'elle en était déçue.

Pouvait-elle seulement imaginer ce que j'avais enduré ?

L'après-midi même de mon arrivée, voilà trois mois, le médecin-chef m'avait reçue dans son bureau et avertie :

— Les radios ne sont pas excellentes.

Les docteurs ont une langue bien à eux : la comprendre nécessite un apprentissage ou l'aide d'un interprète. J'ai pu compter sur Véra, une curiste missionnée pour m'accueillir.

— « Pas excellentes » signifie « mauvaises ». Mais qui n'est pas en mauvais état en arrivant ici ? Voyons : a-t-il terminé l'auscultation en disant « parfait, parfait », tout en prenant des notes ?

— Je crois, oui.

Elle a secoué la tête.

— Je vais être franche : cela veut dire qu'il ne compte pas te donner de détails. Bien sûr, rien n'est *parfait, parfait*.

— Je sais, je vais mourir.

— Pff. Tout le monde va mourir.

Véra avait vingt-deux ans et suivait une cure depuis huit mois. Fine et pâle, elle babillait gaiement, assise sur la chaise longue voisine de la mienne, comme si notre situation n'était pas dramatique, comme si nous étions deux jeunes femmes en vacances sur la plage.

En l'écoutant, je me suis souvenue brièvement du temps d'avant la guerre, lorsque la vie n'était que chansons, éclats de rire, lorsque Louis dormait à mes côtés, lorsque Marline parlait encore et que Joseph lançait des blagues comme des feux d'artifices.

Puis l'image de mes enfants sur le quai de la gare a remplacé toutes les autres.

Le bâtiment des femmes était trompeusement splendide. Une terrasse au rez-de-chaussée et un immense balcon courant le long du premier étage, orientés au soleil, permettaient aux curistes de prendre l'air une grande partie de la journée lorsque le temps s'y prêtait. Plus loin, le bâtiment des hommes s'étalait de plain-pied.

— Lorsque tu le pourras, il y a derrière un potager que nous cultivons nous-mêmes et un bois où j'adore me promener.

J'ai pensé, cela n'arrivera jamais.

J'étais si faible.

Ma chambre était petite, mais individuelle, ce qui était un signe supplémentaire de la gravité de ma maladie. Un lit, un chevet, une table et une petite armoire y avaient été installés. Il y régnait comme partout ailleurs une odeur puissante de désinfectant, mais le plus affreux était ce vacarme continu mélangé de quintes interminables de toux grasse, de cris, de plaintes, de râles extirpés du fond des gorges doulou-reuses et qui semblait envahir l'espace.

L'infirmière m'a tendu une feuille de température qu'il me faudrait désormais remplir matin et soir. Elle m'a indiqué un large pot émaillé posé sur le chevet :

— Vous cracherez ici.

Dans le couloir qui menait à la chambre, j'avais croisé plusieurs femmes portant à leur bouche un flacon teinté de bleu pour masquer son contenu de mucosités. À leurs yeux baissés, on pouvait mesurer le dégoût qu'elles éprouvaient pour elles-mêmes et leur gêne d'imposer aux autres le spectacle de leurs expectorations.

J'avais retenu mes larmes, cela n'était pas suffisant d'être si malade, il fallait aussi que cela soit humiliant.

— Bientôt, vous n'y penserez même plus, a ajouté l'infirmière.

Elle avait des gestes brusques et un ton sec, j'ai imaginé que c'était une forme de protection, qu'elle évitait ainsi de s'attacher puisque nombre de malades, tôt ou tard, mouraient, mais Véra m'a fourni une autre explication : la plupart des infirmières n'avaient pas choisi d'exercer au sanatorium, elles craignaient la contagion et nous voyaient, nous les tuberculeux, comme des pestiférés menaçant leur propre sécurité.

— C'est aussi pour cela que les soignants comptent tellement sur les curistes pour s'entraider. N'est-ce pas astucieux ?

Le médecin-chef m'avait annoncé qu'il procéderait au premier pneumothorax aussitôt que ma température le permettrait.

Bien que le mot ait été prononcé dès ma visite au dispensaire du Havre, je n'avais encore jamais trouvé le courage de demander en quoi cela consistait, si bien qu'en découvrant en salle d'opération, le moment venu, cette étrange machine dotée de deux sortes de grands réservoirs gradués à moitié remplis d'eau colorée et reliés par un tube de caoutchouc, je me suis mise à trembler de peur.

— Rassurez-vous, a lancé benoîtement le médecin. Ce n'est rien d'autre qu'un bête système de vases communicants.

Il m'a expliqué que le bacille de Koch avait creusé des cavernes dans mes poumons, que ma respiration, en les soulevant, empêchait leur cicatrisation, et comme je ne pouvais pas contrôler leur mouvement ni arrêter de respirer sans mourir, il fallait bien trouver un autre moyen de les immobiliser.

Heureusement, un génie avait inventé cette machine capable de les comprimer en insufflant de l'air entre les deux plèvres, qui étaient comme deux tissus collés d'un côté à mes poumons et de l'autre à ma cage thoracique.

J'imaginais des insectes munis de pioches, forant ma poitrine avec une détermination patiente.

— La technique est intéressante, mais elle diminuera votre capacité respiratoire ; aussi, il vous faudra rester bien tranquille.

Une infirmière m'a aidée à me coucher sur le côté et à placer un large coussin au-dessous de mon aisselle, après quoi elle m'a nettoyée soigneusement à la teinture d'iode et administré deux piqûres anesthésiantes. Comme je frissonnais, le médecin a encore une fois observé les radios et écouté son stéthoscope en tapotant ici et là, puis il a désigné un endroit entre deux côtes qu'il a incisé avant d'y enfoncer un petit trocart.

— Nous pouvons procéder à l'injection, a-t-il commenté à l'intention des infirmières.

À chaque inspiration, je voyais monter la colonne de liquide dans l'un des réservoirs. Véra avait eu le temps de me prévenir que la manœuvre était longue et qu'il valait mieux s'y habituer, car elle serait répétée de nombreuses fois. De toute façon, j'avais perdu la notion du temps. Mon corps s'était contracté comme une pierre et pour oublier la sensation d'être ainsi transpercée, gonflée, comprimée, je répétais mentalement les prénoms de Joseph et Marline, pleine d'un espoir rageur, jusqu'à être proche de l'étourdissement.

Le soir, le médecin est venu dans ma chambre. J'avais été incapable d'avaler quoi que ce soit et je me sentais exténuée.

Il semblait ennuyé.

— Vous nous donnez bien du fil à retordre, madame Mauger. Vous présentez des adhérences nombreuses, plus résistantes que prévues. Nous avions envisagé initialement de réitérer l'intervention tous les trois ou quatre jours, mais nous allons devoir procéder autrement, avec des insufflations quotidiennes plus légères.

Je n'ai pas eu la force de lui répondre. J'aurais voulu le rassurer, lui dire que je n'étais pas surprise : je m'étais attendue au pire à la minute où l'on m'avait envoyée ici, alors il pouvait bien insuffler ce qu'il voulait, nuit et jour s'il préférait.

Le lendemain, lorsqu'on me transportait vers la salle d'opération, j'ai croisé Véra qui se promenait d'un pas traînant dans le couloir. Elle était pâle, ses yeux cernés de bleu, sans doute avait-elle passé une mauvaise nuit. Elle a pourtant réussi à sourire.

— Eh bien, t'y revoilà déjà ? Ma parole, on dirait que tu y as pris goût !

Elle s'est tournée vers l'infirmière :

— J'espère que vous avez aiguisé votre vide-pommes ! Cette gentille personne mérite…

Une quinte de toux l'a interrompue. L'infirmière continuant de me pousser sans daigner lui répondre, Véra a renoncé à terminer sa phrase et s'est contentée d'une mimique réconfortante.

L'espace d'un instant, cela m'a fait un bien fou de l'entendre plaisanter malgré son état. J'ai pensé à mon Joseph, vraiment, ils auraient fait la paire ces deux-là !

La séance a duré bien plus longtemps que la précédente. Le médecin était plus concentré encore, ses gestes plus lents, j'ai compris que l'intervention était délicate. Il ne l'a pas commentée, ni les suivantes qui se sont succédé durant presque une semaine, ni lorsque le rythme a ralenti et que les injections ont eu lieu un jour sur deux.

Je le sentais de plus en plus préoccupé, mais c'était un sentiment flou, j'étais bien trop épuisée pour réfléchir et tirer des conclusions. Je ne quittais plus du tout le lit, sauf pour me rendre en salle d'opération, songeant que c'était sans doute mon dernier chemin, mon dernier paysage, quatre murs chaulés et un couloir peuplé de femmes muettes, amaigries, mortifiées, sans même la possibilité d'apercevoir le potager ou le bois, sans même Véra qui n'était pas autorisée à me rendre visite, sans même être triste, parce que le chagrin avait disparu, j'étais simplement vide, comme si ces fameux bacilles, en creusant, avaient dévoré tout ce qu'il restait de vivant dans mon cœur, me laissant seulement un affreux goût de sang dans la bouche.

Nous étions presque à la fin novembre lorsqu'il a fait irruption dans ma chambre pour m'informer que la situation ne s'améliorait pas et qu'il faudrait encore changer les plans. Je n'avais pas besoin de Véra, cette fois, pour comprendre que mon état s'était aggravé et qu'il échouait simplement à me soigner.

— Malgré nos efforts, les adhérences refusent de céder. Nous procéderons donc à une *section de brides* dès demain.

Ses mots s'enchaînaient les uns aux autres, il parlait avec nervosité et mauvaise humeur, sans la moindre pause, la moindre virgule, probablement pour ne laisser aucune place aux questions que je n'aurais pas eu la force de lui poser.

Lorsqu'il a disparu, une sensation profonde de solitude m'a enveloppée, le sentiment que c'était la fin, ma fin, celle de mon histoire, mon existence, ma famille, parce qu'il n'y arrivait pas avec moi, c'était bien trop grave, trop avancé, c'était fichu, cette section de bride était une manière de clore le débat, il pourrait dire ensuite en rendant mon corps à ma sœur qu'il avait tout tenté, qu'il n'y avait aucun regret à avoir, et soudain m'est revenue cette phrase de la Bible : « *C'est à la sueur de ton visage que tu mangeras du pain, jusqu'à ce que tu retournes dans la terre, d'où tu as été pris ; car tu es poussière, et tu retourneras dans la poussière.* »

Une poussière, oui, parmi la poussière du monde. J'ai pensé à ceux de mes aimés qui étaient morts trop tôt, enlevés par la guerre ou par la misère, parents, oncles, tantes, cousins, si nombreux qu'ils devaient former à eux seuls un nuage épais de cette poussière-là, ils étaient morts et pourtant rien ne s'était interrompu, nous autres avions continué à vivre. Une image m'est venue, celle des galets que Joseph lançait en ricochets lorsque,

exceptionnellement, la mer était d'huile, ils trou-
blaient l'eau un instant, s'y enfonçaient et aussitôt
après la surface se reformait, intacte, tranquille,
comme si rien ne s'était produit, aucun drame, le
drame était absorbé, digéré, dissous, effacé.

Bientôt, je serais digérée à mon tour. Mes enfants,
Émélie, Louis, peut-être, souffriraient un temps, puis
la surface de leur monde s'aplanirait et ils poursui-
vraient leur route, comme j'avais autrefois poursuivi
la mienne.

La nuit qui a suivi, j'ai rêvé que je me promenais
seule sur la plage déserte du Havre et que j'entrais
doucement dans la mer, fredonnant, sans crainte, les
jambes frôlées par la vague et le front chauffé par le
soleil, « *Dans le sillage à chaque tour, Sombre l'image
de nos beaux jours, Mais de la grève un chant lointain, Semble narguer le destin*[1] ». J'étais sur le point
de me noyer dans un indescriptible soulagement lorsqu'un grincement métallique m'a tirée de mon sommeil : l'infirmière approchait la chaise roulante de
mon lit. Elle, si rude d'ordinaire, me considérait avec
compassion, sans que je sache si c'était parce qu'elle
me savait condamnée ou simplement par égard pour
ce pauvre corps que l'on emmenait subir un dernier
assaut barbare.

Dans la salle d'opération, un chirurgien que je
n'avais jamais croisé se préparait à l'intervention,
entouré du médecin-chef et de deux infirmières qui
m'ont aidée à m'installer. Étendue, les yeux fermés,

---

1. Rina Ketty, *Chante encore dans la nuit*, 1939.

cherchant encore la sensation du sable de la nuit,
j'ai senti l'aiguille hésiter, peiner à trouver sa place
et j'ai su que rien ne se passait comme prévu. Dès
la première incision, la douleur a jailli, abominable,
puissante, me lacérant le corps et m'arrachant des
hurlements. J'ai entendu le médecin ordonner que
l'on m'injecte de la morphine, « vite, vite ! », et
presque aussitôt je me suis trouvée précipitée dans un
monde étrange, rouge et noir, brûlant et peuplé de
monstres, dans lequel s'élevaient des voix lointaines
et déformées. Face à moi, je distinguais nettement
Louis, comment était-il parvenu jusqu'ici ? Il criait :
« Dépêche-toi, Muguette, je n'ai pas le temps, je dois
retourner là-bas, tu le sais bien, non ? »

Alors, j'ai incliné la tête et aperçu mon fauteuil.
Par quel miracle m'avait-on transportée dans mon
appartement depuis la salle d'opération ? La fenêtre
était grande ouverte, laissant entrevoir un coin de
ciel d'un bleu éblouissant. J'étais allongée sur la
table, Émélie me couvrait soigneusement d'un plaid,
mais j'avais déjà tellement chaud, j'aurais voulu lui
dire que j'étouffais, je sentais la sueur couler dans
mon cou tandis que Véra, assise en bout, des fleurs
fraîches dans les cheveux, souriait en m'indiquant
la porte, « Regarde un peu qui est là ! ». Joseph et
Marline s'approchaient, se tenant la main, marchant
sur la pointe des pieds et grondant gentiment Véra
qui avait gâché leur surprise, ils se sont penchés
sur moi, mes enfants chéris, chacun d'un côté pour
déposer un baiser sur chacune de mes joues, Marline
était si jolie, si bien coiffée, Joseph portait son costume du dimanche, j'ai voulu crier, les prévenir de ne

pas faire ça, mon cœur s'emballait, cognait trop fort, me déchirait la poitrine, leurs baisers me tueraient et je ne voulais plus mourir, pas avant de leur avoir dit combien je les aimais, combien je les aimais, combien je les aimais, mais mes lèvres étaient cimentées, voilà qu'ils me caressaient les cheveux, m'inondant de leur douceur tendre, et dans leur regard, je pouvais lire leur certitude que cet amour-là ne s'éteindrait jamais.

Tout est devenu noir. Mon corps a glissé tranquillement, j'ai compris que j'étais le galet, j'ai senti un bond, puis un rebond m'arracher de la surface de l'eau. Et enfin, enfin, j'ai pu m'abandonner vers le fond.

Très longtemps après, le noir a cessé subitement. Mes paupières se sont soulevées, la lumière était crue, je n'étais plus chez moi, au Havre, j'étais de retour au sanatorium dans ma chambre aux murs blancs et gris. L'infirmière rangeait le thermomètre tandis que le chirurgien et le médecin, bras croisés, m'observaient attentivement.

— Eh bien, nous y voilà, a fait l'infirmière.

Donc, je n'étais pas morte. Je ne m'étais pas noyée, malgré la défaillance de l'anesthésie et la décharge de morphine. Je me sentais en feu, je respirais avec difficulté, mais les brides avaient été sectionnées et je vivais encore.

Bien plus tard, Véra m'a expliqué qu'on avait dû m'enfoncer deux tuyaux entre les plèvres en perforant la poitrine, l'un contenant une sorte de périscope permettant au chirurgien de voir ce qu'il faisait et l'autre, un bistouri – c'était ainsi que l'on procédait à une *section de brides*.

— Vous allez pouvoir reprendre les pneumothorax, a commenté le chirurgien à l'intention de son collègue. Cependant, il faudra faire vite.

— Qui aurait cru, en voyant ce brin d'herbe, qu'elle serait aussi coriace, a répondu le médecin.

Je n'étais pas coriace. Mon corps avait résisté par instinct, mais mon cœur aurait préféré s'étourdir sous les baisers de mes enfants. Pourquoi ces hommes m'avaient-ils arrachée à cette ultime douceur ?

Je ne voulais plus me battre pour cette existence de douleur, vivre sans vivre, tousser, cracher, s'asphyxier, vomir, pleurer, souffrir, souffrir, souffrir ! Tout cela pour reculer de quelques jours ou quelques mois l'inévitable conclusion et expirer sans avoir serré mes petits, senti leur chaleur, sans cette immense consolation, tout juste entrevue, que je savais désormais due aux hallucinations.

Mais je ne décidais de rien, tout au moins pas du protocole qui me serait assigné. Aussi, lorsque le médecin a programmé l'intervention suivante, j'ai simplement demandé à l'infirmière de quoi écrire. J'ai envoyé une jolie carte à Émélie pour qu'elle sache la vérité, la torture touchait à sa fin, quoi qu'en pensent le chirurgien, le médecin et toutes ces bonnes âmes, je n'affronterais plus longtemps cette vaine solitude, ces gestes sauvages, ils auraient beau injecter, insuffler, décoller, je supplierais mon corps de renoncer et je saurais faire en sorte qu'il m'entende.

J'ai écrit à Émélie : « Offre-moi de m'en aller, sinon heureuse, au moins apaisée, ramène-moi mes enfants, ramène-moi mes trésors. Fais-moi ce dernier cadeau qui abrégera mes souffrances. »

Nous étions près de Noël lorsque la carte a été postée. J'ai prié Dieu qu'Il permette à ma supplique d'arriver à temps, qu'Il me donne le courage de tenir et à ma sœur l'énergie de conduire mes enfants jusqu'ici. Mais à vrai dire, à peine le courrier parti, j'ai cessé d'avoir peur. Je savais qu'Émélie exaucerait ma dernière volonté, elle qui m'avait toujours protégée, portée, défendue, elle qui était si forte, ingénieuse, indestructible. Elle se rendrait jusqu'en Algérie si c'était nécessaire. Les médecins pouvaient bien fourbir leurs scalpels, me photographier sous tous les angles, compter mes cicatrices, établir des plans pour me contraindre à survivre quel qu'en soit le prix en tourments, je remporterais la bataille. Je retrouverais mes enfants, puis j'exercerais enfin la seule véritable liberté dont je disposais, à laquelle j'avais déjà songé sans trouver l'audace de la mettre en œuvre : je choisirais de mourir.

Le lendemain, lorsqu'ils sont venus me chercher pour le pneumothorax, je respirais mieux et ma fièvre s'était calmée. Alors que je m'allongeais sur la table d'opération, un sentiment de paix jamais éprouvé m'a envahie. Je n'ai pas lutté, ni résisté, ni espéré, j'ai simplement attendu qu'ils en finissent et je n'ai pas été surprise, plus tard, lorsque le médecin a déclaré que tout s'était bien passé.

Il a suffi d'un mois pour que mon état s'améliore visiblement. Les expectorations, autrefois purulentes, s'étaient modifiées, assainies et le bacille n'y est plus apparu. Je toussais moins, mon pouls s'est ralenti et ma température stabilisée à trente-sept degrés, ce qui ne m'était plus arrivé depuis mon départ du Havre. J'ai retrouvé un certain appétit et pris du poids, peu, mais assez pour me défaire de cette apparence famélique qui aurait effrayé n'importe qui en dehors de notre petit peuple du sanatorium.

— Ce n'est pas une amélioration, c'est une résurrection ! s'est amusée Véra.

Je l'avais enfin revue lorsque j'avais été autorisée à me lever et à quitter ma chambre, deux semaines après la section des brides. Plus tard, je lui ai raconté l'anesthésie manquée, les hallucinations et surtout, ma révélation.

— Je vais revoir mes enfants.

— L'Algérie, c'est loin.

— Ma sœur les ramènera. Tu feras leur connaissance, je suis sûre que tu adoreras Joseph : c'est un tendre, un malicieux, comme toi ! Marline ne parle pas beaucoup, mais lorsqu'elle se blottit contre mon épaule, elle annule tous les chagrins.

Véra a hoché la tête, le regard lointain, et je me suis sentie coupable d'avoir montré tant d'excitation. Véra n'avait pas de famille, ou bien c'est qu'elle ne valait pas la peine d'en parler. Elle ne recevait aucune visite, quand bien même elle faisait partie des malades les plus vaillants.

— Si tu le dis.

— Tu en fais, une drôle de mine. Tu crois que je ne tiendrai pas jusque-là ?

— Bien sûr que si. C'est seulement que… Ce n'est pas un lieu pour les enfants.

Elle a jeté un regard circulaire. Nous étions assises dans la plus vaste salle commune, occupées à de petits travaux de couture. Une vingtaine de femmes reprisaient patiemment du linge troué – une armée de fantômes émaciés aux torses creusés, aux bras décharnés, secoués par des quintes si fréquentes que j'avais cessé d'y prêter attention. Les flacons destinés aux crachats étaient posés au milieu des bobines de laine Saint-Pierre multicolores, formant une écœurante mosaïque.

Je me suis levée.

— Ils ne verront pas ça. Les visiteurs ne viennent pas jusqu'ici. Allons marcher, veux-tu ?

La neige était tombée depuis plusieurs jours, couvrant le sol d'une épaisse couche blanche. Un froid glacial s'était abattu sur le pays, dans la région les températures avoisinaient les moins quinze degrés et l'usage de la galerie était en principe interdit. Mais j'éprouvais un irrépressible besoin de sentir l'air pénétrer mes cellules, d'écraser entre mes doigts les cristaux de neige, de me coller à l'écorce humide des arbres.

— Je ne sais pas ce qu'il m'arrive, Véra. J'ai envie de faire cette promenade dans les bois dont tu m'as tant parlé.

Pousser jusqu'au bâtiment des hommes ou au moins jusqu'au potager. Pas par curiosité, non, pour ressentir l'incroyable bonheur de marcher hors des murs, de sentir la terre s'enfoncer mollement sous mes chaussures, me repaître d'images

vivantes, absorber des couleurs, des formes, m'éloigner enfin du chaos des râles métalliques et des corps
caverneux.

Véra souriait.

— Ce qu'il t'arrive, Muguette ? Tu vas mieux,
voilà tout. Bien mieux. Il fait trop froid pour sortir,
mais encore quelques semaines, et le soleil reviendra.
Crois-moi sur parole, le printemps ici est magnifique.

Je l'ai considérée avec étonnement.

— Voyons, je serai morte au printemps ! Je vais
mieux seulement parce qu'il le faut : parce que
j'attends mes enfants. C'est temporaire ! Ensuite
je m'en irai tranquille, puisque nous aurons pu
nous dire les choses. C'est le mensonge qui nous
condamne et nous mène en enfer, Véra. C'est de les
avoir laissés prendre ce train en faisant semblant que
l'on se retrouverait un an plus tard. C'était une folie.
Maintenant, je le sens, je le sais.

Elle secouait la tête comme une petite fille obstinée :

— Non, non non, tu ne mourras pas !

J'ai pris ses mains dans les miennes.

— Ne sois pas triste. Je n'ai plus peur de mourir.
C'est cela aussi que je leur dirai. Certaines choses sur-
viennent dans un ordre que l'on n'avait pas prévu,
voilà tout.

La porte me narguait au bout du couloir. J'ai
regardé furtivement à droite et à gauche, puis j'ai
accéléré le pas.

— Muguette ! a chuchoté Véra. Ne fais pas ça !

J'étais déjà dehors, saisie par le froid. Les arbres
squelettiques, dépouillés par l'hiver, entremêlaient
leurs branches crochues dans un combat immobile.

Ma respiration s'est coupée devant tant de beauté
à portée de main. J'ai senti l'émotion s'infiltrer,
me submerger, m'étourdir, mes jambes devenues
caoutchouteuses avaient fléchi doucement et j'allais
m'effondrer lorsque les bras de Véra m'ont enserré
solidement la taille, elle titubait sous le poids de nos
deux corps émus, mais tenait bon, « mon insensée »,
a-t-elle murmuré d'un souffle chaud dans mon cou,
tandis qu'une toux grasse me soulevait la poitrine.

Deux infirmières approchaient du fond du couloir,
fulminantes, agitant les bras en larges moulinets pour
nous intimer de rebrousser chemin, nous menaçant
d'un doigt accusateur, comment pouvions-nous avoir
un tel comportement, comment osions-nous faire
preuve de tant de légèreté, nous allions en entendre
parler, c'était certain, la discipline de cure était le
premier principe de guérison !

La plus âgée m'a tancée sévèrement :

— Savez-vous que vous allez attraper la mort ?

Si je le savais ?! J'ai éclaté de rire. Un rire poitri-
naire, encombré, mais un rire franc et joyeux : avec
son nez allongé et rougi, elle me faisait penser aux
personnages des illustrés de Joseph. J'ai regardé
Véra et aussitôt, par contagion, mon amie a éclaté
à son tour du même rire empêtré. Nous étions si
frêles, secouées de spasmes, de râles, c'était sans
doute une étrange vision, mais loin de nous effrayer,
cela nous a rendu les circonstances encore plus
drôles, nous sommes tombées dans les bras l'une de
l'autre sous l'œil consterné de nos deux chaperons, et
mon cœur silencieux a battu la mesure, « *Les beaux
jours sont revenus, Les jours mauvais sont disparus,*

*Vite reprenez le temps perdu, Les beaux jours sont
revenus*[1] ».

Le soir même, lors de sa visite, le médecin nous a
fait la leçon et a déclaré que la porte au bout du couloir serait désormais verrouillée.

Il fondait beaucoup d'espoir en moi qui avais
si bien supporté, contre toute attente, les mul-
tiples interventions, mais aussi en Véra qui s'entêtait à survivre depuis si longtemps. Les statistiques
étaient son horizon, son combustible, j'ai pensé,
chacun a les projets qu'il peut s'offrir, et je me suis
appliquée à présenter des excuses crédibles parce
que mon horizon à moi, c'était la venue d'Émélie et
des enfants, et je ne pouvais prendre le risque de la
compromettre.

Maintenant elle était là, la bouche ouverte, son
petit sac serré contre elle, son chapeau enfoncé sur
les oreilles, l'air presque stupide, comme si elle avait
perdu l'usage du langage. Je n'avais qu'une idée en
tête, Joseph, Marline, mes enfants attendaient-ils
dans l'entrée ? Dans une autre pièce ? Étaient-ils
fatigués du voyage ? Auraient-ils bonne mine ? Mon
cœur était sur le point d'exploser, je m'apostrophais
intérieurement, calme-toi Muguette, ou bien la fièvre
va monter, les enfants verront la sueur inonder tes
tempes, ils craindront de t'approcher, alors calme-toi,
mais enfin, enfin, pourquoi Émélie demeurait-elle
muette ?

---

1. Albert Marier, *Les beaux jours sont revenus*, 1930.

Je m'étais réveillée à quatre heures, rongée par l'excitation. J'avais compté les secondes, non comme une image, mais véritablement, une, deux, trois, quatre, cinq, parce qu'il fallait occuper mon cerveau par autre chose que le sentiment garrottant de l'attente. J'avais observé à travers la vitre l'aube grise percer lentement l'épaisseur hivernale, écouté les premiers signes d'éveil, les trottinements des infirmières, les crissements, les gémissements. Je m'étais aspergée d'eau glacée pour donner un peu de couleur à ma peau blanche et j'avais brossé mes cheveux avec le plus grand soin.

— Où sont-ils, Émélie ?

Ma sœur a pris une grande inspiration et c'est ce qui a bougé en elle, sa poitrine, le reste de son corps demeurait figé, même ses yeux paraissaient ternes, délavés, presque morts.

Elle a répondu :

— Je suis désolée, Muguette.

Sa voix avait changé. Si je ne l'avais pas eue face à moi, j'aurais pu croire que ce n'était pas elle, que cette conversation était un rêve ou, selon, un cauchemar, mais elle a reculé pour s'appuyer sur un petit guéridon aux pieds métalliques et elle a répété, atone :

— Je suis désolée, Muguette.

Alors j'ai compris qu'il était arrivé quelque chose de grave.

J'ai pensé aux bombardements, ces bombes dont j'avais presque oublié l'existence parce que ici, au sanatorium, nous menions notre propre guerre avec nos propres armes, parce que l'envahisseur n'avait ni nationalité ni uniforme, mais qu'il était partout, si petit qu'il fallait un microscope pour le débusquer et si retors qu'il nous occupait à plein temps.

Les bombes !

J'ai senti mon ventre se comprimer, l'air se raréfier, j'ai porté la main à ma gorge par réflexe, je luttais pour ne pas m'évanouir, mais déjà des gerbes de lumière m'aveuglaient dans un brouillard de larmes et de râles, j'ai entendu Émélie hurler à l'aide, elle s'est précipitée vers moi et m'a soutenue – trop tard, je m'effondrais.

— Mon Dieu, lui a lancé une infirmière arrivée en renfort, qu'avez-vous fait ? Vous ne savez pas qu'elle est extrêmement faible ?

Je sanglotais en attrapant sa main.

— Mes enfants, mes anges, ils sont…

L'infirmière a eu une expression horrifiée, elle venait de comprendre, elle aussi, mais Émélie l'a écartée sèchement :

— Les enfants n'ont pas pu venir jusqu'en France, Muguette. Je suis désolée.

Je me suis redressée.

— Ils n'ont pas pu venir ? Émélie, c'est pour cela que tu es désolée, ils n'ont pas pu venir ? J'ai cru, j'ai eu si peur, j'ai cru, oh merci, merci mon Dieu.

— Le centre Guynemer a refusé, pas avant l'automne prochain… Je n'ai pas réussi… Je suis désolée, vraiment… Je sais que c'était important…

Elle fixait le sol en me parlant. Elle tremblait. Elle avait honte.

— Bien, a fait l'infirmière, alors si tout rentre dans l'ordre, je vous laisse à vos retrouvailles.

Elle a quitté la pièce.

D'un seul coup, le chagrin a fait place à la déception. Je réalisais maintenant que je ne verrais pas mes enfants, puisque aussi surprenant que ce soit, ma sœur avait échoué à remplir sa mission. Avait-elle vraiment essayé ? Elle était tellement convaincue qu'ils seraient mieux là-bas, loin des combats et des restrictions.

L'automne prochain, c'était si loin.

Je ne les reverrais pas. Je terminerais ma course comme je l'avais redouté, sans avoir pu leur confier l'essentiel, sans leur avoir fait mes adieux.

Mes petits.

Émélie aussi semblait déçue. Je l'ai interrogée.

— As-tu eu de leurs nouvelles, au moins ? Tu m'avais dit que des rapports seraient envoyés d'Algérie.

Mais elle cherchait ses mots. Elle se sentait coupable, sans doute.

— Ils vont bien, c'est tout ce que je sais. Les communications sont plus compliquées que prévu.

— Vont-ils à l'école ? Les familles sont-elles gentilles ? Pourront-ils m'écrire ?

— Puisque je te dis que je ne sais rien !

Elle avait crié.

Aussitôt, elle s'est reprise.

— Pardonne-moi. Je suis fatiguée. C'est la faute de cette guerre qui n'en finit pas…

Il flottait entre nous une amertume indéfinissable, un malaise oppressant. Elle, dont j'avais été si proche, à qui j'avais livré mes peines, mes espoirs, avec qui j'avais partagé les plus grandes joies mais aussi les pires épreuves, elle que j'avais attendue avec tant d'impatience, ma sœur, ma grande sœur, mon autrefois moitié, à présent, j'avais envie qu'elle parte.

Et elle ne comptait pas rester.

— Tu embrasseras Jean et Lucie pour moi. Joffre, aussi. Je dois me reposer, maintenant, ai-je soufflé.

Son visage s'est chiffonné.

— Bien sûr. Je reviendrai te voir dès que ce sera possible.

— Voilà.

Nous nous mentions, exactement comme nous nous étions menti, Joseph, Marline et moi, sur le quai de la gare. Nous faisions semblant d'avoir un avenir commun. Presque un avenir proche.

Mais que pouvions-nous faire d'autre.

Elle est sortie la première de la pièce. Dans l'entre-bâillement de la porte, j'ai aperçu Véra, appuyée contre le mur : elle m'attendait en souriant, ses jambes fines croisées nonchalamment.

JOFFRE

Septembre 1942

Il a bien fallu annoncer la mort de leurs cousins à Jean et Lucie. Et d'une certaine façon, celle de leur propre mère : Émélie se laissait couler à son tour, réclamant l'entière responsabilité, ressassant chacune de ses interventions et de ses décisions depuis le départ en Algérie jusqu'au naufrage des enfants. J'avais tenté de la convaincre qu'elle n'était pas coupable : qui pouvait lutter contre le destin ? Je lui avais rappelé que j'avais approuvé, moi aussi. Qu'à ce compte-là, chacun pouvait s'attribuer une part de la faute – Thuriau, d'ailleurs, revendiquait la sienne.

Elle ne m'entendait pas. Elle considérait qu'elle avait failli, se tenait pour criminelle, avait organisé méthodiquement sa prison. À la maison, elle accomplissait les gestes quotidiens dans une mécanique irréprochable, absente à elle-même. Elle ne s'insurgeait plus, ne lançait plus à Jean ses regards entendus lorsque je rentrais du ravitaillement avec Hans, ne se plaignait plus de l'état de la France, des manœuvres

de Vichy ni même des exactions de l'occupant.
Lorsque *Le Petit Havre* avait conseillé de teindre en
foncé les blouses de travail pour pallier les restrictions de textile et de lessive, elle s'était empressée de
noircir ses robes avec l'intention évidente de porter
le deuil. La nuit, elle demeurait de longues heures les
yeux grands ouverts et les joues noyées, pliée comme
une vieille femme.

C'est moi qui ai parlé aux enfants. Jean a été par-
couru d'un long frisson qui l'a presque soulevé de sa
chaise, puis il est sorti en courant sans même enfiler
son manteau, est revenu une heure plus tard, les
joues rouges et séchées de froid, et n'a plus jamais
évoqué le sujet. Lucie a d'abord refusé de croire que
les petits avaient péri, si vigoureusement que j'ai dû
lui montrer la lettre du centre Guynemer. Elle a san-
gloté pendant plusieurs jours et, aujourd'hui encore,
je la surprends à se moucher en regardant le carton
d'illustrés de Joseph qui trône au pied de son lit
– nous n'avons pas pu nous résoudre à le déplacer.
    Ma fille a eu treize ans au mois de mai, mais je vois
bien qu'une part d'elle est restée agrippée à l'enfance,
celle d'avant la guerre, celle des crêpes aux pommes,
des marelles, des promenades sur les quais. Celle des
souvenirs heureux. Est-il possible que cette satanée
guerre ne finisse jamais ?
    Voilà plus de deux ans que nous avons mis genou
à terre, espérant une paix rapide et honorable. C'était
une affaire de trois mois, disaient nos gouvernants.
Quelle rigolade. Si je me fie au discours des Anglais,
nous sommes encore bien loin de trouver une issue.

En 1940, ils fanfaronnaient qu'ils *libéreraient la France*, aujourd'hui plus modestement ils déclarent qu'ils *aideront les Français à se libérer* : tout est dans la nuance.

Éternelle sensation que nous nous enfonçons dans la difficulté, d'un mouvement aussi régulier qu'inextinguible. Pour ajouter à l'horreur du naufrage, les premiers mois de l'année 42 ont été particulièrement cruels. Les températures sont demeurées glaciales jusqu'au printemps, nous plongeant dans des moins vingt, moins vingt-cinq degrés. Au moins avions-nous la chance, à la maison, de profiter du charbon réquisitionné par les Boches, quoique cela fût une chance honteuse, troublée par le sentiment d'être injustement favorisés. Mais à travers la ville, nos vieillards ont été nombreux à tomber, vaincus par le froid et leurs corps affaiblis. Les privations ne cessaient d'augmenter et, pour compliquer les choses, ces ânes du Ravitaillement ont laissé geler d'énormes stocks de pommes de terre, nous imposant de recourir à l'infâme rutabaga des vaches.

Les bombardements se sont enchaînés avec une belle régularité et le plus étrange, c'est que l'on finissait presque par s'y habituer. Les Anglais avaient fait savoir qu'un coup était considéré au but dans un rayon de cent mètres de sa cible, alors d'une certaine façon, ceux qui habitaient près d'un objectif militaire étaient supposés connaître et assumer leur risque.

La vérité, c'est que nos alliés cherchaient des arguments pour faire oublier les dégâts démesurés qu'ils causaient, comme ce mercredi des Rameaux, lorsqu'ils avaient largué en une seule nuit pas moins de trois cents bombes sur nos têtes. Les combats se faisaient chaque semaine plus intenses sans jamais vouloir profiter à l'un ou l'autre des adversaires, mais toujours au détriment de notre pauvre population. Ainsi au mois d'avril, déjà bien triste puisqu'il avait vu l'avènement de l'affreux Laval, les Boches, pour dégager paraît-il leur champ de tir en prévision d'un débarquement, avaient fait subitement évacuer le quartier Saint-François, une partie du quartier Notre-Dame et quelques autres rues. Du jour au lendemain, des milliers d'habitants avaient été sommés de s'exiler à dix kilomètres du pourtour de la ville : cent cinquante kilos de bagages, dix francs par jour et par adulte, six francs pour les enfants et une indemnité de déménagement de cent francs, avec ça, débrouillez-vous messieurs dames. Ces cœurs secs n'avaient pas même cédé au vieux curé de Saint-François qui couchait sous son maître-autel depuis un an après que son presbytère avait été bombardé, et qui avait pourtant supplié qu'on lui permette de rester.

Nous avions regardé passer ce nouvel exode précipité, le cortège interminable des familles exténuées, des Petites Sœurs des pauvres, des ouvriers en tenue et même une voiture des pompes funèbres. Heureusement, et cela m'avait réchauffé les tripes, les Normands sont solidaires, les propriétaires de camions et les élèves des lycées avaient prêté main-forte, tandis qu'à l'intérieur des terres, des cités de réfugiés étaient construites en toute hâte.

Malgré ce coup bas, les espoirs et les croyances folles circulaient : il y avait deux pleines lunes en

avril, or le même fait s'était produit deux mois avant
de la fin de la guerre de 1870, puis deux mois avant la
fin de celle de 14-18, alors soi-disant, on était proches
du but.

Moi, j'observais la file des bannis et je pensais,
demain, ce sera peut-être notre tour. En mai, le maire
avait publié un avis pathétique dans le journal, met-
tant en garde les familles sur les risques encourus
par les enfants et crucifiant au passage Émélie.
Quinze mille de nos gosses avaient déjà été envoyés
vers des centres de repliement, des camps scolaires
ou des familles d'accueil en France ou vers l'étranger,
en l'occurrence principalement vers la Suisse car
l'Algérie devenait incertaine du fait de l'étendue du
conflit en Afrique et surtout du très mauvais état des
bateaux – un fait passé sous silence après le naufrage
du *Lamoricière*, parce que c'était plus pratique de le
mettre sur le dos du défunt commandant, mais que
tout le monde connaissait à la Transat.

Il restait donc encore dix mille enfants en ville,
« C'est mon devoir de vous dire que c'est beaucoup trop », avait écrit le maire à ses administrés.
Notre ancien directeur, monsieur Vevey, qui diri-
geait un camp scolaire au château d'Ambourville et
venait régulièrement en visite, avait insisté à de nombreuses reprises pour que nous lui envoyions Jean
et Lucie, mais Émélie avait refusé catégoriquement.
L'éloignement, prévu pour protéger, lui apparaissait
désormais comme un danger mortel. Il avait pris la
forme d'un bateau qui coulait, il pourrait aussi bien
prendre celle d'un autocar qui se renverserait, d'une
mitraille des Anglais ou d'une maladie contagieuse.

Personne n'était à l'abri, nulle part, la preuve, même en Méditerranée !

Il y avait aussi cette idée que s'ils devaient mourir, elle voudrait être là pour serrer ses gamins dans ses bras, les consoler, mourir avec eux, c'était le rôle d'une mère, s'il était impossible de protéger ses enfants, au moins alors devait-elle les accompagner dans la mort, un rôle que, selon elle, elle avait enlevé injustement à Muguette, un rôle dont elle avait pris brutalement conscience lorsqu'elle s'était trouvée face à sa sœur lors de sa visite au sanatorium.

C'est en partie ce qui l'avait retenue de lui dire la vérité sur le sort des petits, ça et bien sûr l'état de Muguette qui s'était, à sa plus grande surprise, considérablement amélioré, il n'était pas question de la fragiliser avec une si terrible nouvelle.

Ce rétablissement spectaculaire avait été une cause de déchirement supplémentaire pour ma femme, incapable de se réjouir dans ces circonstances, mais se détestant de ne pas y parvenir, et plus encore, culpabilisant d'avoir expédié trop vite Joseph et Marline sur un autre continent alors que, finalement, rien ne pressait – si seulement ce médecin du dispensaire n'avait pas été si catégorique, persuasif, à ce point convaincu que Muguette était condamnée à court terme, si seulement Muguette elle-même s'était montrée plus confiante.

La mort de nos neveux nous avait tous touchés à des degrés divers et avait révélé au grand jour les peurs que nous avions tues jusqu'ici. Mais pour Émélie, la blessure était plus profonde. Elle était comme paralysée. Toutes les décisions concernant les enfants lui étaient devenues insurmontables, puisque toutes lui semblaient contenir une menace – rester, partir, les garder, les éloigner, il n'y avait que de mauvaises décisions, même si la séparation demeurait la plus cruelle à ses yeux.

De mon côté, j'avais appuyé la proposition de monsieur Vevey. Je la trouvais plus sûre, les bombardements avaient touché les abords du quartier à plusieurs reprises et nous étions une cible, nous hébergions tout de même des officiers allemands ! Sans compter que je préférais savoir Jean et Lucie au loin si je venais à être arrêté. Car dans cette atmosphère de tragédie, la Résistance se portait bien malgré les coups portés par les Boches, l'exécution de Morpain en avril et celles de Vigne-Salave et Carpentier en mai. Les FTP et l'Heure H avaient réussi un joli paquet d'attaques, dont la moindre n'était pas cette grenade lancée rue Jules-Lecesne, dans un café rempli jusqu'à la gueule d'Allemands, mais, à chacune de ces victoires, les barbares raflaient par vengeance des innocents, presque toujours des communistes ou des Juifs, pour les fusiller sur-le-champ ou les expédier, s'ils étaient plus chanceux, dans des camps de travail. Il faut croire qu'ils n'avaient pas assez de succès malgré leurs belles réclames affichées sur nos murs, « Nourriture satisfaisante, paie jamais espérée, assurances sociales modèles, économie, indépendance. Bref : le bonheur ! ».

Le bonheur, rien de moins que ça. À les écouter, trois mille Normands étaient déjà partis rejoindre leurs usines, il n'empêche que les suivants devaient être plus difficiles à convaincre, sinon pourquoi ce maître chanteur de Laval aurait-il annoncé en juin qu'un prisonnier de guerre serait libéré pour trois ouvriers qualifiés envoyés en Allemagne ?

Quoi qu'il en soit, les camarades leur donnaient du fil à retordre et chacun pouvait vérifier que les Boches devenaient nerveux et plus irrationnels que jamais. Il y avait même un officier qui avait débarqué ivre à l'école Saint-Michel, tiré au hasard cinq coups de revolver, par miracle sans toucher les gosses, et giflé le directeur qui s'interposait.

Alors, même si je n'avais pas eu l'occasion récemment de servir la cause, j'étais prêt à le faire à tout moment et je me méfiais des conséquences.

La question du front de l'Est plaidait également en faveur du départ des enfants pour Ambourville. Nos amis russes continuaient à se défendre pied à pied et laissaient des cadavres de Boches par milliers dans la neige, mais ils souffraient aussi, et salement. Le bruit courait qu'ils exigeaient des Alliés d'ouvrir un deuxième front qui obligerait les Allemands à diviser leurs forces, et bien entendu, ce serait en Normandie. Une fois de plus, notre cher Havre allait probablement être sacrifié à l'intérêt général. Les Anglais nous avaient bombardés hier pour que les Allemands s'en aillent, ils nous bombarderaient demain pour les retenir de se rendre en Russie !

Malgré tout, je n'ai pas obtenu gain de cause. C'est Jean qui a fait pencher la balance, or lui tenait absolument à demeurer en ville, bien plus que Lucie. Le drame l'avait encore rapproché de sa mère, il s'en sentait d'autant plus responsable que le fossé grandissait

entre nous : en plus de s'en vouloir si profondément,
Émélie m'en voulait aussi, à la fois d'incarner encore
et toujours la collaboration, mais également de m'être
rapproché d'elle au pire moment, de l'avoir soutenue
auprès des Guynemer plutôt que de m'opposer à sa
décision et peut-être l'empêcher.

Pire, elle me suspectait de ne pas être tant que cela
affecté par la mort de Joseph et Marline. Je l'avais
entendue lâcher à Jean, « Ton père, il se remet bien
vite », pourtant la vérité c'est que ce drame m'avait
démoli, il ne se passait pas un jour sans que ça me
torde les boyaux, mais il fallait bien garder le cap,
reprendre le contrôle, et puis comment les autres
tiendraient-ils le coup, comment mes propres gosses
remonteraient-ils la pente s'ils voyaient leur père la
dévaler ?

Je n'ai pas insisté. J'ai pensé, puisque nous ne
pourrons pas tomber d'accord, puisque les risques
sont partout, laissons le dernier mot à Jean. Aussitôt
après, bien sûr, je me suis demandé, si les choses
tournaient mal ici, quelle cascade de culpabilité en
jaillirait. Quel serait le prix à payer pour mon fils ?

Puis j'ai réussi à me raisonner, à me souvenir que
tout cela ne dépendait pas de nous, comme le sou-
ligne Sénèque, « *Le destin porte ceux qui l'acceptent et
entraîne ceux qui le refusent* », et monsieur Vevey est
reparti seul pour le château d'Ambourville.

Les beaux jours sont revenus. Un moment, j'ai
cru à une accalmie. Lorsque le soleil réapparaît, c'est
une sorte de réflexe, il sème de l'espérance, pourtant

c'était l'inverse, tout dérapait chez nous, en ville, dans le pays, partout dans le monde.

Début juin, Orenstein m'a appris qu'Anton et lui, ainsi que tous les autres Juifs âgés de plus de six ans, devraient désormais porter une étoile jaune marquée « Juif » et cousue « visiblement et solidement » – c'étaient les termes de l'ordonnance –, sur le côté gauche de la poitrine. Je cherchais vainement un motif qui puisse expliquer une telle persécution. Les communistes, les résistants, ça je pouvais comprendre : nous avions déclaré la guerre au nabot moustachu – mais les Juifs ?

Orenstein m'avait répondu : inutile de s'interroger, Hitler était fou et c'était une folie bien rentable puisqu'il les dépouillait et s'engraissait au passage. Ce qui faisait le plus de peine à Orenstein, c'était de lire dans les commentaires du journal qu'il leur était imposé de porter cette étoile parce que, sans cela, ils avançaient masqués, préparant de sales coups. De sales coups ! C'est plutôt eux, pourtant, que l'on poignardait dans le dos. Depuis l'an dernier, non seulement on leur confisquait leurs entreprises, mais ils avaient subi une averse d'interdictions, interdiction de posséder la TSF, interdiction d'accéder librement à leurs coffres ou encore, la plus incroyable peut-être, début juillet, interdiction de fréquenter les salles de spectacles et de se rendre dans les magasins, sauf de quinze à seize heures, allez savoir pourquoi !

Pourtant, peu de gens s'en préoccupaient : c'était tellement absurde, on préférait croire que c'était passager, que les autorités finiraient par se saisir du problème, que tout rentrerait dans l'ordre, et puis en ville, le nombre des victimes des bombes, morts, blessés, sans-abri, augmentait chaque jour, les rendant bien plus visibles que celles des lois antijuives et captant toute l'attention des Havrais.

Orenstein était très pessimiste, c'était dans sa nature. Il ne s'était jamais consolé de la perte de sa femme, morte dans le déraillement du Cherbourg-Paris un an après la naissance de son fils. Depuis ce jour, il pensait que Dieu fonctionnait avec des monnaies d'échange : ce qu'Il te donne, Il te le reprendra. Il avançait que les Juifs payaient aujourd'hui d'avoir été le peuple élu d'hier et de l'avoir trop vite oublié pour nombre d'entre eux, de se comporter en ingrats, de ne pas remplir correctement leurs devoirs, à commencer d'ailleurs par lui-même qui ouvrait son commerce pendant le shabbat (quoiqu'en laissant son employé servir les clients et encaisser les paiements). Voilà pourquoi, selon Orenstein, la correction était si massive. Il était persuadé que pour ramener Dieu de leur côté, les Juifs devaient montrer plus de respect envers les traditions, les rites, les obligations, d'ailleurs, depuis le printemps, il pratiquait sa religion beaucoup plus strictement.

J'avais tenté de le convaincre que ce n'était pas une bonne idée, compte tenu des circonstances, qu'il valait mieux rester discret, qu'il avait déjà échappé de peu à la liquidation, mais la discussion était impossible avec lui, surtout lorsque l'on en venait à Dieu – et il faut avouer aussi que je n'étais pas qualifié pour répondre.

C'est dans le courant du mois de juillet que les choses se sont vraiment gâtées. Pas loin de treize mille Juifs ont été raflés à Paris, des familles entières, pour être envoyés dans des camps de travail. Ce n'était pas la première rafle, mais c'était la première fois qu'ils prenaient autant de gens à la fois. Il y avait des bruits terribles qu'Orenstein tenait pour sûrs, qui prétendaient que c'était un piège mortel (quelle sorte d'emploi pouvait-on donner aux vieillards et aux gosses ?), que la plupart des raflés seraient assassinés à leur arrivée en Allemagne et que de toute façon les autres, plus vaillants, mourraient aussi à cause des conditions du travail forcé qui étaient bien plus pénibles encore que celles des prisonniers de guerre.

Hans, à qui j'avais posé prudemment la question de leur destination, m'avait répondu :

— Comme tout, Joffre, comme tout ! Endroits, gens plus gentils, d'autres, moins. Dépend !

Hans retournait parfois en Allemagne pour des permissions, mais il était originaire d'un minuscule village dans la campagne francfortoise et, là-bas, il n'y avait ni Juif ni camp, « seulement vaches, Joffre ! ». On y était surtout inquiet de savoir si les enfants du pays seraient envoyés à l'Est, alors il n'avait pas eu l'occasion d'en apprendre plus.

J'ai tenté d'analyser la situation et tiré mes propres conclusions. Il était cruel, mais logique du point de vue des Boches d'emmener des familles entières, surtout pour le moral des parents et puis sinon, comment auraient-ils nourri tous ces vieux et ces gosses restés en ville ? Quant à ce bruit d'exécutions sommaires, même si les Boches savaient être expéditifs, il y avait des limites morales et pratiques à toute entreprise : il faudrait un motif autrement plus sérieux qu'une religion, et surtout du temps et des moyens dont ils ne disposaient pas, pour faire disparaître autant de personnes.

Non, vraiment, cette rumeur était folle. Selon moi, les Juifs étaient les victimes d'une opération avant tout économique, la guerre coûtait cher, il fallait remplir les caisses et trouver des bras. Puisque les volontaires au départ se faisaient tirer l'oreille, les Boches faisaient d'une pierre deux coups. En outre, Vichy y trouvait sans doute son compte : tant que les Allemands seraient occupés à se gaver des Juifs, ils se montreraient moins gourmands avec les autres.

En août, mes soupçons se sont confirmés : des milliers de Juifs ont été de nouveau arrêtés, mais cette fois en zone non occupée ! Il faut dire que l'ignoble Laval n'était plus à ça près : il avait déjà autorisé en juillet les voitures-gonio allemandes à pénétrer la zone libre pour traquer les émetteurs de la Résistance. Ce cancrelat était plus boche que les Boches eux-mêmes et savait utiliser les écrans de fumée du Maréchal et les bontés de notre administration pour dissimuler ses méfaits et endormir la population. Et de ce côté, le gouvernement, tout comme la municipalité, ne lésinait pas. Au 15 août, nous avons appris qu'un million serait versé au Havre sur ordre de Pétain pour aider à l'évacuation des enfants (ce qui avait fait l'objet d'une nouvelle discussion avec Jean et Émélie, sans résultat) et, durant l'été, les initiatives réconfortantes se sont succédé, la création

de la maison du Ravitaillement, les collectes à destination des Stalag, l'ouverture des plages, la mise en
sécurité des œuvres d'art, il y avait de quoi distraire
les attentions et déguiser les intentions.

C'est au mois de septembre que tout s'est précipité. J'avais appris par un camarade qu'un ancien
de la Transat, Jamet, secrétaire enquêteur à la Police
des questions juives, avait été chargé par le délégué
régional Coulon d'accélérer les contrôles et d'établir au plus vite des fiches individuelles pour les
Juifs du département. Un ancien de la Transat ! Ça
m'avait fait encore plus mal qu'en février, lorsque
le *Normandie* avait flambé accidentellement dans le
port de New York.

J'ai aussitôt voulu prévenir Orenstein : il était
certainement en danger, d'autant que les annonces
du Service du travail obligatoire mettaient tout le
monde à cran. Depuis le 4 septembre, une nouvelle
loi mobilisait les Français de dix-huit à cinquante
ans et les Françaises célibataires de vingt et un à
trente-cinq, afin, était-il écrit, de « travailler aux
tâches que le gouvernement jugera les plus utiles à la
nation ».

Personne n'était dupe, tout le monde savait que
c'était un accord avec les Boches pour nous envoyer
chez eux, et même si beaucoup étaient exemptés pour
charges familiales, parce qu'ils avaient combattu, ou
encore parce qu'ils occupaient déjà un emploi jugé
nécessaire au pays – ce qui nous protégeait à triple
titre, Émélie et moi –, nombreux étaient ceux qui
redoutaient le départ.

La chasse était donc plus que jamais ouverte aux boucs émissaires et à la main-d'œuvre gratis.

Nous étions lundi après-midi, je devais ravitailler l'école en charbon, une corvée devenue forcément moins fréquente depuis le début de l'été. Au retour, j'ai fait un crochet pour m'arrêter au magasin d'Orenstein mais, en manœuvrant pour me garer, j'ai aperçu dans mon rétroviseur Marcel, son employé, occupé un instant plus tôt à ranger les étals, qui rentrait en trombe, verrouillait la porte avec une barre de fer et y plaçait l'écriteau « Fermé ».

J'ai compris que quelque chose de grave s'était produit. Marcel connaissait les bonnes relations que j'entretenais avec Orenstein et devait se sentir sacrément coupable pour me fuir de cette manière. J'ai terminé de me garer, puis je suis allé frapper à la porte avec insistance. Il a fini par sortir à moitié de l'arrière-boutique, brassant l'air à grands gestes pour me signifier de repartir, mais j'ai pris ma plus grosse voix, crié que j'étais envoyé pour le ravitaillement, agité l'ordre de réquisition, mon laissez-passer et tout ce que j'avais de paperasses allemandes sur moi, menacé de me plaindre aux autorités et il a bien été obligé de m'ouvrir.

Marcel n'était ni meilleur ni pire que beaucoup d'autres. Il pensait qu'après tout il avait déjà bien aidé son patron en lui évitant la confiscation, alors si Orenstein disparaissait, il trouvait naturel d'être le premier sur la liste pour reprendre le magasin. À vrai dire, il ne l'avait pas dénoncé, ni commis le moindre acte qui aurait pu conduire à son arrestation, c'est Orenstein lui-même qui s'était mis dans le pétrin.

Cette tête de mule avait refusé de servir un officier allemand le samedi, au motif que c'était shabbat, et comme si ça n'était pas suffisant, il avait décousu son étoile jaune, non pour cacher qu'il était juif, puisqu'il portait fièrement sa kippa, mais, avait-il déclaré à l'officier, « pour résister à l'humiliation ».

La Feldgendarmerie était venue l'arrêter le soir même, et il avait été dit à Marcel, qui avait découvert l'affaire ce lundi matin, qu'il ne reviendrait pas de sitôt.

La première image qui m'a traversé l'esprit, c'est celle des trains. Depuis la mort de sa femme, Orenstein n'avait plus jamais posé le pied dans un train : il disait que passer devant la gare du Havre suffisait à le rendre malade. Était-il déjà dans un de ces wagons en route pour l'Allemagne ? Comment trouverait-il la force d'y respirer ? Pauvre Orenstein, malgré tous ses efforts, son Dieu ne l'avait pas entendu, non seulement on lui enlevait son bien et on l'asservissait, mais ce voyage serait pour lui un calvaire, plus encore que pour d'autres. J'ai pensé à son fils, fatalement embarqué avec lui et qui pourrait peut-être lui donner la force de tenir bon, à nos conversations sur les familles à propos de la grande rafle de juillet, mais aussi à celles qu'Émélie et moi avions eues sur la question de la séparation : Orenstein n'avait pas de parents au Havre, seulement quelques amis, la plupart juifs et menacés d'être arrêtés à leur tour, si ce n'était déjà fait. Pour ce que j'en savais, Anton et son père étaient tout l'un pour l'autre, alors il fallait se réjouir qu'au moins ils traversent ensemble cette épreuve.

J'ai conduit lentement pour rentrer, le visage du père et celui du fils ne me quittaient pas, j'avais mal, jusque-là tout était demeuré à l'état de mots, de réflexion, de théorie, ces spoliations, ces arrestations, ces rumeurs, mais soudain c'était bien réel et j'ai pensé, saleté d'année, saleté de guerre, quand finira-t-elle de nous voler ceux qu'on aime, ce qu'on a, ce qu'on est, quand finira-t-elle de nous anéantir.

Je ne voulais pas montrer mon trouble, surtout pas à Hans ou aux officiers que je pourrais croiser, alors, une fois devant l'école, j'ai pris mon temps pour souffler, faire taire mon émotion, recomposer mon expression. L'après-midi touchait à sa fin, mais le soleil était encore haut et notre rue, intacte, belle et calme. À cette heure-ci, Jean et Lucie devaient lire, étudier, jouer avec Mouke à la maison tandis qu'Émélie finissait probablement de nettoyer les salles de classe rue Clovis – la rentrée aurait lieu en octobre, tant bien que mal, en se serrant encore un peu plus puisque l'école des Neiges avait été bombardée à son tour au mois de mars.

J'ai avancé le cul du camion dans la cour, je suis descendu et j'ai grimpé sur la plateforme pour attraper les sacs de charbon.

C'est là que je l'ai vu. Noirci de la tête aux pieds, tassé, chiffonné, les yeux brillants, les bras refermés sur ses genoux, invisible au premier coup d'œil, formant une sorte de cube bien plus qu'une silhouette, comment ce gamin avait-il réussi une telle contorsion, paraître si petit, si peu humain ?

Pendant quelques secondes, je suis resté pétrifié, ce gosse sur mon camion, dans mon école, au beau milieu de mon nid d'Allemands, j'avais la sensation de tenir dans la main une grenade dégoupillée et tout est entré en collision dans ma tête, Joseph, Marline, Émélie, Muguette, les camarades fusillés, les évacuations, la cave, mes promesses, mes engagements, ma responsabilité de père, d'oncle, de mari, de citoyen, de combattant, deux années employées à faire semblant, à jouer au parfait collabo avec Hans, deux années à me couper de ma femme, de mes propres enfants pour servir ma patrie !

J'ai senti la rage m'inonder, il allait tout foutre par terre, ce petit con, il allait me faire soupçonner, arrêter, les Boches fouilleraient partout, ils trouveraient les armes dans ma cave, il y aurait des représailles, il fallait que je réagisse, j'ai entendu la voix joviale de Hans à l'autre bout de la cour, « *Hallo* Joffre, ça va le charbon ? », et j'ai pensé, je dois lui dire, je dois l'appeler maintenant, immédiatement, prendre les devants et lui montrer le petit Orenstein, qu'il sache que j'ignore absolument de quelle manière il est arrivé jusque-là, « Joffre ? » insistait encore Hans, qui n'était pas habitué à ce que je ne réponde pas dans l'instant, seulement rien ne pouvait sortir de ma gorge, j'essayais de réfléchir aux bons gestes, aux bons mots, aux bonnes explications, le gosse me fixait, il était terrifié, j'aurais voulu le convaincre que tout se passerait bien, les Allemands le conduiraient près de son père dans un camp de travail, ils seraient bien vite réunis, il n'y avait pas la moindre raison d'avoir peur, mais je me suis simplement retourné et j'ai crié : « Ça va, Hans, *alles gut* ! »

Parce que bien entendu, tout ne se passerait pas bien. Orenstein n'aurait jamais laissé son fils derrière lui s'il avait cru à la possibilité de s'en sortir. La vérité, c'est que je me mentais à moi-même, et mon mensonge m'explosait au visage. Des gens capables d'interdire à d'autres d'exercer un métier, de téléphoner, de faire leurs courses, d'aller au spectacle, au musée, à la piscine, au café, au restaurant et même en bibliothèque, capables de leur confisquer leurs postes de radio ou leurs bicyclettes, de les dépouiller de tous leurs biens, de les recenser et de les mesurer, de leur coller une étoile jaune sur la poitrine, des gens capables de les humilier, de les moquer, de les piétiner, capables de barrer leurs cartes d'identité ou d'alimentation de la mention « Juif », comme s'ils n'étaient pas, comme s'ils n'étaient plus nos compatriotes, comme s'ils étaient moins que nous autres, et tout cela, pour une question de religion ?

Ces gens-là ne pouvaient pas avoir d'autres projets pour les enfants que de les tuer ou de les réduire en esclavage. Voilà d'où venait ma rage.

Je n'ai pas réfléchi plus longtemps et il ne valait mieux pas, parce que la décision que je prenais était plus inconsciente et instinctive que courageuse, peut-être bien ma cave serait-elle un autre *Lamoricière*, peut-être qu'en cherchant à protéger un enfant j'enverrais ma famille en enfer, mais j'étais sûr d'une chose, je devais accomplir mon devoir.

J'ai ramassé un des sacs vides qui traînaient sur la plateforme et je l'ai ouvert en grand sans me retourner, en espérant qu'Hans ne s'approche pas, m'attendant à chaque seconde à entendre ses talons claquer sur le sol, à sentir sa main sur mon épaule et à voir mon monde s'effondrer. Ni le garçon ni moi n'avons émis un son. J'ai agité légèrement le sac et Anton Orenstein est entré à l'intérieur sans difficulté, recroquevillé, enroulant sa tête et son dos. J'ai ajouté des cordes, des vieux journaux dont je me servais pour nettoyer le camion, j'ai refermé le sac et je l'ai jeté sur mon dos en sifflotant.

Il ne pesait pas lourd, le gamin, et il fallait que je me retienne de courir jusqu'à la cave, que je ne change rien à mon attitude en traversant la cour, d'autant que ce sac, si on l'observait de près, n'avait vraiment pas le même aspect que les autres, mes mains glissaient, moites de transpiration, mon cœur s'emballait, bien plus qu'à l'époque où j'avais descendu quelques armes, mais Hans n'était plus là de toute façon, il était retourné dans le bâtiment, Hans me faisait une entière confiance, et en déposant Anton derrière mon établi, j'ai su que tout ce temps, cette construction lente, patiente, qui m'avait valu de perdre momentanément et peut-être pour toujours l'estime de ma femme, venait de trouver sa raison d'être.

Anton Orenstein avait des yeux sombres, des cils de fille, longs, épais, qui se rejoignaient au-dessus de son nez et un épi à l'arrière du crâne. Ses bras et ses jambes étaient maigres, il portait un short et une chemisette à carreaux. Il se retenait de pleurer.

J'ai pensé, celui-là, on ne le perdra pas.

J'ai pensé : c'est lui qui me sauve, et non l'inverse.

Et je me suis mis au travail, parce qu'un petit garçon de dix ans serait plus difficile à dissimuler que dix pistolets 7,65 mm et qu'il faudrait bien trouver le moyen le faire vivre sous terre.

JOSEPH

Novembre 1942

Marline s'était glissée dans sa nouvelle vie comme dans une paire de draps neufs. Heureuse, joyeuse, elle était au paradis chez monsieur et madame Massia qui possédaient une jolie ferme où ils cultivaient des champs d'orangers et élevaient quelques chèvres. Ils m'avaient invité dès le dimanche suivant notre arrivée et, à peine la grille franchie, j'avais compris ce qui la rendait si gaie. Madame Massia chantait tout le temps, en épluchant ses légumes, en étendant le linge, en balayant la cuisine, en servant de la limonade et quand elle passait en portant un plat, elle trottinait avec de petits mouvements de l'épaule comme si elle dansait : madame Massia avait beau avoir des traits bien différents et une bonne trentaine de kilos de plus, elle ressemblait à maman.

Marline m'a raconté plus tard qu'avant de lui montrer sa chambre et son lit bordé de minuscules bouquets multicolores, elle l'avait conduite à l'enclos, où un petit venait de naître.

— D'habitude, les chèvres ne mettent bas qu'à partir de décembre. C'est un véritable cadeau du ciel, n'est-ce pas ? Choisis un nom, il est à toi, avait-elle annoncé à Marline.

— Pour toujours ?

— Pour toujours, si tu es sûre de bien en prendre soin.

Aussitôt Marline s'était sentie importante, responsable, c'était la première fois de toute son existence qu'elle n'était pas la petiote, la dernière, ici elle était la seule, l'unique, il n'y avait jamais eu personne avant elle, comme me l'a expliqué sans sourciller monsieur Massia pendant le déjeuner, « Dieu n'a pas voulu faire fleurir le ventre de madame Massia, mais maintenant, nous savons pourquoi, c'est que nous attendions cette petite fille ! ».

C'était bien le problème, et Marline ne le voyait pas. Elle était la seule, l'unique pour des parents privés d'enfants qui allaient tout lui donner, mais ne l'avaient pas choisie par hasard – puisqu'il était écrit dans le dossier que nous serions bientôt orphelins. Ils avaient sûrement pensé, quelle aubaine, tant pis pour le handicap, on ne pourra pas trouver mieux avec ce que nous sommes, de simples fermiers de la plaine. Puis ils avaient eu cette bonne idée, offrir un chevreau à une fillette qui n'avait plus rien à elle en dehors d'une maigre valise, même pas son poupon adoré échangé l'année précédente contre un abri de fortune et, comme par enchantement, ma petite sœur s'était remise à parler.

J'étais en colère, du moins je voulais être en colère, je trouvais ça injuste, cette dame qui se faisait passer pour maman, une voleuse en quelque sorte, elle volait le cœur de Marline et ce n'était pas difficile, je le comprenais subitement, parce que Marline avait peur de vivre avant de connaître l'Algérie, elle pensait que l'existence ne pouvait lui apporter que de mauvaises nouvelles, elle n'avait pas envie de se réveiller le matin ni de parler à qui que ce soit, parce que depuis la mobilisation, tout ce qui se disait lui faisait mal, mais désormais tout avait changé, tout ici était si différent que l'on aurait presque dit une autre planète, sans Boches, sans tristesse, sans séparations, sans restrictions, ici ma petite sœur pouvait de nouveau accepter de vivre.

Lorsque je suis venu pour le déjeuner, les Massia ont proposé à Marline :

— Fais-lui donc le tour du propriétaire !

Marline était fière, elle m'a emmené derrière la maison, jusqu'à une autre maison plus modeste encore, dans laquelle une femme vêtue d'une longue robe brodée comme celle de Yasmine pilait des amandes. Elle s'appelait Djaouida, elle a ouvert grands les bras en souriant, a appelé « Youssef, Youssef, dépêche-toi ! » avec un accent très prononcé et un garçon qui devait avoir un an de moins que moi a surgi d'une pièce sur le côté, avec le même sourire que sa mère, large, éclatant, le même sourire que celui de madame Massia, il fallait croire que tout le monde s'était donné le mot chez eux !

Youssef m'a serré la main, puis il a proposé à Marline que l'on joue ensemble aux dominos après le repas.

La table était couverte de plats comme chez mon parrain. Il y avait de la semoule, de la viande dorée, monsieur Massia m'a tendu des petites boules noires, fripées, « Goûte-moi ça ! », et il a fait un clin d'œil à Marline. J'ai attrapé une des boules, j'étais méfiant, je l'ai posée dans ma bouche en grimaçant parce que je respirais une odeur bizarre, inconnue, Marline a éclaté de rire, alors j'ai pensé qu'ils m'avaient bien attrapé, j'étais vexé comme tout, j'ai lancé la boule par terre en fulminant, « Des crottes de bique, merci bien ! », maintenant Marline se tordait sur les genoux de madame Massia qui riait tout autant, « Voyons, Joseph, ce sont des olives ! », moi je ne trouvais pas ça drôle du tout, mais je me suis retenu de répondre pour ne pas être impoli.

Le soir, rentré chez mon parrain, j'ai repensé aux crottes de bique – ces olives que j'avais finalement appréciées. Ça m'a fait de la peine de constater que j'avais perdu mon légendaire sens de l'humour – pour reprendre l'expression de maman –, mais à vrai dire j'avais perdu quelque chose de bien plus large, bien plus grand, bien plus précieux, comment faire pour se sentir heureux avec une balle logée en plein cœur. Marline était trop petite pour comprendre ce cadeau empoisonné, une nouvelle vie contre la vie de maman, parce que le contrat c'était ça et rien d'autre, et ces mots entendus dans la bouche de ma marraine, « bientôt orphelins », ne me quittaient pas l'esprit.

Je ne lui en voulais pas. Une partie de moi était sincèrement contente qu'elle ait atterri dans cette famille où tout le monde plaisantait, où elle avait le droit de jouer après l'école avec Youssef, accroupie dans la poussière en mangeant des oranges et bientôt appelée pour dîner par madame Massia qui l'enveloppait de câlins, lui faisait disparaître la tête dans son énorme poitrine et l'inondait d'eau de fleur d'oranger sans jamais la gronder, tant pis si sa robe était déchirée, madame Massia la recousait, tant pis si Marline s'était tachée en caressant Balek[1], son chevreau qu'elle avait nommé ainsi parce que c'était le premier mot qu'elle avait entendu dans les rues d'Alger, crié par les porteurs de café ou les garçons juchés sur leurs ânes, madame Massia ferait sa lessive en chantant, exactement comme le faisait maman.

Moi, je veillais à rester bien propre, ma marraine passait en revue ma tenue chaque matin, examinait mes mains pour vérifier que mes ongles étaient nets et si ce n'était pas le cas, elle me renvoyait faire ma toilette. Je ne jouais pas non plus avec les enfants de Yasmine : mon parrain avait défendu que je « traîne avec les petits bicots ». Les premiers temps, je croyais qu'il faisait allusion à *Bicot Bicotin*, cette bande dessinée qui avait pour héros un sacré garnement. Je trouvais ça drôle, je pensais qu'il voulait me mettre en garde de ne pas fréquenter les mauvais élèves, les fainéants, les fauteurs de trouble, et ça me plaisait bien qu'il utilise ce surnom, ça me rappelait Albert qui possédait la série entière des *Bicot* depuis *Bicot président de club* jusqu'à *Bicot achète une auto*. Mais un jour, j'avais demandé à ma marraine si ses fils

---

1. Balek : « Attention ! ».

avaient aimé lire *Bicot Bicotin* et elle m'avait dévisagé avec des yeux ronds, elle ne voyait même pas de quoi ou de qui il s'agissait. J'avais découvert que le terme « bicot », dans la bouche de parrain, de marraine et de beaucoup d'autres gens, désignait en fait les Arabes, c'était un mot méchant et méprisant qui signifiait qu'ils ne valaient pas mieux qu'une pauvre bique sans cervelle ou qu'ils bêlaient au lieu de parler. Je trouvais ça stupide et cruel, même si je voyais bien que mon parrain et ma marraine n'avaient jamais vraiment réfléchi à tout ça : employer ce mot, c'était leur manière de montrer qu'ils étaient plus importants et respectables que les Algériens. Ils me rappelaient certaines clientes de maman, lorsqu'elle travaillait encore au Printemps, des femmes qui la traitaient de haut simplement parce qu'elle était de l'autre côté du comptoir et qu'elle ne pouvait pas s'offrir ce qu'elle vendait.

Albert m'avait expliqué il y a bien longtemps que c'était ainsi depuis que le monde était monde, une partie des hommes marchait sur les autres pour se sentir plus grands, et parfois cela prenait d'horribles proportions, comme pour les Noirs au Havre, c'était toujours eux qu'on envoyait déminer, à croire que la mort était moins grave lorsqu'on avait la peau foncée, et en Amérique c'était pire, ils n'avaient même pas le droit de prendre l'autobus avec les Blancs.

J'avais surtout de la peine pour Yasmine, qui était si gentille, et pour ses enfants qui ne bêlaient pas, mais s'amusaient drôlement. Un peu pour moi aussi, parce que je m'ennuyais beaucoup à les regarder sans pouvoir participer. À cause de cette interdiction, et parce que j'étais le plus âgé des évacués, j'étais presque toujours seul lorsque je n'étais pas à l'école. C'est peut-être pour cette raison que je ne m'ôtais pas maman de la tête. Je m'entraînais même à me souvenir de chaque trait de son visage, de ses mains, de ses robes, de ses manteaux, de cette manière de se balancer sur le fauteuil en s'appuyant sur le mur de la pointe du pied qui faisait enrager tante Émélie. D'une certaine façon, cela me convenait : je trouvais naturel que Marline et les autres enfants jouent, profitent du bon temps, pensent de plus en plus rarement à leur pays ou à leurs parents, mais moi, cela m'aurait embarrassé d'être heureux, j'aurais eu l'impression de trahir ma mère qui souffrait au sanatorium, si bien qu'involontairement mon parrain et ma marraine me rendaient service en étant si peu affectueux. Je pouvais rester concentré sur maman et lui conserver cent pour cent de mon amour. Le soir, je la priais en silence, « Guéris, maman, guéris s'il te plaît », tout en sachant très bien ce qu'il en était, ce qui se produirait inévitablement – elle allait mourir, c'était une question de semaines, peut-être de jours. Je m'exerçais en imaginant l'annonce de son décès – « Mon pauvre Joseph, sois fort, ta maman est morte » –, espérant m'endurcir.

J'ignorais qu'il faut traverser ce genre d'événement tragique – la perte de ce que l'on a de plus précieux au monde –, pour mesurer ce que le corps et l'âme ressentent, ce trou indescriptible au milieu de soi-même.

J'ignorais que lorsque cela arrive, il ne reste plus qu'à constater combien les efforts pour s'y préparer ont été inutiles.

Désormais, je le sais : le 2 janvier de cette année 42, dans la matinée, monsieur et madame Massia, accompagnés de Marline, se sont présentés chez mon parrain et ma marraine qu'ils ont salués d'un air sombre et entendu. Les quatre adultes nous ont indiqué des coussins face à eux, tandis que Yasmine servait du thé à la menthe. Madame Massia avait les yeux rouges comme les piments du marchand d'épices et la main de Marline s'est nichée dans la mienne, son pouls battant à toute vitesse.

Puis mon parrain a pris la parole et nous a annoncé avec gravité que nous devions rentrer d'urgence en métropole faire nos adieux à notre mère, à sa demande, « avant qu'elle ne s'en aille pour toujours ».

Madame Massia et Marline ont aussitôt éclaté en sanglots. Je ressentais un soulagement étrange, celui d'être fixé pour de bon, qu'on ne me laisse plus cet infime espoir qui était comme une horrible griffe plantée dans mon cerveau, mais aussi celui de penser que j'aurais peut-être la chance d'embrasser maman une dernière fois, de respirer son odeur, de poser ma tête sur son épaule, de lui parler et de la rassurer, de lui dire je n'avais pas oublié mon engagement : je protégerais Marline quoi qu'il advienne, même quand papa serait de retour, et même s'il n'était jamais de retour.

J'aurais la chance de lui demander qu'elle veille sur moi lorsqu'elle serait là-haut, parce que même s'il était évident qu'elle le ferait, j'avais besoin de

l'entendre, or je n'avais pas osé le mentionner lorsque
nous étions encore ensemble – nous faisions semblant de croire alors qu'elle guérirait bientôt.

Je me sentais très malheureux, mais je n'étais pas
dévasté. Peut-être mon entraînement n'avait-il pas été
tout à fait inutile, ou bien c'était simplement ce
nouvel objectif imprévisible, rentrer avant que
maman ne meure, qui me permettait de rassembler
mes forces : j'étais prêt.

Mon parrain a expliqué que nous partirions
d'Alger le 6 janvier avec un groupe d'enfants dont
le retour était programmé depuis longtemps par le
centre Guynemer à bord du *Lamoricière*.

Marline hoquetait, madame Massia s'est levée pour
la prendre dans ses bras et l'embrasser dans des torrents de larmes tandis que monsieur Massia détournait la tête pour dissimuler son émotion.

C'était sûrement très difficile pour eux de devoir
rendre un enfant en qui ils fondaient tant d'espoirs
et qui leur avait été promis pour un an au moins.
Encore plus sachant que notre pauvre mère tenait,
elle, toutes ses promesses en disparaissant moins de
trois mois après l'arrivée de Marline. Entre deux
spasmes, madame Massia gémissait son inquiétude,
c'était bien beau de nous renvoyer en métropole pour
des adieux, mais que deviendrions-nous ensuite ?
Au beau milieu des Boches ! Et qui nous prendrait
en charge puisque de notre père, on n'avait toujours
aucune nouvelle ? Elle s'interrogeait, retournait le
sujet, le disséquait, peut-être y avait-il moyen de nous
faire revenir après les obsèques ?

— Encore faudrait-il que nous acceptions de les reprendre, avait répliqué ma marraine. De qui se moque-t-on ? C'est abuser de notre générosité ! Nous ne sommes pas des valets que l'on commande sur un caprice, en agitant la sonnette !

Madame Massia avait redoublé de hoquets. Ma marraine s'était tue, consciente qu'elle avait employé des termes inappropriés, puis elle avait quitté la pièce d'un pas agacé.

Monsieur Cabrière m'avait tapoté le dos dans un geste paternel :

— Ce sont des circonstances compliquées pour nous tous, Joseph.

Il s'était tourné vers Marline :

— Tu seras bien courageuse, n'est-ce pas ma petite ?

Marline ne lui avait pas répondu. Elle avait baissé les yeux et repris ce regard singulier qu'elle avait eu durant deux ans, jusqu'à notre arrivée ici, avec la même inclinaison de la tête, les mêmes lèvres serrées, comme si on l'avait éteinte – cela m'avait beaucoup attristé.

Les trois jours qui ont suivi, je n'ai pas revu ma sœur. Je les ai passés, à ma façon, avec maman. Je multipliais les prières, la suppliant mentalement de tenir bon. J'imaginais que nous retrouver pourrait provoquer un miracle. Aussi bien, c'était notre absence qui avait aggravé sa maladie : ce que notre départ avait provoqué, notre retour pourrait l'annuler. J'ai compté les heures, l'une après l'autre, en tirant des traits sur mon petit carnet, surtout le soir avant de m'endormir, et enfin, le moment est arrivé de quitter Souma.

Yasmine avait placé dans ma valise un paquet contenant une gourde, des dattes, des oranges et des gâteaux au miel préparés avec soin. Madame Cabrière avait rangé des mouchoirs brodés au milieu de mes chemises et monsieur Cabrière m'avait offert un magnifique porte-plume – ils étaient avares en câlins, mais pas en cadeaux.

Le ciel était couvert et il pleuvait légèrement lorsque le camion des Massia, qui s'étaient proposés de nous conduire à Alger, s'est garé devant la maison. Marline était assise à l'arrière sous la bâche, à côté d'une énorme valise marron menaçant d'éclater et d'un grand panier de toile rempli de fruits et de gourmandises, en comparaison duquel mon paquet paraissait presque ridicule.

Mon parrain, qui avait dû se rendre à la station de recherche, m'avait souhaité bon voyage tôt le matin en me glissant dans la poche des feuilles de menthe fraîche à mâcher sur le bateau en cas de mal de mer. Ma marraine m'a pris dans ses bras et embrassé sur les deux joues. Je la sentais mal à l'aise, pressée d'en finir avec les adieux, alors j'ai vite grimpé dans le camion et je me suis installé à côté de Marline.

— Maman sera bien contente de nous revoir, tu sais ? ai-je lancé en forçant le ton, espérant lui arracher un sourire. Et Lucie !

Mais ma petite sœur est restée muette, les traits fermés. Elle a tourné la tête et j'ai aperçu Balek, enfoncé dans le coin de la plateforme. Je savais que ce serait un crève-cœur pour Marline de le quitter. Bien qu'il ait presque doublé de volume depuis sa naissance, ils étaient demeurés inséparables, ce qui valait à ma sœur quelques remontrances à l'école, où il faisait parfois des apparitions saugrenues. Elle avait dû convaincre madame Massia de l'emmener jusqu'au bateau et encore aujourd'hui, je me demande si ce qui s'est produit ce jour-là tenait du hasard, de l'instinct ou bien d'un lien plus mystérieux entre ces deux-là.

Nous roulions depuis plus d'une demi-heure et nous traversions un vallon lorsque monsieur Massia a prévenu qu'il devait s'arrêter pour satisfaire « un besoin urgent ». Il a garé le camion à l'entrée d'un chemin de terre près duquel il avait repéré de hautes herbes, bien commodes pour échapper aux regards des automobilistes, et s'y est isolé tandis que madame Massia, à l'étroit sur le siège passager, sortait à son tour se dégourdir les jambes dans un grand froissement de robe.

Parfois, je pense que c'est à cet instant précis que nos vies se sont renversées, à cause d'un caillou mal placé, d'un camion mal garé, ou parce qu'une crampe menaçait madame Massia. Au lieu de se poser correctement sur le sol, son pied a glissé sur une pierre, lui tordant la cheville et lui arrachant un hurlement strident. Surpris, Balek a bondi hors de la plateforme et s'est sauvé dans le maquis comme s'il avait le diable à ses trousses. Marline a sauté à son tour et s'est lancée à sa poursuite tandis que par réflexe, je me lançais à la sienne. Madame Massia hurlait à monsieur Massia de nous rattraper, mais il avait un certain retard, quant à moi, il avait suffi d'un instant pour que je perde la trace de Marline : ne distinguant plus qu'un horizon d'arbustes agités par le vent, je suis revenu à mon point de départ.

Monsieur Massia avait déjà établi un plan, traçant deux arcs de cercle qui se rejoignaient et permettraient de couvrir une zone assez importante. Laissant le camion sous la surveillance de madame Massia et munis d'un grand bâton pour sonder les fourrés, nous nous sommes lancés chacun d'un côté. Je tendais l'oreille, cherchant les youyous aigus et joyeux par lesquels ma petite sœur appelait son chevreau, mais les seuls sons qui me parvenaient étaient ceux des moteurs sur la route et quelques chants de chardonnerets. Marline demeurait introuvable.

Après un long moment, monsieur Massia et moi avons dû nous résoudre à rebrousser chemin, espérant qu'elle réapparaîtrait d'elle-même.

Madame Massia était effondrée. Elle suppliait son mari de reprendre les recherches, passait en revue ce qui avait pu se produire de pire, une glissade dans un fossé de ronces, une morsure de serpent, un chat sauvage, un chacal, la piqûre d'un scorpion. Mais à l'écouter, une autre idée me venait en tête. Ma petite sœur avait beau adorer Balek, elle était bien trop craintive et prudente par nature pour s'enfoncer loin de la route, encore plus avec ces scorpions dont on disait ici qu'ils vous tuaient un homme en trois heures, et dont elle faisait des cauchemars.

De toute façon, le maquis s'étendait sur des kilomètres : il était impossible de savoir dans quelle direction chercher. À moins de trouver une centaine d'hommes pour organiser une battue, il n'y avait rien d'autre à faire qu'à attendre. Je commençais à avoir très chaud malgré l'air frais et la pluie régulière. Tout se mélangeait dans ma tête, la colère, mais aussi l'inquiétude, parce que malgré tout, je n'étais sûr de rien, les larmes de madame Massia, le sanatorium, le bateau, Yasmine, Marline, Balek, les scorpions, maman, les secondes, les minutes, les heures.

Soudain monsieur Massia a crié :

— Agullo ! Ça par exemple, tu tombes bien !

Monsieur Agullo possédait une petite entreprise de maçonnerie à Souma. Il était quasiment de la famille des Massia puisqu'il avait épousé la cousine d'une cousine par alliance. En route pour Alger, il avait reconnu leur camion sur le bas-côté et, craignant que l'on ne soit en panne, s'était arrêté pour proposer son aide.

— Hum. La gamine n'a pas dû s'en aller bien loin, a-t-il conclu après avoir écouté l'histoire.

J'ai compris qu'il pensait exactement la même chose que moi. Tous ceux qui connaissaient les Massia savaient combien ils étaient attachés à Marline et combien Marline leur était attachée.

Mais l'heure tournait. Monsieur Massia a consulté sa montre et déclaré qu'il fallait prendre une décision. Le *Lamoricière* ne nous attendrait pas, monsieur Agullo pouvait encore m'emmener jusqu'à Alger où il avait prévu de se rendre pour des achats de fournitures. Ce serait déjà ça, un enfant sur deux à bon port, et puis après tout, il fallait demeurer optimiste, la petite serait peut-être de retour au camion avant même que l'on ait franchi le prochain virage.

— Eh bien, Joseph, qu'en dis-tu ? m'a interrogé monsieur Massia.

Ce que j'en disais ? Je pensais à maman, ses baisers, mes baisers, la chance étourdissante de la revoir, de la faire rire, la possibilité d'une guérison miraculeuse, rentrer au Havre, retrouver Lucie, Jean, retrouver Albert, me cacher avec lui dans son abri de livres, puis aussitôt je pensais à Marline et à ma promesse, la protéger toujours quoi qu'il arrive, je la détestais, elle n'avait qu'à rester là toute seule, la petite teigne, avec sa bique et ses faux parents, et puis non, je l'aimais ma poulote, ma complice, mon acolyte, au bout du compte elle serait peut-être tout ce qu'il me resterait de notre famille. Et si je m'étais trompé dans mon hypothèse ? Si elle s'était bel et bien perdue et qu'à son retour, elle découvrait que je l'avais abandonnée ?

Quand bien même elle aurait joué un vilain tour en se cachant, elle n'avait que huit ans et demi, ce n'était pas juste de lui en vouloir autant.

— Il faut te décider, insistait monsieur Agullo. On ne circule pas facilement en ville, ces jours-ci !

Comme si c'était facile de *se décider* : abandonner Marline ou bien abandonner maman, choisir entre mon devoir de fils et mon devoir de frère – quoique, à la réflexion, protéger Marline était à la fois agir en fils et en frère.

— Je ne partirai pas sans ma sœur.

Les Massia ont échangé un regard soucieux, ils pensaient aux Cabrière à qui il faudrait expliquer cet enchaînement consternant de fautes, monsieur Massia n'avait pas pris ses précautions avant de partir et avait dû faire cet arrêt imprévu, madame Massia s'était montrée faible en emmenant Balek et empotée en sortant du camion. Ils se sentaient irresponsables et stupides, ils n'avaient pas été fichus d'être à la hauteur de cette mission simple, conduire deux gamins à Alger, et encore, peut-être n'avaient-ils pas touché le fond, il se pourrait qu'ils aient tout bonnement perdu l'enfant qui leur avait été confiée, l'enfant qu'ils chérissaient tant. Cela allait bien au-delà des Cabrière, c'était la réponse à l'éternelle question, pourquoi le ventre de madame Massia n'avait jamais fleuri : ils étaient de bons fermiers, mais ne valaient rien en tant que parents.

Monsieur Massia a soupiré bruyamment, comme si son désespoir de ne pas être celui qu'il aurait voulu s'échappait d'un seul coup de son corps. Il a expliqué à monsieur Agullo où se trouvait le point de rendez-vous sur le quai et lui a fait promettre d'avertir les Guynemer du contretemps. Le maçon nous a souhaité bonne chance et a repris sa route.

Nous nous sommes assis tous les trois sur la plateforme du camion. Chacun songeait en silence aux conséquences qu'il devrait bientôt affronter, pressentant que cet incident bouleverserait nos existences.

Environ une demi-heure plus tard (qui nous avait semblé plusieurs siècles), le bêlement caractéristique de Balek a résonné dans le vallon. L'instant suivant, des branches se sont soulevées et Marline est réapparue, les bras griffés, les mèches folles, la robe déchirée d'avoir couru entre les broussailles.

En la voyant ainsi, s'avançant à tout petits pas comme si elle voulait s'assurer de ne pas être revenue trop tôt, j'ai eu la certitude qu'elle n'avait jamais été en danger – sauf peut-être d'être arrachée à cette vie qu'elle avait choisie.

— Essayons tout de même d'y aller, a proposé monsieur Massia. Avec de la chance, ils appareilleront avec retard.

Mais la chance ne semblait pas être de notre côté. Le bateau était loin.

Nous sommes rentrés à Souma vers dix-huit heures. Il a fallu écouter les affreuses remontrances de ma marraine accusant les Massia d'avoir privé maman de son *ultime bonheur, cette malheureuse, cette mourante,* sans se soucier du mal qu'elle me faisait en prononçant ces mots-là. Au fond, j'étais le seul d'entre nous à être réellement puni. Elle pouvait bien les traiter d'incapables, d'inconscients, les Massia se consoleraient ce soir, un peu gênés sans doute de profiter d'une triste situation, comme des gens honnêtes qui trouveraient une sacoche remplie d'argent sans pouvoir joindre le propriétaire – mais réconfortés de savoir Marline de retour près d'eux.

Après leur départ, Yasmine m'a préparé une assiette de mes gâteaux préférés dans la cuisine. Elle me parlait, essayait gentiment de me faire sourire, mais c'était impossible, j'étais déjà assailli par les regrets, le sentiment d'avoir fait le mauvais choix, je pensais à la déception de maman, une déception que rien ne pourrait jamais compenser, puisqu'elle allait mourir.

Il a plu toute la nuit. Je n'ai presque pas dormi, enroulant et déroulant le fil des événements, Balek, l'arrêt, le cri, la disparition, songeant au bateau qui naviguait vers maman, mais sans nous, à ces autres enfants qui auraient la joie, bientôt, de retrouver leurs familles.

Le lendemain, en arrivant à l'école, j'ai aperçu Marline qui sautillait dans la cour de récréation, entourée de ses amies. Cela a achevé de me briser le cœur. Elle s'est arrêtée pour venir à ma rencontre, mais j'ai reculé et je lui ai tourné le dos, sachant pourtant combien cela l'affecterait. C'était plus fort que moi, la voir aussi joyeuse était trop douloureux, je ne m'ôtais pas de l'esprit qu'elle était la principale fautive, elle avait agi délibérément la veille et, malgré tout l'amour que je lui portais, j'ai pensé à ce moment-là que je ne pourrais jamais lui pardonner.

Elle m'a appelé plusieurs fois :

— Joseph !

Je ne lui ai pas répondu. Je suis allé serrer la main de mes camarades de classe et, jusqu'au soir, j'ai agi comme si elle n'existait pas.

Nous avons appris la catastrophe le samedi vers midi. Tout le monde ne parlait plus que de ça, le *Lamoricière* avait fait naufrage la veille, c'était un drame épouvantable, il y avait très peu de survivants, les enfants comptaient parmi les premières victimes.

Les Massia se sont précipités chez nous avec Marline, tout le monde se congratulait, s'embrassait, il n'était soudain plus question d'inconscience ou de responsabilité puisque, de toute évidence, il s'agissait d'une intervention divine : Marline et moi étions des miraculés.

Je les regardais, hébétés de ce coup du sort qui changeait absolument tout dans mon cœur, qui éliminait chacun de mes ressentiments, chacun de mes regrets. Maman mourrait tranquille, car elle apprendrait certainement que nous n'étions pas à bord, que nous étions en sécurité loin de la guerre, loin de la mer. Nous ne la reverrions pas, il me faudrait accepter cette idée, mais après tout je m'y préparais depuis le jour où j'avais quitté Le Havre.

Il nous resterait à accomplir ici ce qu'elle voulait pour nous de toutes ses forces, survivre et grandir.

Le naufrage a occupé les esprits durant des semaines et le mien pour toujours. On lisait parfois dans le journal qu'un corps ou un madrier avait été retrouvé sur une plage à force d'être roulé par les vagues. Marline et moi étions désormais couvés comme des trésors, Balek traité en animal presque sacré et les Massia se félicitaient de tout ce qu'ils s'étaient autrefois reproché, même ma marraine avait changé, j'étais désormais un motif de fierté et elle n'aimait rien tant que me faire asseoir avec ses amies pour raconter à l'infini les détails de notre aventure.

Nous étions les seuls ici à dépendre du centre Guynemer. Les autres enfants réfugiés à Souma étaient inscrits sur les registres de la Ligue des familles nombreuses, quant à nos camarades du voyage aller, ils avaient été envoyés dans d'autres villes algériennes, mais il n'y avait aucune raison de penser qu'ils aient été à bord du *Lamoricière*, tous étant engagés pour un an. C'était mieux ainsi, les disparus n'avaient ni nom ni visage, je me sentais un peu moins coupable d'avoir survécu – même si j'avais été anéanti d'apprendre qu'un adolescent avait embarqué au dernier moment, profitant de nos places laissées libres.

Les pluies ont bientôt cessé, comme si le ciel savait que la terre avait assez bu pour les prochaines récoltes. Les jours se sont succédé, je pensais toujours à maman, était-elle morte une nuit, un matin ? Son corps avait-il été brûlé ? Avait-elle confié une lettre, un objet, des instructions ? Les autres enfants recevaient parfois une carte par l'intermédiaire de la Croix-Rouge sur laquelle il était généralement écrit « Nous sommes en bonne santé, nous pensons à vous », ou bien « De bons baisers de la famille », mais pour Marline et moi, il n'y avait jamais rien. Après deux mois, il a bien fallu nous rendre à l'évidence. Maman était morte, mais sans doute aussi tante Émélie, oncle Joffre et nos cousins qui ne nous auraient jamais laissés si longtemps sans nouvelles s'ils avaient été en vie. Nous avions peu d'informations sur ce qu'il se passait en zone occupée, mais nous savions que la Normandie était toujours en proie à d'horribles bombardements, d'ailleurs les enfants continuaient à arriver par centaines depuis Le Havre,

Brest ou Saint-Nazaire, ici en Algérie et même en Tunisie, m'avait dit mon parrain.

Je faisais des cauchemars dans lesquels je courais au milieu d'un champ de ruines, puis je me réveillais et j'essayais de diriger mon esprit vers papa, puisqu'il était peut-être le seul de toute notre famille à être encore vivant. Je m'accrochais par la pensée au col de son uniforme, je lui promettais d'être fort à condition qu'il le soit aussi, je remplaçais en quelque sorte l'image de maman par celle de papa. Ce n'était pas facile, parce que papa, je ne l'avais pas vu depuis plus de deux ans et il était déjà le roi des absents bien avant la guerre, alors je n'avais pas beaucoup de souvenirs à exploiter, mais ça valait le coup d'essayer, il serait peut-être libéré plus tôt, maintenant que maman était morte, puisqu'il faudrait bien nous renvoyer à quelqu'un à la fin du séjour.

J'y pensais souvent, à cette fin du séjour. Moi qui n'avais eu que ça en tête pendant des mois, je n'étais plus sûr de vouloir rentrer. Le printemps avait apporté la chaleur, les fruits frais à profusion, nèfles juteuses, oranges, citrons doux, clémentines, mandarines et grenades, en attendant les raisins qui viendraient avec le soleil de l'été. Les fleurs colorées couvraient les murs et les jardins, mélangeant leurs parfums. En fin de journée, le village s'animait, les cafés s'emplissaient de gens aux conversations bouillonnantes, on y buvait de la limonade en mangeant des olives et des fèves au cumin. J'aimais m'asseoir seul au pied d'un olivier, écouter le son des pions métalliques frapper les damiers, observer les meskines, jambes nues sous leurs tuniques trouées qui demandaient inlassablement l'aumône, respirer l'odeur d'encens et de piments séchés qui s'échappait de l'épicerie voisine. J'écrivais sur mon carnet de notes : « Pourquoi revenir si personne ne nous attend ? »

Mon parrain et ma marraine n'avaient toujours reçu aucune indication nous concernant. À leur demande, le représentant de la Ligue avait déposé dans la boîte du bureau Guynemer, à Alger, une lettre dans laquelle ils offraient, ainsi que les Massia, de nous garder au moins jusqu'à l'automne, puisque, après tout, c'était prévu ainsi à l'origine. Personne n'avait jugé bon de leur répondre, sans qu'ils en soient surpris : tout le monde savait que le centre avait d'autres priorités, surtout depuis que le conflit s'étendait en Afrique, si bien qu'il était évident que leur proposition avait été acceptée avec soulagement.

Le temps passant, ma marraine s'était piquée de parfaire mon éducation. Elle me fournissait des livres et faisait venir une fois le mois un précepteur à la maison pour m'aider à rattraper mon retard. Ce n'était pas facile : l'année passée, nous avions été trop peu en classe à cause du manque d'écoles et de l'absence des maîtres, cette année, en Algérie, nous étions trop nombreux, les réfugiés avaient doublé les effectifs de l'unique classe et la maîtresse, contrainte d'accepter des enfants de tous âges, peinait à suivre les programmes.

Sans la guerre, j'aurais déjà obtenu mon certificat d'études. J'allais avoir quatorze ans en juillet, cette fois, c'était devenu plus qu'un objectif, mon seul espoir, avec ce certificat, je pourrais un jour devenir journaliste, écrire la déchirure, je raconterais au monde la vérité sur nous, les enfants, nous qui étions trop fiers, nous qui aimions trop nos mères pour pleurer, nous qui respections trop nos pères pour les affronter, nous avions eu si mal en les quittant, nous ne voulions pas être protégés, nous préférions mourir dans leurs bras plutôt que vivre sans eux.

La vérité, c'est que nous étions bien plus forts qu'ils ne le croyaient, bien plus forts qu'eux, et c'était à nous de les protéger.

J'ai réussi avec les honneurs, sans être tout à fait joyeux, à cause de maman qui n'aurait jamais le bonheur de l'apprendre, mais tout de même assez pour recevoir avec jubilation les félicitations de ma marraine, mon parrain et surtout celles de Marline.

Ma petite sœur avait fêté ses neuf ans au mois de mars, ses jambes avaient grandi d'un coup, comme si le fait de demeurer en Algérie et surtout le naufrage, qui nous avait réunis au moment où je pensais ne plus pouvoir l'aimer, avaient libéré son corps de brides invisibles. La voir rire, jouer, chanter à nouveau me rendait l'existence plus supportable, presque agréable. Chaque semaine, l'un de nous passait l'après-midi dans la famille de l'autre. Marline avait réussi à attendrir ma marraine qui lui offrait de jolis vêtements et regrettait visiblement, même si elle ne l'avouerait jamais, d'avoir mal évalué son supposé handicap.

— Quel dommage, avait-elle confié un jour à une amie en visite, sans se préoccuper de ma présence ni de l'absurdité de sa remarque. Cette pauvre petite aurait été bien mieux chez nous.

Ma marraine, sans être une mauvaise femme, ne savait regarder le monde qu'à travers ses yeux. Il lui avait échappé que Marline adorait monsieur et madame Massia et que ceux-ci le lui rendaient bien. Monsieur Massia emmenait souvent ma petite sœur traire les chèvres ou parcourir les vergers, lui montrait chaque arbre, chaque bête, comme s'il voulait la préparer à l'idée que cela lui appartiendrait un jour. Madame Cabrière avait deux fils et un filleul, mais les Massia avaient un enfant.

Cela m'inquiétait. J'étais assez grand pour savoir que l'administration décidait du sort des mineurs et encore plus s'ils étaient orphelins. Je me taisais pour ne pas affoler Marline, mais j'appréhendais la décision du centre Guynemer qui ne manquerait pas, cette fois, d'arriver à l'automne. J'avais lavé soigneusement un caillou blanchi par le soleil, sur une face j'avais noté P, pour le cas où papa aurait été libéré et que nous soyons renvoyés au Havre, sur l'autre A, pour le cas où nous resterions en Algérie, soit parce que papa serait toujours quelque part en Prusse-Orientale, soit parce qu'il serait mort lui aussi, ou même parce que les Boches auraient détruit entièrement la ville à force de la bombarder.

J'avais lancé une première fois mon caillou le jour de la fête nationale, alors que le village était décoré de guirlandes et que les danseurs tournaient comme des papillons sur la place. Il était tombé sur le A. Je l'avais lancé une deuxième fois pour éliminer le hasard, mais il était tombé sur le P. Je l'avais encore lancé, le A était de nouveau sorti et, depuis ce moment, je n'avais plus cessé de le lancer et le relancer, notant soigneusement les résultats sur mon carnet, m'arrangeant toujours pour trouver une explication qui me convienne, redéfinissant mes propres règles, il fallait opérer une moyenne, je compterais donc à la fin de la semaine, puis à la fin du mois, puis à la fin de l'été.

Le 30 septembre, j'ai arrêté les comptes : trois cent quatre-vingt-douze A l'emportaient sur trois cent quatre-vingt-quatre P. J'ai pensé que c'était sûrement mieux ainsi et qu'il était inutile de défier le destin, puis j'ai jeté le caillou.

Quelque chose avait changé à Souma depuis peu. Malgré la chaleur et des vendanges prometteuses, les gens étaient moins souriants, mon parrain s'enfermait des heures dans son bureau et ma marraine s'agaçait pour un rien. On avait vu des soldats en nombre inhabituel dans la région. Il se disait que l'armée alliée donnait de plus en plus de fil à retordre aux forces de l'Axe et que le ravitaillement avait du mal à passer.

L'envoyé de la Ligue des familles nombreuses, qui devait visiter les enfants à la mi-octobre, ne s'était pas présenté. Nous n'avions toujours aucun message, ni de la Croix-Rouge ni du centre Guynemer, et je recommençais à faire des cauchemars dans lesquels désormais mon parrain venait me tirer du lit avec une valise à la main pour me conduire jusqu'au port d'Alger.

De fait, novembre était déjà bien entamé lorsqu'il m'a réveillé, sombre et excité, les yeux brillants – mais sans valise.

— Joseph, écoute ça !

Les Américains avaient débarqué à Casablanca et Alger.

Alger !

Les Alliés avaient pris le contrôle de la ville, de la région, c'était un revers formidable. Depuis maintenant plus d'un an que je vivais chez lui, je n'avais pas réussi à savoir avec certitude si mon parrain était du côté du Maréchal ou du Général. C'était un homme prudent, qui tenait plus que tout à son poste de directeur et savait laisser croire à chacun de ses interlocuteurs qu'il était de son avis.

Ma marraine, c'était différent. Elle voulait surtout que la guerre s'arrête et retrouver ses fils, mais j'ai bien vu qu'elle se réjouissait de ce débarquement : si ses garçons pouvaient rentrer avec la victoire au bout du fusil, ce serait comme une consécration.

Elle voulait des détails, et mon parrain en avait.

— Il paraît qu'ils ont envoyé un message codé : « Allô Robert ? Franklin arrive. »

Ce soir-là, mon parrain a débouché une bonne bouteille de vin et m'a permis de tremper mes lèvres dans son verre.

— C'est un moment historique, Joseph. Les cartes sont rebattues.

Et comment !

Aussitôt après le débarquement, nous avons su que les Boches avaient envahi la zone libre.

Tout le pays était occupé, toutes les liaisons avec l'Afrique du Nord interrompues.

Il n'y aurait plus ni bateau, ni courrier, ni téléphone.

Pour longtemps, sans doute.

J'ai sorti mon carnet et j'ai écrit en grand sur une page la lettre A.

ÉMÉLIE

Avril 1943

Pendant plus d'un an, je n'ai pensé qu'à cela : le naufrage. Jean me parlait et j'entendais la voix de Joseph. Lucie bouclait ses cheveux et je voyais Marline. J'étais une mauvaise tante qui avait laissé périr ses neveux et une mauvaise mère incapable de trouver en ses propres enfants l'énergie de vivre.

— Ce n'est pas ta faute, maman, répétait Jean. C'est tante Muguette qui les a demandés près d'elle.

Il s'inquiétait de mes absences, j'étais là, mais ailleurs. Je me détachais peu à peu de cette existence faite de destruction, de privation, d'amputation.

— Tu ne comprends pas, Jean.

Pourtant c'était évident. J'étais celle qui avait envoyé les petits au loin pour leur épargner la mort de leur mère, avant de supplier qu'on les fasse revenir pour y assister. J'étais une girouette assassine. Une horrible sœur qui pensait parfois : tout ça, et elle n'est même pas morte. Une menteuse, qui à chaque visite affirmait à Muguette que les nouvelles étaient bonnes.

Au mois de juin, après que Jean l'avait obtenu, je lui avais même affirmé que Joseph avait réussi son certificat d'études. Elle réclamait des lettres, je lui répondais avec assurance qu'il n'y en avait pas, mais que des informations générales étaient affichées par une dame Guynemer dans les bureaux de la Croix-Rouge.

J'ai menti à la perfection jusqu'au débarquement des Alliés en novembre, ensuite, les Boches ont coupé toutes les communications, il n'y avait plus matière à broder.

Je n'étais bonne à rien, je n'avais plus sommeil, plus faim, plus soif, je mangeais juste de quoi tenir debout puisqu'il fallait bien continuer à tromper Muguette et protéger mes propres enfants d'une perte supplémentaire. Dès que le vent se levait, j'allais marcher près de la mer. Je fermais les yeux, j'entendais les hurlements de ceux qui vont mourir, le hurlement des vagues, je sentais mes poumons noyés d'eau. Plus tard, lorsque les alertes retentissaient, il m'arrivait d'espérer qu'une bombe écrase l'école, qu'elle nous fasse tous disparaître et les Boches avec.

Mauvaise mère.

Puis je me remettais à la tâche.

Lucie ne riait plus beaucoup, ne parlait plus beaucoup, elle ne guérissait pas de sa tristesse, mais c'était une bonne petite fille, plus si petite maintenant, bientôt quatorze ans, elle ne voulait pas ajouter à ma culpabilité, alors elle se taisait. Jean faisait de son mieux pour m'aider, prenant souvent mes corvées à son compte. À la fin de l'année, il avait trouvé un emploi le dimanche chez un pâtissier des Halles Centrales et réussissait à troquer de quoi améliorer l'ordinaire avec les clients qui apportaient leurs rations de sucre, de farine ou de chocolat pour réaliser un dessert à l'occasion d'une fête familiale.

Même s'il n'y faisait jamais allusion, je savais qu'il aurait préféré s'engager auprès des Équipes nationales et venir en aide aux victimes des bombardements : il avait accepté cet emploi surtout pour compenser l'égoïsme de son père. Depuis quelque temps, comme s'il ne lui suffisait pas de collaborer avec zèle, Joffre prenait ses aises. Au prétexte qu'il était celui qui avait le plus besoin de forces, il n'hésitait pas à se servir sur les parts des enfants – mais s'isolait lâchement pour manger, incapable d'assumer sa turpitude.

J'avais honte. Honte d'avoir choisi cet homme. Comment avais-je pu être aveugle à ce point ? Il devait y avoir des indices bien avant la guerre et je n'avais rien vu. Par amour, j'avais longtemps espéré qu'il se réveillerait. J'avais trouvé des explications, pensé qu'il était seulement loyal au Maréchal, qu'il lui fallait du temps, qu'il finirait par comprendre qu'il faisait erreur, qu'il marchait sur nos valeurs.

Mais de l'amour, je n'en éprouvais plus. Le naufrage, puis ses tentatives d'expédier Jean et Lucie au loin avaient achevé d'enterrer ce qu'il en restait. Je nous haïssais, lui, moi, le couple que nous formions. Chaque soir, je dormais sur le flanc, dégoûtée par le moindre contact. Parfois, je me mettais à la fenêtre en observant les rayons lumineux de la DCA, le ciel zébré, et je pensais, la guerre éclaire la véritable nature des hommes. Je pensais aux vers de Victor Hugo, « *La vérité est comme le soleil. Elle fait tout voir et ne se laisse pas regarder* ». Je pensais à mon fils, rentré un soir fièrement avec ce recueil au titre de circonstances, *Tas de pierres*, sans doute négocié contre quelque pâtisserie et que je consultais chaque fois que ma peine se faisait trop envahissante, cherchant refuge dans ces mots qui semblaient avoir été écrits pour moi.

Mon fils bouleversant, à qui je demandais pourquoi ce cadeau, ce jour-là, cette année-là, quand rien ne s'obtenait sans combat, même pas un cahier ou un crayon de bois, et qui pour toute réponse m'avait longuement serrée dans ses bras.

Lorsque les fêtes ont approché en cette fin 1942, j'ai annoncé à Jean et Lucie que je rendrais visite à Muguette le jour de Noël. Je préférais être loin de chez nous, ne pas croiser Joffre, ne pas remuer les souvenirs d'une autre vie, et puis je me sentais obligée, c'était le premier Noël depuis la mort des petits, il était impensable de la laisser seule. Jean a préparé un gâteau sans lait et a découpé une part que j'ai emballée dans un joli papier, Lucie a joint une fleur séchée qu'elle conservait près de son lit.

Ils trouvaient judicieux que je me rende là-bas, ainsi ils n'auraient pas à faire semblant d'être heureux. Ils m'ont encouragée, nous savions que ce serait difficile, il faudrait encore une fois se remémorer sans trembler les enfants puisque, à chaque visite, elle ne parlait que d'eux et plus encore lorsque la date ou la période était symbolique, la rentrée des classes, la fête des mères, leurs anniversaires – alors Noël !

Tout au long de l'année, l'état de ma sœur avait continué de s'améliorer. Elle suivait désormais une simple cure, faite de repos à l'air et si possible au soleil, de promenades dans les bois, de menus travaux de couture et d'une alimentation dont tout le monde aurait rêvé en ville. Les tuberculeux en sanatorium recevaient déjà des pâtes, de la confiture, des légumes et des pommes de terre en quantités bien supérieures à ce qui était prévu dans leur catégorie, mais ils avaient en plus obtenu au mois de mars précédent la carte T des travailleurs, qui leur allouait quarante-cinq grammes de viande et quinze grammes de graisse supplémentaires par jour. Comme si ce n'était pas assez, en novembre, une circulaire leur avait encore attribué un demi-litre de lait par jour et deux œufs par semaine.

— Vois-tu, le Maréchal prend bien soin de ses malades ! s'était réjouie Muguette.

Ce jour de Noël, elle était presque redevenue la Muguette d'autrefois. Presque gaie, presque belle. Elle savourait son cadeau.

— Quel délicieux gâteau. Tu féliciteras Jean pour moi. Je suis sûre que les enfants l'auraient adoré, eux qui sont tellement gourmands !

Alors que je m'apprêtais à partir, elle a évoqué pour la première fois son retour au Havre.

— Dès les premiers beaux jours, qu'en dis-tu ?

J'étais glacée. Je ne voulais pas qu'elle rentre, je ne l'avais même pas envisagé : elle aurait fini par découvrir la vérité. Je voulais qu'elle demeure ici pour toujours, à manger à sa faim, jouer aux cartes, repriser des draps, cueillir des tomates, rêver à ses enfants.

— Le médecin a convenu lui-même que j'étais beaucoup mieux. Sais-tu que je suis une originalité ? Un oiseau rare ! Qui peut prétendre avoir guéri de la tuberculose ? Mon nom a été noté dans les registres, on me citera comme exemple de succès. On m'a ouverte, découpée, recousue, insufflée, eh bien voilà le résultat ! Je ne tousse plus, ma température est parfaite, j'ai pris du poids, regarde mes joues ! Il faut laisser la place à plus malade que moi.

— Pardonne-moi Muguette, tu n'es pas guérie, tu es en rémission, c'est différent. Je t'assure que tu es bien ici. Tu n'imagines pas ce que nous souffrons en ville.

Elle a froncé les sourcils, elle sentait que je ne disais pas tout, nous nous connaissions tellement bien l'une et l'autre.

Elle a cru trouver ce que je lui cachais.

— Tu ne peux pas me loger, n'est-ce pas ? Et personne d'autre ne voudra de moi, sans travail, avec cette affreuse réputation de tubarde.

— C'est exactement ça, ai-je répondu. Les Boches nous l'interdiraient. Or il te faudra bien dormir quelque part. Et puis voudrais-tu abandonner Véra ?

Elles étaient devenues inséparables. Plusieurs fois, j'avais vu la jeune fille accompagner ma sœur, leurs doigts entrecroisés. Plusieurs fois, j'avais remarqué cet étrange mouvement : à mesure que Muguette se redressait, Véra déclinait. Quand tout laissait penser qu'elle était hors de danger, elle s'était remise à tousser du sang.

Ma sœur a accusé le coup. Véra avait pris dans sa vie la place laissée libre par ses enfants et son mari – dont nous n'avions toujours pas le moindre signe et dont elle oubliait même parfois de s'enquérir.

Soudain, elle se sentait responsable.

— Tu as raison. Personne n'a besoin de moi au Havre.

Je suis rentrée à la maison embarrassée de mes manœuvres, mais soulagée d'avoir gagné du temps. L'année 1943 débutait avec de nouvelles restrictions – moins de viande encore, une farine de pois chiche d'un goût douteux, des magasins vides de tout et l'obligation de déclarer les réserves de cidre et de vin –, mais de bonnes nouvelles du front pour nous autres les patriotes : il n'y avait pas qu'en Afrique du Nord que les Boches passaient un sale quart d'heure. À Stalingrad et même à Léningrad, qu'ils avaient pourtant mises à genoux par un siège terrible, ils avaient dû reculer. Il se disait que la guerre pourrait finir avant la fin de l'année, Hitler ayant même déclaré : « Nous n'avons plus de choix qu'entre la victoire et la mort. »

J'avais pensé, eh bien crève donc, vermine !

En attendant, pour nous mettre un peu plus de baume au cœur, au mois de février, nos Boches ont prévenu qu'ils quitteraient l'école avant la mi-mars pour « défendre leur pays ». Et ils l'ont fait, *Auf Wiedersehen* !

Pour célébrer la nouvelle, Jean a rapporté une bouteille d'on ne sait où et en a proposé sans malice un verre à son père qui, ô surprise, l'a accepté. Sans doute les enfants ont-ils plus de mal à imaginer que leur parent ait perdu son âme : je les ai observés buvant ensemble, Jean semblait heureux d'avoir déniché ce cidre autant que du départ des Boches, et peut-être bien aussi de trinquer avec son père, d'ordinaire si distant.

L'école demeurait cependant fermée à la classe. Les occupants avaient averti qu'ils pourraient revenir d'une semaine à l'autre, eux ou d'autres de leurs complices, mais c'était déjà quelque chose de les voir plier bagage, disparaître, de ne plus supporter leurs chants guerriers, leurs démonstrations de gymnastique et leurs claquements de talons, d'être enfin chez nous.

Ce soir-là, je suis sortie dans la cour silencieuse. Elle m'a semblé incroyablement plus vaste qu'autrefois. Je me suis assise sur une marche à côté de Mouke, je l'ai caressé et l'image de nos deux familles déjeunant autrefois dehors, le souvenir des rires aux éclats m'ont brièvement traversée, alors que me revenaient en tête les vers de Victor Hugo.

> *Ce silence du soir,*
> *Ce n'est pas le silence. Écoute ! Tout est noir,*
> *La nuit obscure fait toute chose pareille,*
> *Le ciel verse un repos immense ; pour l'oreille*
> *Tout bruit a cessé. L'âme entend en ce moment*
> *Une foule de voix sortir confusément.*

Nous étions dans notre quatrième année de guerre, que restait-il de nous ?

Moins encore que ce que je croyais.

Lorsque je suis retournée au sanatorium, j'ai trouvé ma sœur anéantie. Véra était morte quelques jours plus tôt, dans de terribles et foudroyants vomissements de sang. Muguette avait assisté à son agonie tandis que, prise de panique, la jeune fille étouffait, les yeux exorbités, hagarde et le front trempé, cernée de blouses blanches impuissantes.

Elle était désespérée, me suppliait de rentrer, refusant de séjourner un jour de plus dans cet endroit où désormais plus rien ne la retenait, où sa seule source de joie venait de s'éteindre.

Comme il était difficile de lui résister, de lui refuser cette consolation ! Hélas, j'en étais sûre, apprendre le sort funeste de ses enfants après avoir assisté à la fin de Véra achèverait ma sœur. Plus que jamais, elle devait demeurer sous la cloche protectrice du sanatorium – et j'avais désormais un argument de poids.

— Véra aussi était en rémission avant de décliner. Revenir en ville serait prendre un risque insensé. Nous en avons déjà parlé : tu n'auras plus un savon correct pour te laver, presque rien à manger, sans doute aucun travail, je ne te donne pas un mois avant que tu rechutes.

Il m'a fallu prendre mon souffle pour terminer :

— Pense à Joseph et Marline. Si tu ne le fais pas pour toi, fais-le pour eux.

Alors elle a eu un regard qui m'a arraché le cœur, qui disait, comment peux-tu être aussi inhumaine, toi, ma propre sœur, et c'est vrai, je devais l'être pour exploiter ainsi l'image de ses enfants, les sachant morts depuis plus d'un an. Je me suis sentie visqueuse, engluée dans la boue infâme de mes mensonges. Malheureuse, aussi.

— Ne te donne pas tout ce mal, va, a lâché Muguette tristement. Tu ne veux pas me loger, tu as peur de la contagion, comme les autres. Et puis tu n'as pas besoin d'une bouche de plus à nourrir. Je comprends.

Si seulement j'avais pu deviner ce qui se produirait.

Combien de fois, pourtant, avais-je répété à Muguette qu'il faut croire aux belles choses pour qu'elles se produisent ?

À quel moment avais-je cessé de le faire moi-même ? Quand avais-je perdu confiance ?

Depuis l'annonce du naufrage, je n'étais plus retournée à Sainte-Marie. Je ne priais plus. Je ne croyais plus ni en Dieu ni au hasard.

Le 24 mars, je me souviendrai toujours de cette date, je peux tout oublier, jusqu'à la date de ma propre naissance, mais celle-ci jamais ne sortira de mon esprit, c'était en fin d'après-midi, j'avais terminé de repasser mon linge et Lucie m'aidait à le plier, la TSF était allumée lorsqu'un homme a annoncé des nouvelles de « nos chers petits expatriés d'Algérie ».

La voix était lointaine, l'homme expliquait qu'un camion radio était installé à Boufarik, décrivait le lieu, un « splendide village dans la plaine immense et magnifique de la Mitidja », prévenait que « nos chers

petits » s'adresseraient un par un à leurs parents dans
une courte phrase, « ouvrez bien vos oreilles ! ».

J'étais pétrifiée, tout en moi voulait se saisir
du poste pour le précipiter contre le mur, ne pas
entendre ces voix d'enfants qui ne seraient pas les
nôtres, mais mes bras, mes jambes refusaient de
bouger et les « chers petits » ont commencé à parler
au micro, l'un après l'autre, Lucie s'était figée à son
tour, un drap moitié plié entre ses mains, des larmes
coulant sur ses joues, « Jacqueline Caron, Gabriel
Carpentier, René Letellier, Monique Lefrançois »,
chacun prononçait quelques mots aussi joyeux et rassurants que déchirants, et c'est alors que nous avons
entendu leurs noms, « Joseph et Marline Mauger
pour leur papa Louis Mauger, c'est à vous ! » clamait
l'homme.

Nos cœurs se sont arrêtés, emmêlés, Lucie a lâché
son drap, c'était bien eux, Joseph s'adressait à son
père, « Cher papa, nous nous portons bien », puis
Marline, un peu raide, la voix changée mais parfaitement reconnaissable, « Nous t'espérons en bonne
santé ».

Déjà, d'autres enfants s'étaient emparés du micro.
J'ai pris instinctivement le bras de Lucie pour vérifier que ce n'était pas une hallucination, mais elle
s'est jetée sur moi en pleurs, elle avait bien entendu,
elle aussi, elle voulait être sûre, elle aussi, nous avions
pu confondre, nous avions sûrement confondu,
aurions-nous pu confondre ?

Marline et Martine, Mauger et Auger, des Louis
Mauger, des Joseph Mauger, il y en avait à la pelle !

Des Marline, déjà moins.

Avec ça, ce timbre fluet, haut perché, cette respiration caractéristique entre les syllabes.

Nous nous sommes assises toutes les deux, il fallait respirer, revenir en arrière, vérifier que nous n'étions pas deux folles, deux folles de malheur – ce que nous étions en vérité –, nous pincer encore et encore, digérer cette information qui en fait en contenait deux : les enfants étaient vivants et Marline parlait.

Lucie a réagi la première, elle est sortie de la maison comme une flèche, a traversé la cour en hurlant, papa, papa ! Joffre est apparu à l'autre bout en haut de l'escalier de la cave, Lucie pleurait maintenant à gros bouillons et moi aussi, Joffre l'a prise dans ses bras, l'a calmée, j'ai marché jusqu'à eux, ils étaient collés l'un à l'autre, j'avais une envie presque irrépressible de me joindre à leur embrassade, et dans les yeux de Joffre, je pouvais lire le même désir contrarié en même temps que la stupeur, mais quelque chose m'a arrêtée, peut-être la crainte encore présente que tout cela ne soit pas réel ou, plus sûrement, ce fossé désormais impossible à combler entre nous.

Parti à la recherche d'orge à griller, Jean est arrivé alors que nous étions encore tous les trois au beau milieu de la cour. Il a chancelé en entendant la nouvelle, puis s'est courbé comme sous l'effet d'un crochet à l'estomac – je crois qu'il se retenait de pleurer avec nous.

Les bureaux étant fermés à cette heure, nous avons dû attendre le matin suivant pour nous rendre à la Croix-Rouge. Aucun de nous quatre n'avait pu fermer l'œil de la nuit. Joffre m'avait interrogée cent fois, qu'avais-je entendu précisément, quels mots avaient été prononcés, comment être sûrs à cent pour cent qu'il s'agissait bien des enfants, tandis que Jean faisait exactement la même chose avec sa sœur. J'avais ressorti les articles concernant le naufrage, relu dix fois la lettre frappée de la cigogne du centre Guynemer, qui présentait ses condoléances, puis celle de Thuriau, maladroite, qui nous disait son désespoir.

À présent, écrasée dans son siège, abasourdie, la femme en charge des évacuations ne pouvait se résoudre à une telle réapparition. Elle secouait la tête, c'est absurde, répétait-elle, aucun petit n'a survécu, il y a des témoins, les enfants ont été les premiers à embarquer, les premiers à être emportés, maudite lame, avec mesdemoiselles Horst et René, les infirmières chargées de les convoyer, paix à leurs âmes, elles qui ont si courageusement donné l'exemple en priant et chantant avec eux, jusqu'au bout, *La Marseillaise* et *Maréchal, nous voilà*.

Elle tapotait du doigt sur le bureau, le regard détourné, cherchait vainement une explication, consultant cent fois ses dossiers, doutant visiblement.

— Ils ont peut-être raté le bateau, a soudain avancé Joffre.

La femme s'est touché le front : « Bon sang ! »

Il régnait un tel chaos après ce naufrage. Il y avait tant de souffrance, tant de pleurs inextinguibles. Des morts sans cadavres, pour la plupart.

Maintenant, la femme s'interrogeait. À cause de cet autre enfant qui n'aurait pas dû monter à bord,

plutôt un jeune homme d'ailleurs, que l'on avait fait
grimper au dernier moment car il y avait de la place,
avaient rapporté ses parents peu après le drame.

Personne ne s'était demandé d'où venait cette
place libre.

La femme avait pâli, elle mesurait au fil des mots la
gravité de la méprise, plus de quatorze mois enfoncés
dans l'horreur, le chagrin incommensurable, mais
enfin, comment aurait-on pu savoir qui était bel et
bien à bord puisque les accompagnatrices elles-mêmes
s'étaient noyées ! Elle bredouillait, s'excusait, après
tout elle n'était pas dans ces bureaux à l'époque
du drame, elle n'était qu'une bénévole comme les
autres, on allait, on venait, on remplaçait un mort,
un déplacé, ce n'était pas simple de faire circuler
les informations, surtout avec l'Algérie, les courriers
étaient rares, et encore, ça c'était avant le débarquement, maintenant plus rien, que voulez-vous, c'est la
guerre.

Plus rien, sauf la radio.

Plus tard, alors que nous approchions de la
maison, une voisine s'est précipitée pour nous dire
combien elle partageait notre bonheur : elle aussi
avait écouté la radio la veille et reconnu nos neveux.
Mais nous étions incapables de lui répondre, incapables de concilier notre joie d'un tel miracle et notre
désolation d'un aussi lourd gâchis.

J'ai pris la décision d'aller chercher Muguette dès
le lendemain. Joffre a approuvé et s'est aussitôt attelé
à fabriquer un lit de fortune qu'il a installé dans la

cuisine, contre le mur – Muguette partagerait la chambre avec moi.

Le médecin a donné son accord pour qu'elle quitte le sanatorium – la guerre profitait à la tuberculose et la liste d'attente gonflait sans cesse, aussi bien de civils que de militaires. Il a seulement exigé qu'elle fournisse de ses nouvelles régulièrement, son cas faisait la fierté du sanatorium, mais un an de rémission n'était pas suffisant pour crier victoire, encore fallait-il qu'elle survive aux rigueurs du Havre en guerre.

Tandis qu'elle préparait sa valise, j'ai tout avoué à ma sœur. L'année passée à lui mentir, ou plutôt à penser lui mentir, puisque tout était plus ou moins vrai, les enfants n'avaient pas pu venir, ils allaient bien, pour le certificat d'études en revanche, je n'en savais rien.

Elle était tellement soulagée de rentrer – ou peut-être était-elle incapable de me détester ? – qu'elle n'a pas songé une seconde à m'en vouloir. À vrai dire, ignorant ce que nous avions enduré ces derniers mois, elle n'avait pas souffert : la douleur en revanche surgissait maintenant. Dans l'autocar, elle a posé sa tête sur mon épaule, quitter le sanatorium, c'était aussi quitter Véra pour de bon, les souvenirs communs, l'amour tendre, la parenthèse imprévisible. Elle était partie du Havre malheureuse et y rentrait avec autant de tristesse, même si les motifs étaient bien différents.

Joffre avait trouvé à ma sœur du travail à la cantine des chantiers Augustin Normand grâce aux chefs cuistots, trois anciens de la Transat qui avaient bien voulu lui faire confiance malgré sa condition. Elle avait été affectée les premiers temps à la pluche, la vaisselle et le service, puis rapidement on l'avait réservée au service parce qu'elle y était réclamée de toutes parts – la trame du chagrin dans ses yeux n'ôtait rien à son charme. Elle rapportait parfois des restes de ragoût, qui ajoutés aux butins de Jean formaient presque des repas de fête. Ensemble, nous évoquions chaque jour Joseph et Marline. Elle essayait de les imaginer en prenant pour modèle Jean et Lucie qui avaient tant grandi, rêvait à la fin de la guerre et à leur rapatriement, mais ne se plaignait pas. Elle se savait pratiquement revenue d'entre les morts et doublement, puisqu'en novembre dernier une bombe avait de nouveau touché l'immeuble où elle habitait autrefois, ravageant son ancien appartement.

Pourtant, je savais que le manque était là. Dès l'instant où elle avait revu mes enfants, l'absence des siens lui était devenue cruelle, surtout à cause de ce blocus infernal des Boches qui interdisait toute correspondance, tout espoir de contact, et semblait éternel. Quel âge auraient-ils lorsqu'elle les retrouverait ?

Comme nous tous, elle se cramponnait à ce bruit qui enflait d'un débarquement imminent de nos Alliés par l'ouest, nourri par ces petits ballons que les avions anglais jetaient depuis quelques jours lestés de café, de thé, de chocolat ou de sacs de riz, comme une indication qu'il fallait garder espoir, quelque chose d'important était sur le point de se produire.

Au début d'avril, ce sentiment s'était précisé, la rumeur disait que la municipalité avait reçu l'ordre de faire évacuer Le Havre et que le maire, n'étant assuré de rien, s'était rendu à Paris pour temporiser. L'atmosphère s'alourdissait en ville, mais je ne m'alarmais pas, depuis trois ans nous avions eu notre lot d'échos sans suite. Et puis évacuer avec quoi ? Il n'y avait plus un wagon ni un camion disponible pour déménager, tous étant réquisitionnés.

Le couperet est tombé le 17 avril. Je l'ai découvert la première en sortant de la maison pour balayer l'entrée de l'école. Un avis à la population était affiché sur les murs – et imprimé dans le journal, pour s'assurer que personne ne le manquerait.

Il ne s'agissait plus du maire ou du gouvernement, cette fois, c'était une décision des Boches !

L'« autorité allemande » prescrivait l'évacuation des enfants de six à quatorze ans sous quinze jours, pour une durée indéterminée et sans aucune exception – et conseillait vivement celle des autres, précisant que les écoles maternelles et primaires seraient fermées.

Tous, sans exception.

J'ai senti le froid me gagner, comprenant subitement que, jusque-là, je ne savais rien des séparations, absolument rien, parce que tout ce que j'avais observé ou vécu n'avait jamais concerné que mes neveux, les enfants de mes connaissances ou de parfaits inconnus.

Jusque-là, il avait été question de choix. Nous avions pu refuser l'offre de monsieur Vevey et les sollicitations régulières de la mairie. J'avais assisté en simple spectatrice à des départs et des retours d'enfants, par centaines, par milliers, chaque année, avec l'exode de 1940, puis les recommandations d'évacuation de 1941 et celles de 1942, vers le Centre, le Sud, vers l'Algérie, la Suisse et bien d'autres lieux encore.

Mais aujourd'hui il s'agissait de ma fille, d'un ordre des Boches et j'étais terrifiée. J'avais soudain la certitude que Jean et Lucie avaient échappé à tout, bombardements, incendies, balles perdues, maladies, seulement parce que nous étions demeurés ensemble. Le spectre du naufrage n'avait pas disparu avec la réapparition de Joseph et Marline : mes neveux étaient en vie, certes, mais d'autres enfants étaient bel et bien morts et leurs parents, condamnés au désespoir !

J'ai couru à la mairie, imploré que l'on nous laisse Lucie, que l'on efface son nom des registres, que l'on falsifie sa date de naissance.

Mais c'était un ordre des Boches.

Kinder, raus[1] !

Partout, on me regardait comme si j'étais folle, on me répondait, pour une fois que les Allemands font quelque chose de bien ! Et bien entendu, Joffre était du même avis.

— Ils ne sont tout de même pas envoyés en camp de travail, ni même en Allemagne, ils vont prendre

---

1. « Les enfants, dehors ! »

un bol d'air à la campagne, m'avait-il répliqué sèchement, alors que je l'adjurais d'intervenir à son tour. Tu devrais te réjouir, Lucie sera à l'abri et Jean a beau avoir quinze ans, je suis d'avis qu'il parte aussi. Si les Boches veulent éloigner les enfants, c'est que nous courons tous un grand danger.

Ma sœur elle-même appuyait ses propos, manifestant pour la première fois une certaine amertume.

— Ce n'est pas comme s'ils étaient expédiés sur un autre continent sans pouvoir revenir, avait-elle soupiré.

— Ah ça, du moment que c'est un ordre des Boches !

Les enfants que leurs parents ne pourraient envoyer d'eux-mêmes chez un proche, à qui l'on promettait en contrepartie de généreuses allocations, seraient placés dans la région, soit en familles d'accueil, soit en camp scolaire – ces centres dont les enfants qui les avaient fréquentés pour de courts séjours étaient revenus pour la plupart déprimés d'ennui, scrofuleux ou pouilleux.

— Ne t'en fais pas maman, je suis grande maintenant. Je saurai me débrouiller, avait tenté de me rassurer Lucie.

Et c'est vrai qu'elle s'était transformée. Sa poitrine avait poussé, sa taille s'était affinée, elle avait quitté l'enfance en quelques mois pour devenir une jeune fille. Mais je demeurais convaincue qu'elle appréhendait l'éloignement au moins autant que moi.

— Je n'ai plus besoin d'un grand frère pour me protéger, avait-elle ajouté fièrement.

Mesurant mon désarroi, Jean avait une fois encore tenu tête à son père et refusé fermement de partir. Joffre avait insisté, puis cédé, sans que je sache si c'était parce que Jean devenait un gaillard et se comportait assez en homme pour mériter ce choix, ou bien parce qu'il était fatigué de se battre avec nous sur ce sujet.

En outre, il n'était même pas certain que Jean et Lucie auraient été assignés au même village, il fallait déplacer des milliers d'enfants quasiment du jour au lendemain, c'était bien trop compliqué de trouver une place à chacun pour tenir compte des fratries.

Le jour du départ, Muguette a tenu à nous accompagner. Les enfants voyageraient en autocar, je ne savais rien de la famille d'accueil réservée à Lucie, seulement qu'elle était installée à Saint-Georges-du-Vièvre, une petite ville de l'Eure à moins d'une centaine de kilomètres.

« Nous connaissons la peine des familles, était-il écrit sur l'avis, nous la partageons. Elles doivent comprendre qu'elles sont en présence de la nécessité, que peut-être ce qui nous semble aujourd'hui pénible nous paraîtra-t-il plus tard une salutaire et raisonnable précaution. »

La ville se vidait de tous ses enfants, elle serait bientôt exsangue, privée de leurs rires, de leurs jeux, de leur appétit de vivre.

Lucie est montée comme autrefois Marline sur les marches du train, se retournant quelques instants en haut du marchepied, elle souriait.

J'ai pensé, comme elle est brave.

Je me suis mordu les joues jusqu'au sang pour ne rien montrer de mon émotion.

Je ne partagerais pas ma peine avec les Boches, ah non, ni avec personne d'autre.

La guerre était une immense vague qui nous portait de creux en crêtes, gare à ceux qui quittaient l'écume, ils seraient envoyés par le fond.

LUCIE

Août 1943

Le trajet était long jusqu'à Saint-Georges-du-Vièvre, mais si beau, serpentant parmi le bocage vallonné. Il avait suffi de vingt kilomètres pour effacer les traces de la guerre, hors quelques panneaux rédigés en allemand. Les pommiers étaient en fleur et l'herbe d'un vert vif éblouissant, presque troublant.

À chacun des arrêts, nous contemplions les familles rassemblées au pied de l'autocar, nos camarades qui les rejoignaient, et nous pensions, bonne pioche, mauvaise pioche. Enfoncés dans leurs sièges, ceux qui n'étaient pas appelés échangeaient des regards anxieux.

Pour moi, c'était une bonne pioche et même plus encore. J'étais si soulagée de quitter Le Havre, sans doute la plus heureuse de notre petit groupe ! Ou plutôt, de quitter les bombardements, la peur collante, les déchirements, les privations, le désarroi de tante Muguette, les regards de plomb entre papa et maman. Je ne rêvais que de ça, m'enfuir. Je préférais être loin, ne plus voir et ne plus savoir : quand on ne voit pas les choses, on peut se persuader qu'elles n'existent pas.

C'était arrivé peu à peu. Au début, je croyais que la guerre finirait vite, que tout s'arrangerait. J'avais confiance, comme papa et tante Muguette : on gagnerait et si l'on perdait, par extraordinaire, le Maréchal nous protégerait. Mais les semaines et les mois ont passé, puis les années, quelles années ! Un collier de mauvais souvenirs. J'ai vu mes amies partir en camp scolaire, puis Joseph et Marline en Algérie, j'aurais tant voulu les accompagner, les uns ou les autres, je les enviais !

Je n'ai rien dit à cause de maman, rien montré, elle m'en aurait terriblement voulu, elle qui plaçait le courage au-dessus de toutes les vertus – sans parler de cet horrible naufrage qui lui aurait donné raison, au moins un temps.

Je ne suis pas courageuse. Ce n'est pas faute de le souhaiter, j'ai imploré Dieu des centaines de fois qu'Il me donne des forces, mais Dieu a d'autres missions à remplir, ce sont les Boches qui ont répondu à mes prières. Évacuation obligatoire, si elle savait, maman, comme mon cœur a bondi en apprenant la nouvelle !

Pour ajouter à mon bonheur, j'étais logée chez les Guérin. Monsieur et madame Guérin avaient une fille de dix-sept ans prénommée Vivienne et belle comme Michèle Morgan, une petite ferme avec des terres, une dizaine de vaches et autant de poules. Dès mon premier repas à Saint-Georges, comme si de rien n'était, madame Guérin avait posé sur la table un fromage blanc. Je salivais rien qu'à le voir, mais je n'avais osé en prendre qu'une cuillère.

Les jours suivants, je m'étais enhardie sous l'œil réjoui de mes bienfaiteurs. Les restrictions étaient officiellement les mêmes partout mais, à la campagne, la plupart des gens se débrouillaient en faisant pousser quelques légumes ou en troquant quelques services, alors lorsqu'on avait la chance, comme eux, de posséder tant de trésors, on ne manquait pas de grand-chose.

Monsieur et madame Guérin parlaient peu. Parfois, ils n'échangeaient pas un seul mot du dîner et l'on n'entendait que le bruit des couverts jusqu'à se lever de table. Ils étaient taiseux par nature, pas comme papa et maman qui ne s'adressaient plus la parole parce qu'ils ne se supportaient plus. Jean disait que papa et maman étaient comme deux pôles magnétiques. Autrefois, ils s'attiraient irrépressiblement mais, depuis la guerre, leur orientation avait changé et maintenant ils se repoussaient. Je leur en voulais, surtout à maman, parce que je voyais bien combien papa était triste, sinon pourquoi se serait-il enfermé à ce point ?

Il ne mangeait plus jamais avec nous, passait son temps à bricoler dans la cave de l'école en nous interdisant de l'approcher et ça c'était bien papa, se cacher des autres lorsqu'il avait du souci. Avant de monter dans l'autocar, j'avais glissé dans sa poche la citation de l'empereur Marc Aurèle, recopiée de sa main, qu'il avait laissée sur notre chevet lorsqu'il était parti pour la mobilisation : « *Que la force me*

*soit donnée de supporter ce qui ne peut être changé et
le courage de changer ce qui peut l'être, mais aussi la
sagesse de distinguer l'un de l'autre. »*

Je n'avais pas trouvé d'autre manière de lui dire que
je l'aimais. Je me sentais coupable : si les Allemands
nous obligeaient à partir, c'est que Le Havre, sûrement, serait bientôt à feu et à sang. Reverrais-je papa,
maman, Muguette et Jean, qui avait bravement choisi
de rester ? Reverrais-je Mouke ?

Papa avait bien raison lorsqu'il disait que le
monde est une roue qui tourne, à peine en haut et
déjà en bas. En bas, Joseph et Marline sont morts,
en haut, ils sont vivants. En haut, papa et maman
s'aiment, en bas, ils se détestent. En haut, les Alliés
débarquent, en bas, les enfants sont expédiés loin de
tout. À moins que ce ne soit l'inverse pour ce dernier
point.

À force, il ne fallait pas s'étonner que nous ayons
mal au cœur.

— Il n'y a ni haut ni bas, avait déclaré Jean.
Seulement un mouvement perpétuel. Rien n'est
bon ni mauvais, tout n'est qu'une question de
circonstances.

Dès le lendemain de mon arrivée, monsieur
Guérin m'a proposé de l'aider. L'école était fermée
à la grande joie des élèves, après tout c'était fichu
pour le certificat d'études cette année encore, alors
qu'aurions-nous gagné à nous entasser sur les bancs ?
J'étais heureuse de m'occuper des vaches, de les
emmener au pré une baguette à la main, de les traire
et d'assister madame Guérin pour la vente. Chaque

jour, nous faisions bouillir deux litres pour notre consommation du soir et du matin, puis préparions du fromage blanc avec trois autres litres avant d'accueillir les clients. J'adorais plonger la louche dans le lait tout juste tiré, encore mousseux, chaud, odorant à s'en étourdir, le servir et remplir les pots de fer sous l'œil défiant de leurs propriétaires, jusqu'à ras bord, sans rien renverser. J'adorais manier l'écumoire, prendre le lait caillé et le déposer avec délicatesse dans les éclisses pour le faire égoutter. Il fallait aussi mettre de côté les réquisitions des Boches, qui étaient une douzaine installés au-dessus de l'épicerie et engloutissaient une bonne part de la production, et tenir les comptes avec précision, surtout quand les clients achetaient par demi-litres, parce que, lorsque le chiffre était impair, on ne pouvait pas couper un centime en deux, et s'ils avaient payé deux centimes la veille, il fallait bien veiller à leur en réclamer trois le jour suivant.

Lorsque je n'étais pas occupée à la ferme, j'accompagnais monsieur Guérin aux champs. Les chevaux ayant été réquisitionnés, il avait dû atteler des vaches, la plupart dociles et vaillantes. Il leur avait appris les commandements, « Dia, huo, hue, ho, en arrière ! », et me permettait de temps en temps de grimper sur leur dos. Une fois par semaine, il en prêtait une à l'épicier qui sans cela devait aller chercher les provisions en gare à plusieurs kilomètres, seulement équipé de sa brouette.

Monsieur Guérin disait qu'il était content que je sois là, que j'étais une assistante précieuse, mais je voyais bien que madame Guérin et lui tenaient surtout à me réconforter. Parfois il me dévisageait apitoyé en secouant la tête et, lorsqu'il cessait, madame Guérin reprenait le même mouvement navré. Ils faisaient de leur mieux pour m'occuper l'esprit et m'éviter de penser à la séparation et à ses conséquences. C'était une responsabilité que leur avait confiée le maire, à eux et à toutes les familles d'accueil, il avait insisté, c'est un service rendu à la nation, ces petits doivent être si malheureux.

Je n'étais pas malheureuse, pas plus que la plupart de mes camarades havrais. Nous étions inquiets, c'est vrai, mais c'était si bon de vivre à nouveau !

L'après-midi, lorsque je n'étais pas aux champs, je me rendais sur la place où se retrouvaient les autres enfants, ceux du village et les évacués, en groupes formés naturellement par âges. Je contemplais inlassablement Vivienne, véritable astre entourée de garçons. Elle se maquillait les yeux et la bouche et marchait souvent sur la pointe des pieds pour faire croire qu'elle portait des talons hauts. Elle bavardait avec assurance, éclatait de rire à tout propos, inclinait la tête avec art, faisait semblant de ne pas remarquer le regard suspendu de ses soupirants. Je me demandais comment monsieur et madame Guérin avaient pu donner naissance à une fille aussi différente d'eux – et à les voir l'observer le soir, la mine concentrée comme s'ils cherchaient à résoudre un problème de mathématiques, il fallait croire qu'ils se posaient la même question.

Vivienne avait prévenu qu'elle irait à Paris aussitôt la guerre terminée. Elle était déterminée à trouver un emploi de vendeuse en grand magasin et lorsque j'avais raconté que tante Muguette travaillait autrefois au Printemps du Havre, elle m'avait soudain regardée d'un œil neuf et assaillie de questions – j'avais vécu mon heure de gloire, en quelque sorte. Tout comme ma tante, Vivienne aimait les robes, les jolies coiffures, les films et les chansons d'amour. Elle avait un peu honte de ses parents, même s'ils étaient enviés et puissants par ces temps de restrictions, mais c'était compliqué, je voyais bien qu'elle avait honte aussi d'avoir honte. C'est certainement la raison pour laquelle elle filait hors de la maison dès qu'elle en avait l'occasion. Elle disparaissait parfois des heures entières et, lorsque je lui demandais de l'accompagner, elle refusait tout net au motif que je n'étais qu'une gamine. Elle m'avait surnommée « la glu », ce n'était pas méchant, elle était même plutôt flattée de mon admiration, mais elle tenait à clarifier les positions de chacune.

Des mois merveilleux se sont écoulés jusqu'au plein été. Moi aussi, il m'arrivait d'avoir honte, lorsque je me surprenais à oublier totalement Le Havre, à éclater de rire, grimpée sur le dos d'une vache ou courant derrière les poules : j'avais le sentiment de trahir les miens. Mais les nouvelles étaient si rares ! Je recevais des cartes postales de temps à autre, sur lesquelles papa et maman écrivaient invariablement qu'ils se portaient bien. Le débarquement se faisant attendre, aucune date de retour n'était avancée.

À vrai dire, c'est Jean qui me manquait le plus. Depuis que papa et maman se faisaient la guerre

dans la guerre, et plus encore, après que nous avions
appris la mort qui n'était pas la mort de Joseph et
Marline, nous nous étions rapprochés. Lorsque j'étais
trop effrayée, il affirmait que nous étions protégés, la
preuve, nous n'avions ni père prisonnier, ni maison
détruite, ni maladie grave comme celle de tante
Muguette, même Mouke avait continué d'échapper
aux prédateurs !

Jean ne croyait pas à l'existence de Dieu (il me
l'avait confié après le Jour des Pommes de Terre),
mais il croyait aux lois statistiques et en tirait
ses propres conclusions, arborant un air perpé-
tuellement dégagé, comme si rien ne méritait de
l'inquiéter. Malgré tout, j'étais convaincue qu'il
avait peur lui aussi, sinon de la mort, au moins de
l'avenir. Pourrait-il poursuivre ses études et devenir
un grand scientifique comme il en rêvait depuis toujours ? Pourrait-il compenser les classes fermées,
les rentrées décalées, les programmes raccourcis, la
censure ? Et quand bien même ce serait le cas, au
profit de qui ? Les Boches avaient réquisitionné
presque tous les laboratoires et interdit les recherches
militaires.

J'avais de la peine pour mon frère. Moi qui
étais bien moins forte que lui, surtout à l'école, je
n'avais pas d'autre projet que celui de vivre et de
me réveiller chaque jour, de voir le soleil se lever sur
la colline en faisant défiler dans ma tête les visages
aimés.

Mais lui ?

J'aurais aimé qu'il profite avec moi des avantages de ce séjour, papa avait raison d'insister pour

qu'il s'inscrive, la vie était tellement plus belle à Saint-Georges, si savoureuse, et pas seulement grâce au beurre et au fromage blanc de madame Guérin. Ici, il y avait des couleurs dans les champs, un ciel presque uniformément bleu, des murs debout, des rues seulement salies par le passage des bêtes. Il n'y avait ni ruines fumantes, ni poussières étouffantes, ni grisaille permanente, ni ambulances hurlantes, seulement la sonnerie de l'angélus qui berçait nos journées. Les cortèges funéraires accompagnaient de vieilles personnes parvenues au bout de leur temps et non des familles écrasées sous les décombres. Nous pouvions dormir sans être réveillés par la DCA – même s'il faut avouer qu'à force, au Havre, il arrivait que l'on n'entende même plus l'alerte, ou qu'on l'entende, mais que l'on préfère rester couchés en pensant, eh bien tant pis, que ça tombe, si l'heure est venue !

Ici, nous ne craignions pas de devoir à tout moment remplir une malle de nos objets les plus précieux et l'attacher à la roue d'un vélo, sur ordre ou par prudence. À peine croisait-on de temps à autre l'escouade des Boches qui se montraient polis, exactement comme Hans autrefois. Le combat se déroulait loin de nous, sauf pour la Résistance et encore, tout ce que nous en savions, c'était que l'horrible inspecteur de la Gestapo, un dénommé Alie, convoquait régulièrement les habitants pour les interroger, madame Duclos, la doctoresse, ou monsieur Deshaye, le coiffeur – pour celui-ci, c'était justement tombé le jour où Vivienne était allée faire sa mèche rouleau sur le dessus de la tête, elle était sortie à moitié terminée et en avait pleuré la nuit entière.

Il fallait pourtant que le rêve s'achève. Dans le courant du mois d'août, un premier groupe d'enfants est reparti au Havre. Les Alliés ne se montrant pas, les Allemands avaient dû se résoudre à autoriser les retours pour calmer les familles en colère, mais aussi pour soulager la municipalité à qui l'évacuation coûtait cher.

Un matin, monsieur et madame Guérin ont pris un air plus sérieux qu'à l'ordinaire : aussitôt mon cœur s'est serré, j'ai pensé voilà, mon tour est venu, je vais retrouver l'humidité des abris, le goût terreux des rutabagas, le café d'orge, les robes trop courtes, râpeuses à force d'être raccommodées, les nuits en morceaux, mais c'était tout le contraire, mes parents avaient donné leur accord pour qu'ils me gardent jusqu'à la fin de l'été !

— N'importe quelle maman préférerait savoir son enfant au bon air de la campagne et loin des bombardements, a ajouté gentiment madame Guérin, pensant me réconforter.

N'importe laquelle, sauf la mienne. Maman avait sûrement lutté avec papa pour me faire revenir, et à la fin papa avait gagné puisque j'étais toujours là, c'était tout ce qui comptait.

Je n'ai pas répondu, je me suis dépêchée de sortir pour déguiser ma joie, madame Guérin aurait pu se figurer que je n'aimais pas mes parents pour être si heureuse de rester, je les aimais pourtant, l'amour n'avait rien à voir avec le besoin de sécurité, mais comment aurait-elle compris, il fallait être havrais pour cela ! Je suis allée marcher dans les champs moissonnés, tête nue en plein soleil, jusqu'à m'en étourdir.

Lorsque je suis revenue, vers midi, madame Guérin était seule dans la cuisine, rouge écarlate. On voyait qu'elle avait beaucoup pleuré, à coup sûr elle imaginait que je m'étais enfuie par déception et je m'en voulais de l'avoir blessée, je me suis précipitée pour lui demander pardon, mais elle m'a caressé les cheveux en reniflant, « Cela n'a rien à voir avec toi, ma petite Lucie, rien à voir », et elle m'a fait signe de la laisser.

Monsieur Guérin semblait s'être volatilisé, tout comme Vivienne, demeurée invisible jusqu'au soir.

Aussitôt, tout a changé à la ferme, sans que je puisse deviner pourquoi. Vivienne ne se rendait plus sur la place du village et les Guérin m'ont demandé de rester près d'elle. Eux qui parlaient déjà si peu étaient devenus presque muets, quant à Vivienne, elle touchait à peine ses repas et maigrissait à vue d'œil.

Quelques jours plus tard, monsieur Guérin, lugubre, m'a avertie qu'ils devraient s'absenter tous les trois pour rendre visite à une cousine fort malade et qu'ils dormiraient sans doute sur place pour s'éviter le trajet de nuit. Il m'a prié de m'occuper des vaches et des poules et ordonné de ne pas quitter la maison.

Alors qu'il terminait la liste de ses recommandations, Vivienne s'est subitement mise à pleurer à gros bouillons. Elle est montée dans notre chambre et a lancé ses vêtements contre les murs, puis les oreillers et tout ce qui lui tombait sous la main, se griffant le visage, s'arrachant de pleines mèches de cheveux, jusqu'à tomber d'un coup sur le lit, comme si elle avait épuisé sa réserve de larmes et de rage.

Je l'avais suivie. Je me suis allongée à ses côtés et j'ai pris sa main dans la mienne en silence. Après quelques hoquets, elle m'a raconté qu'elle avait couché avec le fils du boucher, Félix Mercier – un grand échalas qui ne se prenait pas pour la queue d'une poire. Elle avait pourtant appliqué une méthode réputée infaillible, mais quelque chose n'avait pas fonctionné, maintenant elle était enceinte, sa mère avait découvert son état, puis son père qui était entré dans une colère noire.

Elle avait eu si peur qu'il aille régler son compte à Félix, que les choses tournent mal et que le père de Félix, un sanguin, sorte ses couteaux à viande, qu'elle avait prétendu avoir été violentée par un homme de main d'Alie, qui l'aurait menacée d'exécuter son père si elle se refusait à lui.

Alie et ses hommes, comme tous ceux de la Gestapo, avaient une réputation affreuse. Ils n'avaient encore jamais fusillé personne au village, mais on pouvait être sûrs qu'ils cherchaient la première occasion de le faire.

Monsieur et madame Guérin avaient rapidement conclu : Vivienne devait avorter, et le plus vite possible.

Ce n'était pas une chose facile. C'était interdit par la loi et en temps de guerre, où les dénonciations étaient monnaie d'échange, les avorteuses recherchaient la discrétion. Et comment faire lorsque l'on n'avait jamais avorté soi-même ?

Madame Guérin avait certainement chuchoté à l'oreille d'une personne dont on disait qu'elle connaissait une femme qui en connaissait une autre, qui aurait été avortée. Quoi qu'il en soit, son enquête avait porté ses fruits puisque Vivienne avait été prévenue la veille que *cela* se déroulerait le lendemain.

Elle m'a fait jurer le secret, sur l'avortement, sur Félix qui n'était pas au courant lui-même, j'ai craché deux fois par terre.

Ils sont partis à l'aube et sont rentrés le jour suivant, vers cinq heures de l'après-midi. Monsieur Guérin s'est rendu directement à l'étable où il a constaté que j'avais réussi, seule, à traire les vaches, nettoyer les seaux et arranger la paille, mais il ne m'a pas félicitée, ce qui en disait long sur son humeur.

Madame Guérin a sorti quatre couverts du buffet et lavé une salade, mais Vivienne est montée en murmurant qu'elle n'avait pas faim. Elle semblait exténuée et avait perdu toute sa beauté, comme si on la lui avait aspirée en même temps que le bébé.

Cette nuit-là, tandis qu'elle se retournait sans fin dans son lit en pleurant, j'ai fait d'horribles cauchemars dans lesquels des nourrissons ensanglantés étaient arrachés de mon ventre par des sorcières munies d'énormes tenailles. Au petit matin, Vivienne m'a raconté qu'ils s'étaient rendus dans un village à plus de cinquante kilomètres de là, chez une veuve qui l'avait fait étendre sur la table de la cuisine. On lui avait écarté les jambes, posé entre les cuisses un instrument barbare appelé speculum, avant d'introduire dans son ventre au moyen d'une poire et d'une canule un liquide dont elle ignorait de quoi il s'agissait, mais qui lui avait donné des crampes épouvantables jusqu'à ce qu'elle expulse le fœtus.

Lorsqu'elle avait prononcé ces mots-là, « expulser », « fœtus », j'avais été prise d'une nausée épouvantable.

— C'était un petit garçon, avait murmuré Vivienne avant de s'enfouir le visage dans son oreiller.

Elle était horriblement triste et le pire, c'est qu'on voyait bien qu'elle n'avait pas prévu de l'être à ce point.

Les jours suivants n'ont rien amélioré, à cause des allusions de monsieur Guérin sur le coût de la guerre, or il n'était pas question du prix du pain ni de celui du foin, mais des six mille francs qu'il avait dû verser à la faiseuse d'anges et surtout du reste, qui n'avait pas de prix. Je n'étais pas censée comprendre, il parlait à demi-mots, ce qui revenait, pour un taiseux de sa sorte, à lâcher de temps en temps un chiffre ou un regard, et tout était dit, son humiliation, son honneur piétiné, sa douleur de voir sa fille souffrir sans pouvoir la défendre sous peine d'y laisser la vie – de son point de vue, c'était peut-être ça le pire, il était un père incapable d'avoir su protéger son plus grand trésor, incapable de l'avoir vengé.

Vivienne pleurait sur son enfant perdu, monsieur Guérin sur sa dignité perdue, madame Guérin sur sa fille perdue, et moi je pleurais sur eux trois.

Quelques jours plus tard, monsieur et madame Guérin m'ont annoncé que j'allais pouvoir rentrer au Havre et, cette fois, je n'ai pas feint mon soulagement : la vie ici était devenue sinistre et le soleil n'y pouvait rien, je préférais affronter le danger et la faim plutôt qu'un tel chagrin.

Ils avaient prévenu la mairie qu'ils ne pouvaient plus me garder, au prétexte que madame Guérin était trop fatiguée. Vivienne m'a expliqué qu'ils craignaient que je découvre leur secret et que je commette une imprudence : l'an passé, un procès pour avortement avait conduit les parents et la jeune fille en prison pour plusieurs mois – et l'avorteuse, pour plusieurs années.

J'ai demandé à Vivienne si elle comptait dire la vérité à Félix, mais elle a haussé les épaules, Félix s'était engagé comme travailleur volontaire et ne reviendrait pas avant longtemps, peut-être avait-il deviné au comportement de Vivienne que le vent tournait à l'orage.

Pour la consoler, je lui ai proposé de nous rendre visite dès que la guerre serait terminée, je lui présenterais tante Muguette, peut-être pourrait-elle lui ouvrir certaines portes, si le Printemps rouvrait les siennes ?

La chaleur de l'été était à son comble, le ciel n'avait jamais été si beau, traversé des cris des oiseaux assoiffés. J'ai embrassé les Guérin de tout mon cœur et nous nous sommes juré de nous revoir

– même si nous savions, les uns et les autres, que je retournais dans la zone de combat, alors rien n'était sûr.

Une fois encore, la guerre m'apprenait à être triste et heureuse au même moment. La guerre ou plutôt la vie : car quoi qu'en pensent les Guérin, les Boches n'avaient rien à voir avec tout cela.

JOFFRE

Juin 1944

Lorsque Lucie a été évacuée à Saint-Georges, je croyais sincèrement la mettre à l'abri. Je pensais comme beaucoup : si les Allemands éloignent les gosses, c'est qu'ils prévoient l'apocalypse.

Je craignais le pire pour Jean et Anton, pour Émélie et Muguette, pour moi aussi et, dans le même temps, je l'espérais, cette apocalypse, que l'on en finisse, qu'on fasse taire le nabot criminel.

Rien ne s'est produit, encore une fois, tout cela ce n'était que du vent, du vide, de quoi nous rendre fous. Durant des semaines, puis des mois, les rumeurs autour des Alliés ont perduré, débarqueront, débarqueront pas, mais rien n'a vraiment bougé. Nous nous sommes un peu consolés en apprenant le ralliement de la Martinique aux forces libres et surtout les progrès des Alliés en Sicile, puis en Italie avec la chute de Mussolini. Il y a eu aussi le coup d'éclat de Basset, au 14 Juillet, qui a déroulé un oriflamme bleu blanc rouge sur l'hôtel de ville devant quatre mille

Havrais enthousiastes, et celui de Paumier, au même moment, pavoisant au Rond-Point. Tous deux arrêtés bien vite, mais au moins avaient-ils apporté un peu de réconfort à la population.

À part ça, une ville lasse, se hérissant sans cesse de nouvelles défenses, dans l'attente du grand jour qui persistait à reculer.

À la fin août, le littoral avait été complètement évacué, des murs de béton élevés en bordure des boulevards, des dizaines de blockhaus et bunkers édifiés, notre belle plage couverte de barbelés, de tours camouflées, d'édifices de combat en tout genre. Des canons pointaient à tous les carrefours, les rues étaient truffées de chevaux de frise, obligeant les passants hébétés à des itinéraires compliqués. Il y avait de quoi être perdu, sans parler des trompe-l'œil, de véritables décors de cinéma plus vrais que nature, comme ces fers peints à la manière de clôtures de bois ou cette casemate maquillée à la perfection en café-hôtel.

Ils pouvaient être fiers, les Boches : ils avaient transformé Le Havre en prison, mais avec une certaine allure. Port fermé, ville fermée, peuple enfermé, pour certains dedans, pour d'autres dehors. Le quartier Saint-François, saigné de ses habitants depuis plus d'un an et dans lequel je m'étais rendu au prétexte de visiter le serrurier, seul autorisé à y travailler en journée, était envahi d'herbes sauvages, orties, menthe, salicaires, des plantes hardies sortant du sol et éventrant les murs tandis que les volets, les portes, les fenêtres claquaient dans le vent, vaincues par l'abandon et par l'humidité.

Chacun poursuivait son chemin dans cette étrange et déprimante atmosphère de menace permanente et néanmoins sans véritable effet – quelques vagues alertes et une poignée de bombes, loin de ce que nous avions connu les années précédentes.

Nous étions passés de la peur au découragement, puis à l'usure, suspendus, sans projet ni aspiration.

Je rendais visite à Anton trois ou quatre fois par jour. Cela me crevait le cœur de voir le gamin rétrécir à force de vivre dans l'obscurité. Par instants, j'avais envie de tout révéler à Émélie, de trouver un arrangement pour le sortir de cette cave et me sortir par la même occasion des mensonges qui nous avaient séparés. Mais je renonçais à chaque fois, par peur des conséquences pour ma famille si son existence s'ébruitait. Je n'avais pas tenu un tel secret aussi longtemps pour le rompre au pire moment, alors que, d'un côté, la délation n'était jamais allée aussi bon train, mais que, de l'autre, les conditions pour le conserver n'avaient jamais été si favorables.

Le départ des Boches et l'arrivée de Muguette me laissaient le champ libre : personne n'avait plus aucune raison de s'aventurer de l'autre côté de la cour et de descendre sous le bâtiment. Dormant dans la cuisine, j'allais et venais plus facilement qu'autrefois et peu à peu, j'avais tanné le sol de la cave, agrandi l'espace jusqu'à aménager à l'enfant de quoi s'allonger en entier. Hélas, il demeurait éternellement voûté, comme si le poids de sa tristesse l'empêchait de se relever. Pour faire obstacle aux poussières, j'avais monté des planches et cloué des sacs de charbon que j'avais découpés, nettoyés, en vain, les particules s'infiltraient partout, l'air passait faiblement au travers du soupirail et je craignais qu'il ne finisse par tomber malade.

Parfois, je pensais que nous avions fait le mauvais choix, lui de grimper sur mon camion, moi de le garder ici. L'idée me traversait de loin en loin, de part en part, que peut-être mon geste n'avait rien à voir avec Anton, mais plutôt avec moi, avec cette cuisante défaite dont la brûlure ne se calmait pas – peut-être que j'avais seulement trouvé l'occasion d'être un héros puisque je ne l'avais pas du tout été sur le champ de bataille, et peu en résistance. Avais-je sauvé Anton ou l'avais-je enterré ? Aurais-je dû plutôt parier sur la chance, ce jour où je l'avais découvert sur mon camion ? Reprendre le volant, l'emmener hors de la ville, trouver quelqu'un de brave sur les hauteurs ? Mais à la réflexion, qui aurait partagé le peu qu'il avait, tout en risquant sa vie ?

La question me rongeait tandis que je l'observais, replié sur lui-même, immobile. Ce silence qui lui était imposé, ce n'était pas juste pour un poulot de cet âge, ne faire aucun bruit, se taire toujours, sauf à chuchoter et encore le moins possible, ne pas rire, ne pas en chercher l'occasion. Je lui avais donné un plumier, un cahier et quelques manuels scolaires, taraudé par l'instruction qui lui ferait défaut – même si la classe était régulièrement suspendue et le retard accumulé pour les autres aussi –, mais il s'en servait peu, lire et écrire dans cette semi-pénombre était presque impossible, tout comme apprendre sans personne pour vous expliquer ou vous encourager.

Pour se distraire, il jouait aux osselets, et lorsque je pouvais passer un peu de temps auprès de lui, nous faisions une partie d'échecs sur un plateau dessiné à même le sol. J'avais glané des bigorneaux en guise de pions, des couteaux pour les cavaliers, des patelles pour les tours, des pétoncles pour les fous, des turitelles pour les dames et des crabes enragés pour les rois – de sorte qu'en cas d'urgence je pouvais tout balayer dans un coin. C'était le seul moment où je le voyais sourire, lorsqu'il gagnait aux échecs – et il gagnait presque toujours, il avait été à bonne école.

Souvent, il me fixait de ses yeux sombres, de son regard sérieux qui me désarçonnait, le regard d'un vieillard dans le corps d'un enfant, je sentais qu'il attendait des nouvelles de son père et ça me déchirait de ne pouvoir lui en offrir, parce que je n'en avais aucune, bien sûr. Tout ce que je savais, c'est que les choses n'avaient fait que s'aggraver concernant les Juifs depuis cette maudite fin d'année 1942 où un navire avait quitté Le Havre chargé de mobilier confisqué, donnant un signal effrayant. On disait qu'Hitler les pourchassait partout en Europe, qu'ils étaient déportés par centaines de milliers, tandis qu'ici le Comité ouvrier de secours immédiat distribuait généreusement cent millions aux sinistrés avec de l'argent qui leur avait été entièrement dérobé (paraît-il au moyen d'une amende d'un milliard infligée au titre d'attentats imaginaires, mais comme disaient la plupart des bénéficiaires en brûlant les tracts qui accompagnaient les billets, « Si nous n'acceptons pas, cela filera en Allemagne »).

Lucie est revenue en septembre. Joues pleines, belle mine, presque gênée d'avoir été si bien nourrie et d'avoir vécu si confortablement quand ici les privations, les restrictions, les obligations ne faisaient qu'augmenter – même le papier se raréfiait, à tel point que *Le Petit Havre* prévoyait de changer de format. Elle avait encore grandi, s'était élancée, sans doute son alimentation y était-elle pour quelque chose, mais pas seulement, elle avait perdu cet air enfantin qui l'avait si longtemps caractérisée et ressemblait maintenant à sa mère de manière troublante.

En descendant de l'autocar, elle s'est jetée dans les bras de son frère, s'inquiétant des événements : elle avait laissé une ville occupée mais encore ouverte, elle retrouvait un camp retranché. Le matin même de son arrivée, le journal avait publié un avis de l'Autorité allemande communiquant les consignes à suivre en cas d'« événements militaires » : il y était écrit que les habitants seraient informés de l'ordre d'évacuation au moyen d'un signal au clairon, qu'il faudrait alors quitter la ville dans les cinq heures précisément, munis d'un seul bagage à main, de vivres pour deux jours et d'une couverture. Émélie avait découpé soigneusement l'avis comme il était recommandé de le faire, avec une seule question en tête : Lucie nous serait-elle à nouveau enlevée à peine rentrée, elle, mais aussi son frère et Muguette ? Car cette fois, il était question d'évacuation totale, ce qui signifiait absolument tout le monde, sauf les personnels attachés à la ville et réquisitionnés, dont nous faisions partie, ma femme et moi.

Mais encore une fois, l'évacuation n'a pas eu lieu, pas plus que celle des vieillards et des infirmes, pourtant annoncée peu après. La fin de l'année s'est déroulée à la manière d'un tapis de lassitude sur lequel chacun avançait péniblement, même le temps semblait fatigué et morose, l'hiver s'annonçait doux et pluvieux – et toujours pas le moindre bombardement ni bâtiment allié au large de nos côtes.

L'école étant restée désaffectée dans l'attente d'un hypothétique retour des occupants, j'ai entrepris de la nettoyer de fond en comble, démonté les fourneaux, lavé les sols à grande eau, ôté toute trace de saleté. Plus je briquais, mieux je me sentais, comme si passer et repasser le balai, la serpillière, la brosse sèche ou le chiffon de laine avait un pouvoir curatif. À l'inverse, dès que je m'arrêtais, mes frustrations, ma peine, ma colère ressurgissaient, les images d'Anton accroupi, de ma famille blessée, ma ville dévastée, les allers-retours, les ordres et les contrordres, la convocation de nos jeunes au STO, nos camarades fusillés (courageux Guénot, mort fin décembre le sourire aux lèvres après avoir écrit « Tout gosse, je rêvais du patriote qui tombe devant l'ennemi en criant Vive la France, demain je serai mon héros »), le speaker de Radio-Paris nazi répétant chaque jour que « L'Angleterre, comme Carthage, sera détruite », alors même que les lignes allemandes étaient enfoncées en Ukraine par les Soviétiques – mais pour combien de temps.

Notre existence semblait figée pour toujours dans cette routine absurde. Nous entrions en 1944, notre cinquième année de guerre, et je pensais, cela durera dix ans encore, tant de nations étaient engagées, sur tant de fronts – mais Anton, c'est certain, ne tiendrait pas dix ans dans ce triste isolement.

Émélie et Jean n'étaient guère plus optimistes. Jean avait dû quitter son emploi à la pâtisserie, les restrictions ayant encore augmenté bien que l'on n'eût pas cru cela possible, et le coût de la vie, doublé dans les deux dernières années : il n'y avait quasiment plus de lait ni de beurre, pas beaucoup du reste et, par conséquent, peu de travail et moins de clients. Il enrageait, ne supportait plus d'assister aux réquisitions injustes, comme lorsque les bancs de harengs, après des années d'absence, étaient revenus en surabondance sur la côte au début du mois mais que l'ensemble de la pêche avait été aussitôt envoyé à Paris. Il vomissait le marché noir où l'on voyait des courtiers vendre en secret des haricots secs déclassés, moisis et tachés. Désormais âgé de seize ans, il continuait à étudier aussi assidûment que possible, les cours ayant repris tant bien que mal au lycée, et pestait sans discontinuer, en chœur avec sa mère, contre les Boches qui avaient fait brûler une partie des livres de classe jugés non conformes et lui volaient son avenir.

Au contraire, Lucie et Muguette, plus complices que jamais, semblaient prendre leur parti de la situation. Elles ne se plaignaient plus de rien, trouvaient le moyen de jouer aux cartes et causaient volontiers du moment où Joseph et Marline rentreraient, de la vie qu'elles mèneraient après la guerre, comme si elles ne doutaient absolument pas que celle-ci finirait bientôt, ou peut-être pour se protéger d'une vérité trop effrayante. Après avoir pleuré des mois sur la disparition de son amie, Muguette avait séché ses larmes. Elle répétait que, lorsque l'on a vu la mort vous cueillir dans ses bras, puis renoncer et finalement en cueillir une autre, sa chère Véra, peu importait que le savon soit à la soude caustique et la mayonnaise sans huile et sans œufs, peu importait le froid ou la pluie, il fallait apprendre à aimer vivre, et vivre pour aimer. Aimer qui, c'était une autre question. Ses enfants, sans aucun doute. Elle écoutait la radio quotidiennement, espérant recevoir un second message, écrivait à la mairie, faisait chaque semaine le siège de la Croix-Rouge et du bureau Guynemer pour obtenir des nouvelles, en vain, plus rien ne passait d'un bord à l'autre de la Méditerranée, cependant elle ne se décourageait pas, ne s'alarmait pas. Joseph et Marline lui manquaient terriblement, mais son intuition de mère lui soufflait qu'ils se portaient bien, n'était-ce pas l'essentiel, après tout ?

Souvent, elle caressait le visage de Lucie ou celui de Jean, les scrutait, je voyais bien qu'elle cherchait en eux des indices de ce que Joseph et Marline avaient pu devenir, les transformations physiques qui avaient dû s'opérer, la naissance d'une poitrine ou celle d'une moustache, des contours arrondis devenus anguleux, un nez allongé ou épaissi, elle se préparait, se rassurait ; même si ses yeux ne les reconnaissaient pas du premier coup, assurait-elle, son âme le ferait.

Elle mentionnait beaucoup plus rarement Louis, dont la photo ornait pourtant la commode de la chambre. Je l'avais entendue un jour confier à Émélie qu'elle sentait son cœur sec, s'inquiétant du retour et de la santé de son mari comme on s'acquitte d'une formalité, et qu'elle n'en était pas fière. Elle n'était pas sûre de savoir quoi lui dire lorsqu'elle le retrouverait, ni même d'avoir l'envie de coller son corps contre le sien, ses lèvres contre les siennes, elle s'interrogeait : l'amour conjugal meurt-il lorsque le temps et l'absence s'en mêlent ? Plus de quatre ans, c'était si long ! Peut-être que seul l'amour maternel peut supporter une telle séparation ?

Émélie avait répliqué vivement : « Le temps et l'absence n'ont rien à voir avec l'amour, Muguette, ce qui compte, c'est ce qui le fonde. Parfois il se fonde sur une erreur d'appréciation, on croit aimer une personne, mais on aime un rêve, un désir, un idéal, quelque chose que l'on porte en soi depuis toujours et dont on affuble l'autre qui, souvent, s'y prête volontiers. C'est si flatteur ! Seulement à la première occasion, au premier effort, les masques tombent, l'autre apparaît tel qu'en lui-même, et rarement celui que l'on croyait, l'amour devient alors sans objet, l'amour devient désillusion – hélas lorsque l'on est marié, il faut apprendre à supporter son destin. »

J'avais été brisé par sa réponse, doublement brisé parce que je la soupçonnais d'avoir levé la voix juste assez pour que ses mots me parviennent à coup sûr. J'avais pensé que ni le temps, ni les rêves, ni sa haine ne changeraient jamais ce que j'éprouvais pour elle, je portais un masque, mais je le portais par amour, puisse-t-elle me le pardonner un jour.

Le 28 janvier, quelques jours après que Berlin avait été bombardée et Léningrad libérée par les Soviétiques, un ordre d'expulsion a été publié, concernant cette fois l'ensemble du quartier Perrey jusqu'au boulevard François-Ier, ainsi qu'une immense zone courant le long des communes avoisinantes. Lucie et Muguette ont échangé un regard qui signifiait : les grandes manœuvres commencent.

Peut-être avaient-elles raison finalement ? Les cortèges de charrettes, de voitures à bras, de brouettes ont à nouveau inondé les rues, les gazogènes et les camions ont été réquisitionnés pour transporter le mobilier tandis que, dans les champs bordant la ville, les Boches faisaient abattre les arbres et planter des centaines de pieux, espérant empêcher l'atterrissage des parachutistes.

En février et en mars, ce sont de nouvelles mesures obligatoires d'évacuation des enfants de six à treize ans et des vieillards qui ont été prononcées. Les vieillards, à qui ces sauvages de Boches avaient supprimé leurs cartes d'alimentation pour être sûrs qu'ils ne se soustrairaient pas aux ordres, ont été envoyés pour les plus faibles à Chartres et à Orléans au moyen d'un train sanitaire, et chaque jour, des convois d'enfants s'élançaient vers les terres de la Seine-Inférieure ou de l'Eure-et-Loir. Lorsque l'on croisait l'un de ces groupes aux abords de la gare, il n'était pas rare d'entendre l'un ou l'autre des petits crier courageusement à sa mère « Ne pleure pas maman ! » – la plupart d'entre eux étaient déjà si souvent partis et revenus qu'ils semblaient résignés.

Cette fois, nous n'étions pas concernés, notre fille ayant presque quinze ans. Bien sûr, beaucoup de parents envoyaient aussi, volontairement, leurs plus petits et leurs plus âgés, ou même s'en allaient avec eux, mais du point de vue d'Émélie comme de celui de Jean, c'était strictement inenvisageable, nous devions demeurer soudés, fidèles à notre ville. J'avais cru percevoir une opinion différente dans le regard de Lucie, après tout seuls sa mère et moi étions vraiment contraints de rester du fait de nos fonctions, mais j'avais renoncé à en discuter. C'était une chose de plus que m'avait enlevée cette guerre : l'autorité naturelle du père. Autrefois, il me suffisait d'une parole, d'un regard, d'un geste, tout le monde filait droit, personne ne songeait à contester. Aujourd'hui, il fallait lever la voix, argumenter, batailler, et je n'en avais plus l'énergie. Pire encore, je doutais du bien-fondé de mes décisions, surtout à cause d'Anton qui compliquait tout dans ma tête.

C'était si douloureux de devoir le garder près de moi lors de ces évacuations, alors qu'en toute logique, à onze ans, il aurait dû être mis à l'abri avec les autres gosses. Les jours passant, ma révolte grandissait, je ne pensais plus qu'à lui et à ce qui lui était injustement volé, jusqu'au simple fait de respirer à l'air libre. Je pouvais assister aux trahisons des uns et des autres, accepter que les gens chapardent, fraudent, mentent pour survivre. Je pouvais envisager que l'on perde ses biens, son toit, que l'on meure au nom de son pays, mais je n'admettais pas qu'un être humain, à plus forte raison un gamin, soit menacé pour une affaire de religion. Cela m'obsédait, j'avais le sentiment de perdre la tête, et parfois, en quittant la cave, je frappais les murs de mes poings jusqu'à me couper le souffle, incapable de contrôler ma colère, désespérant de cette guerre qui ne voulait pas terminer et nous étouffait lentement.

C'est au printemps qu'enfin – ou bien hélas, c'est selon – tout s'est accéléré. L'occupant pillant plus que jamais nos vivres, nous étions affamés. Depuis quelques semaines, nous ne trouvions plus ni pommes de terre ni aucun fromage, très peu de pain ou de viande, le beurre était rationné à cinquante grammes par quinzaine, le lait seulement accordé aux enfants jusqu'à trois ans – et encore, limité à un demi-litre pour le mois. Il fallait voir les silhouettes des Havrais, autrefois bedonnants, désormais frêles comme tout, surtout celle de Muguette. Depuis qu'à la cantine où elle travaillait le contrôle s'était renforcé, elle accusait une fatigue grandissante et, un soir, alors qu'elle montait l'escalier, elle s'est écroulée subitement en toussant – on aurait cru qu'elle avait reçu un violent coup de bâton à l'arrière des genoux.

Jean s'est rué sur elle pour la relever. Je l'ai aidé à l'allonger dans le lit tandis que Lucie préparait de la menthe bouillie et qu'Émélie lui baignait le front d'un linge frais. Nous pensions tous à la maladie sans oser en prononcer le nom.

Plus tard, j'ai entendu des conciliabules entre Jean et sa mère, j'ai senti qu'il se tramait quelque chose sans avoir la moindre idée de quoi – et aujourd'hui encore, je me reproche de ne pas les avoir questionnés, même s'il est probable qu'ils n'auraient rien dit : à leurs yeux je demeurais l'ennemi intérieur, l'infâme égoïste piochant dans la part de ses propres enfants.

Le jour suivant, c'était un dimanche, le ciel était bas et le crachin entêtant, Muguette, toujours affaiblie, était demeurée alitée. Profitant qu'Émélie était occupée à nettoyer la maison et les enfants partis rejoindre des camarades en ville haute, je me suis rendu près d'Anton pour une partie d'échecs. J'ignore depuis combien de temps nous jouions, je me souviens seulement qu'enfin j'entrevoyais la possibilité de gagner lorsque le hurlement d'Émélie a résonné dans la cour de l'école. J'ai pensé à Muguette, puis à une visite de la Gestapo, Anton a poussé les pièces le long du mur, s'est recroquevillé dans l'ombre, mais déjà, Émélie surgissait, bouleversée. Elle s'est affalée sur une caisse de bois, hoquetant, tremblant de tout son corps, il n'était question ni de sa sœur ni des tortionnaires nazis, il était question de Jean, de sang, d'horreur – de mort peut-être.

Mes enfants avaient bien retrouvé leur camarade Pimont, mais ce n'était pas pour faire du vélo comme ils l'avaient laissé entendre. Ayant lu que les poireaux soignaient la phtisie dans l'Antiquité, Jean avait projeté d'en ramasser dans un champ sur les hauts de Sanvic dans l'espoir de guérir sa tante. La zone était interdite par les Allemands, les champs abandonnés, fermés depuis peu par des barbelés. Les légumes ne profitant à personne, il se sentait dans son bon droit et pensait que l'affaire serait rapidement menée

– même s'il avait, par précaution, demandé à Lucie de faire le guet sur le bord de la route.

Les garçons s'étaient enfoncés dans les herbes, précédés par le chien de Pimont. Mais à peine la clôture franchie, le pauvre basset avait sauté sur une mine, tandis qu'une nuée d'éclats se répandait violemment alentour, touchant Jean à la jambe droite et Pimont dans le dos. C'est Lucie qui, pédalant de toutes ses forces, avait prévenu la gendarmerie. Une ambulance avait emmené les garçons, depuis il n'y avait pas d'autre information, il fallait nous rendre à l'Hospice général et qu'y trouverait-on, sanglotait Émélie, Jean allait peut-être mourir, s'il n'était déjà mort, Lucie épouvantée avait raconté qu'il perdait des flots de sang, elle avait vu ses yeux se renverser et pratiquement s'éteindre.

Tandis que je tentais de rassembler mes esprits, ma femme a glissé doucement sur le sol, déchirant le bas de sa robe dans un mouvement de désespoir, couvrant son visage et répétant sans fin, « tout est ma faute ».

Alors la main d'Anton est sortie de l'obscurité et s'est posée délicatement sur son épaule, une main aux doigts longs et maigres, aux ongles noircis, j'ai voulu intervenir, l'empêcher de se montrer, mais j'étais encore tétanisé, incapable de produire un son ou un geste, quand l'enfant s'est penché dans le cou d'Émélie et a soufflé : « C'est la faute des Boches. »

Elle s'est redressée vivement, a dévisagé le garçon, ses boucles brunes, rêches, ses bras allongés, ses joues creuses et ses lèvres pâles, ses cils interminables, puis elle m'a interrogé en silence et j'ai réussi à articuler :

— C'est le fils d'Orenstein.

Aussitôt, elle a compris.

À Anton, j'ai fait signe de retourner dans la cache derrière l'établi.

— N'aie pas peur, ai-je ajouté, tu es toujours en sécurité.

— Je n'ai pas peur, a-t-il chuchoté.

J'étais déjà dehors, courant vers l'hôpital, mon fils, mon fils, mon fils adoré.

Jean avait été opéré dès son arrivée par un excellent chirurgien qui lui avait sauvé la vie, mais pas entièrement la jambe : mon fils demeurerait boiteux. Durant les heures puis les jours qui ont suivi, il a fait preuve d'un courage exemplaire, refusant qu'on le plaigne, souffrant mille morts, mais ne pensant qu'à Pimont, dont on ignorait encore s'il pourrait à nouveau se lever, et à sa mère, qu'il savait dévorée d'inquiétude. Nous nous sommes relayés près de lui, Émélie et moi, comme auprès d'Anton.

Le soir de l'accident, Émélie avait attendu que Muguette et Lucie s'endorment, puis elle était descendue me rejoindre jusqu'à l'aube. Nous nous étions aimés de toutes les manières possibles, avec nos mots, nos silences, nos corps, nos âmes, nos cœurs bouleversés. Je lui avais dit l'amertume de la défaite, la colère, la détermination, cet instant précis où j'avais décidé de me battre près de ma famille, les mensonges nécessaires, la collaboration maîtrisée, Thuriau, les camarades de la Transat, Morpain, les armes cachées, la cave aménagée, Orenstein, Anton, la tristesse, le désir, le manque.

Elle m'avait répondu le chagrin, la frustration, l'incompréhension, la haine, la déception, l'absurde, les prières, la résignation, le renoncement, la lente combustion.

Elle m'avait répondu : les Boches ne sont plus dans l'école, il n'y a plus lieu de craindre, ni pour moi ni pour nous, alors laisse-moi t'aider, mon amour.

Jamais de toute mon existence je n'avais ressenti un tel sentiment de délivrance.

Jamais de toute mon existence je n'avais ressenti un tel soulèvement.

Mon amour.

Nous étions convenus de faire venir Anton dans la maison aussitôt que nous saurions Muguette et Lucie occupées ailleurs. Dès le lendemain, Anton avait donc revu la couleur du ciel, s'était assis sur une chaise, devant une table, s'était enfin étendu sur un lit quelques heures par jour et, pour la première fois depuis plus d'un an, je l'avais vu se déployer, soulever la tête, ouvrir ses épaules et sa cage thoracique – en quelques instants, il m'avait semblé prendre dix centimètres. J'avais pensé à Orenstein avec un pincement au ventre.

Chaque jour, Émélie m'aidait à prélever discrètement dans les rations de quoi composer celle d'Anton. Elle glanait aussi avec moi quelques nouvelles de la Résistance – depuis deux semaines, les postes de TSF avaient été confisqués, nous ne pouvions plus compter que sur le murmure des amis ou les tracts du Vagabond Bien-Aimé. Il se disait à nouveau qu'une opération des Alliés était imminente. Mais nous autres, Havrais, avions vu nos espoirs si souvent déçus ! Pourtant, le lundi de Pâques, cinquante à soixante avions, Mosquitos et Marauder, ont surgi par surprise et par vagues dans la matinée, lâchant trois cents bombes sur Bléville, Octeville et au nord du secteur défensif, où ils visaient une batterie lourde encore en construction. En dix-sept mois, et bien qu'ils se soient abondamment fait la main sur nos malheureux compatriotes lorientais, nazairiens ou brestois, les aviateurs n'avaient pas gagné en précision : en quelques heures, ils ont tué vingt-quatre civils et en ont blessé presque autant.

Trois jours plus tard, un second raid a ciblé le port, faisant d'autres victimes, puis le 18 avril, ce sont deux cent soixante-treize bombardiers, portant plus de quatre mille bombes, qui sont passés sur nos têtes, mais c'est finalement sur celles de ces pauvres Rouennais qu'ils ont largué leur cargaison, avec une effroyable maladresse, laissant près de huit cents morts civils dans leur sillage.

La peur est revenue aussitôt s'installer dans les rues.

Les abris ont été remis en service, les Boches ont installé des ballons de protection sur le port et se sont mis à creuser frénétiquement des fossés le long des grandes voies, puis d'immenses trous dans la chaussée protégés par des plaques de tôle et des sacs de sable dans lesquels se glissaient deux ou quatre des leurs, tandis que les passants ricanaient en douce : ils creusent leur tombe !

Tout cela n'avait sûrement rien d'un hasard : le 9 avril, le général de Gaulle avait été nommé à Alger commandant en chef des armées de la France combattante. Pourtant, je n'ai pas immédiatement pris la mesure de ce qui se produisait. Il y avait trop d'agitation en moi, chez moi, les bras retrouvés de ma femme adorée, Anton, le secret désormais partagé à trois, le trouble de Lucie et Muguette, assez fines mouches pour observer que ma relation avec Émélie s'était modifiée, et surtout la blessure de Jean.

L'hôpital avait prévenu qu'il devrait terminer sa convalescence à la maison : il fallait libérer d'urgence lits et médecins, nombre de ces derniers ayant été réquisitionnés par les Allemands depuis la reprise des attaques aériennes. Émélie et moi l'avons donc ramené quelques jours plus tard. Mon fils portait encore un épais pansement et avançait lentement du fait de sa claudication, il s'excusait de ne pas aller plus vite, d'avoir été si bête, franchir des barbelés pour cueillir des poireaux, à seize ans, quel nigaud, grommelait-il, les yeux rivés à la pointe de ses chaussures, marchant néanmoins d'un mouvement opiniâtre, donnant l'impression à chaque pas qu'il allait s'effondrer et puis non, sa jambe raide accrochait le sol.

Émélie avait tenté de le soutenir en lui prenant le bras, mais il s'en était dégagé, plein de rage, refusant l'idée de ne pas être à la hauteur, à ma hauteur à vrai dire, je le voyais bien aux regards agités qu'il me jetait. Je l'avais si souvent rabroué autrefois alors qu'il cherchait seulement à prouver sa bonne volonté, son désir d'être à mes côtés, je ressentais soudain combien il avait dû souffrir, se sentir sans valeur, rejeté par son propre père.

À présent, alors que d'autres se seraient lamentés sur leur sort, il s'accusait, jugeant qu'il avait failli gravement en se rendant infirme – et par conséquent incapable de protéger correctement sa mère, sa tante et sa sœur –, loin d'imaginer combien je l'admirais.

Ce soir-là, alors que nous dînions en silence, absorbés chacun par nos pensées, les sirènes se sont mises à hurler plus longuement que d'ordinaire. Cette fois, il ne s'agissait plus des Anglais, mais des avions allemands, ceux que nous n'avions plus entendus ni vus ou presque depuis 1940, ceux qui avaient autrefois hanté nos cauchemars de leurs affreux piqués.

Lucie s'est dressée d'un bond, renversant son assiette et suppliant que l'on se mette à couvert.

J'ai regardé Émélie, elle a hoché la tête en signe d'assentiment, sachant exactement à quoi je pensais : le temps était venu.

Nous nous sommes rendus dans la tranchée-abri. Nous avons attendu que chacun soit correctement installé, puis, ensemble, nous nous sommes adressés aux enfants et à Muguette. Nous leur avons raconté la vérité sur les années écoulées et les détails des derniers jours. Nous leur avons expliqué que désormais nous serions six, sept en comptant Mouke, que ce serait notre plus grand secret, mais que nous ne doutions pas de savoir le garder : à cette heure, les Boches avaient bien d'autres priorités que chercher un gamin juif dans les sous-sols de l'école. Il suffirait qu'il ne quitte jamais cette enceinte et se cache soigneusement si un étranger à la famille venait à y pénétrer.

La main d'Émélie serrait la mienne tandis que nous parlions, l'un terminant les phrases de l'autre, alors les enfants ont pleuré, souri et encore pleuré. J'ai demandé pardon à Jean, qui était bouleversé autant que moi et m'a pardonné sans réserve, quant à Muguette, elle a posé mille questions à propos d'Anton, aperçu bien des années plus tôt alors qu'il n'était encore qu'un garçonnet jouant paisiblement sous les étals de son père.

L'alerte était terminée. Nous avons quitté la tranchée et sommes tous descendus à la cave, pressés de retrouver le petit. Il est d'abord demeuré les yeux ronds, mélangé de soulagement et d'appréhension, pétrifié dans les bras de Lucie et Muguette qui le couvraient de caresses et de baisers, puis son visage s'est soudain détendu, puis son corps, comme s'il s'autorisait enfin à baisser la garde. Alors j'ai sorti une de nos dernières bouteilles de jus de pomme et, de retour dans la maison, nous avons trinqué à l'avenir, jurant solennellement de survivre à cette guerre.

J'ai pensé : voilà le plus beau jour de ma vie.

À partir du lendemain, les canons lance-fusées allemands ont éclairé le ciel chaque nuit, ouvrant le passage à leurs propres avions, puis bien involontairement à ceux des Anglais. Les blockhaus et les voies ferrées ont été bombardés sans relâche, des trains de voyageurs, des autocars et même des camions portant drapeau blanc ont été mitraillés, laissant des cadavres décomposés sous le soleil capricieux du printemps. Le feu, le bruit et la poussière ont de nouveau envahi la ville pour de bon et l'ont paralysée, le gaz et l'électricité ont été coupés, les tramways interrompus, les écoles déclarées fermées, les horaires des boulangeries restreints. Nous avons compté dans les cent quinze alertes pour le seul mois de mai, pleuré des morts et des blessés par dizaines, l'hôpital souterrain était débordé, mais au moins, cette fois, nous pouvions y croire, nous pouvions les attendre, nos Américains, partout c'était la même chanson, les Allemands fuyaient en Italie, se trouvaient encerclés par les Soviétiques à Sébastopol, les Alliés, enfin, semblaient invincibles !

Lucie, malgré ses quinze ans révolus depuis le 5 mai, et Anton, qui ne quittait plus ses bras, crevaient tous les deux de peur, et moi je crevais de ne pouvoir les rassurer mais, au fond, j'exultais. Notre cher maire n'avait-il pas déclaré : « La population va vivre une période difficile mais toutes les épreuves ont une fin et j'ai confiance dans l'avenir du Havre » ?

Nous n'avions pas souffert plus de quatre ans pour rien. Le dénouement était proche, la lutte serait terrible, mais nous l'emporterions.

La première semaine de juin, l'activité aérienne n'a plus cessé. Le mardi 6, à une heure trente du matin, la sirène a poussé pour la dernière fois ses hululements effrayants : l'alarme serait désormais permanente. Bientôt, le bruit a couru de bouche à oreille, les Américains avaient débarqué sur les plages du Calvados. Les avions ont occupé le ciel, les troupes allemandes ont traversé la ville de part et d'autre dans une effervescence et une désorganisation spectaculaires. Dans les heures et les jours qui ont suivi, les interdictions se sont multipliées, interdiction de sortir du coucher au lever du soleil, interdiction de circuler en auto ou à vélo, interdiction de former des attroupements de plus de trois personnes, interdiction de fermer les portes des immeubles au verrou – mais interdiction d'ouvrir les autres portes et fenêtres durant les opérations militaires, c'est-à-dire presque tout le temps –, interdiction de vendre de l'alcool, d'ouvrir les cafés et les restaurants. La Gestapo a multiplié les arrestations, menacé de fusiller les maraîchers qui, d'un commun accord, avaient cessé de fournir Le Havre – et par conséquent les Allemands. Les bombes se sont déversées, les immeubles se sont à nouveau écroulés, des maisons, des églises, des commerces, la halle aux poissons. Des chalands brûlaient dans les bassins et les décombres fumants asphyxiaient la ville d'une épaisse brume de plâtre.

Les cohortes de sinistrés ont repris le chemin des hauteurs, charriant ce qui avait pu être sauvé de l'effondrement de leurs maisons, accompagnés de ceux qui montaient seulement pour la nuit, craignant sinon de mourir sous les bombes et préférant marcher deux heures soir et matin pour s'en protéger.

La plupart du temps, Lucie et Anton demeuraient prostrés, blottis avec Mouke et Muguette dans l'abri de l'école, incapables de conjurer leur terreur tandis qu'Émélie, Jean et moi nous occupions du ravitaillement. D'où tenions-nous notre force ? Et cet horloger qui s'entêtait à réparer les montres dans sa boutique aux vitres soufflées, cette marchande de presse qui vendait ses journaux devant les ruines de son kiosque, tenaient-ils par nécessité, par bravoure ou par inconscience ?

La nuit du 14 au 15 juin, les combats ont empiré, nous avons connu le plus violent bombardement que nous ayons eu à subir depuis le début de la guerre. Jusqu'à l'aube, nous sommes demeurés tous les six terrés dans l'abri, chantant à tue-tête à en perdre la voix pour tromper notre angoisse. La tranchée était bien trop sommaire pour nous protéger vraiment si la cour de l'école venait à être visée, mais nous avions décidé de rester avec Anton plutôt que rejoindre sans lui un lieu plus sûr.

Cette nuit-là, les bombes sont tombées principalement sur le port et la base sous-marine, mais pas seulement, balayant au passage des centaines d'immeubles sans aucun objet militaire, celui du théâtre, celui de Saint-Joseph, celui du palais de justice, bien d'autres encore, provoquant à nouveau des dizaines de victimes parmi les civils.

La rue du Docteur-Fauvel n'avait pas été touchée. Au petit matin, nous sommes sortis avec d'autres habitants constater les dégâts et empêcher les pillages tandis que, partout, des foyers d'incendie menaçaient de poursuivre l'œuvre de destruction. Chacun s'interrogeait : pourquoi les Anglais se plaisaient-ils ainsi à démolir la ville, quand il paraissait évident que les Boches demeuraient concentrés sur les fortifications ? Puis se rassurait : le port avait été si bien détruit, cette fois il n'en restait plus rien, ils n'auraient plus à revenir !

Cinquante-trois navires et quatre torpilleurs ennemis avaient été coulés, sans compter un nombre incalculable de marins allemands tués – étrangement, je n'avais pu m'empêcher de songer à leurs pères et mères qui ne les verraient pas rentrer.

Jean et moi avions décidé de proposer notre aide aux jeunes des équipes nationales qui déblayaient la ville avec un dévouement admirable. C'est en portant des pierres, au milieu des décombres, que nous avons aperçu Albert. De sa librairie, il ne restait plus qu'un maigre tas de bois et de papiers noircis. Il était assis au centre, à même le sol, devant un foyer sommaire composé de deux briques, sur lequel il faisait cuire son repas – on ne sait quel bouillon.

Nous nous sommes approchés d'un même mouvement sans qu'il bouge la tête ni les lèvres, seule sa main a continué de touiller la casserole de fer-blanc, comme si c'était la dernière partie de son corps demeurée en vie.

J'ai pensé à Joseph, qui avait passé tant d'heures ici. J'ai pensé, aujourd'hui c'est Albert, demain ce seront peut-être les miens qui verront leur existence anéantie, et à cet instant précis, la possibilité de leur disparition est devenue palpable.

Fonctionnaires municipaux, Émélie et moi étions tenus de demeurer en ville – et puis il y avait Anton qu'il fallait bien garder dans l'école tant que les Boches n'auraient pas décampé. Mais Jean, Lucie,

Muguette, je voulais qu'ils s'en aillent, le plus loin et le plus vite possible.

Émélie m'a appuyée immédiatement – désormais, nous ne parlions plus que d'une seule voix. Quant à Jean, à peine avais-je abordé le sujet qu'il a revendiqué sa place près de nous, arguant qu'il pourrait être utile à Anton.

— Sauf bien sûr si vous jugez que je suis impotent, ou encore qu'à seize ans et demi, je ne suis toujours pas un homme.

Cela m'arrachait le cœur, mais l'équilibre de mon fils, à défaut de reposer sur ses jambes, dépendait à l'évidence de mon accord, alors j'ai accepté.

À Muguette et Lucie, en revanche, nous n'avons pas laissé le choix. Nous n'avions plus de nouvelles de monsieur Vevey depuis plusieurs mois, mais grâce à des collègues de la mairie, nous avons trouvé une directrice d'école à Saint-Martin-du-Manoir, à quinze kilomètres du Havre, qui acceptait de les accueillir le soir même.

Toutes deux ont beaucoup pleuré, à la fois soulagées de quitter cet enfer et déchirées de nous y abandonner, particulièrement Anton à qui elles s'étaient tant attachées et qui était si jeune. Lucie a chuchoté à l'oreille de Mouke de prendre bien soin de nous tous, je l'ai embrassée et lui ai promis qu'il n'arriverait rien à aucun d'entre nous, « N'oublie pas, a ajouté Jean, nous sommes *protégés* ».

Elles ont quitté Le Havre le 19 juin. La ville mutilée était dans un désordre immense, balançant entre solidarité et pillages, sabotages de la Résistance et sanctions allemandes. Nous savions qu'il faudrait batailler plus que jamais pour trouver simplement de quoi nous nourrir – en quelques jours, les prix s'étaient multipliés par dix.

Pourtant, nous étions pleins d'espoir.

Le général de Gaulle était à Bayeux depuis le 14 juin. Les Alliés piétinaient encore dans le bocage, mais déjà, des centaines de milliers de Boches étaient repoussés.

Nous en étions persuadés, bientôt Le Havre serait libéré et notre famille réunie.

JEAN

Septembre 1944

Des semaines s'étaient écoulées, mais chaque pas s'entêtait à me blesser. La douleur naissait dans la cheville et enlaçait l'os jusqu'à la hanche. Le médecin avait prévenu qu'il avait fait au mieux « avec ce qu'il avait », c'était déjà un exploit d'avoir sauvé ma jambe et puis ma convalescence écourtée à l'hôpital n'avait pas aidé au bon rétablissement.

Cette guerre me faisait penser à un arbre dont les ramifications ne cessaient de se développer, chaque fait déployant ses propres conséquences et celles-ci en engendrant de nouvelles, dans un mouvement sans fin.

Au moment même de l'explosion qui demeurait un souvenir flou, presque vide, je n'avais rien senti, mais ensuite, une sorte de mâchoire cruelle m'avait saisi tout le corps pour ne plus jamais me lâcher.

Je ne l'évoquais pas, jamais, je pensais, sois honnête et courageux, Jean, tu as mal, mais c'est tout à

fait supportable, et puis cette mine t'a infligé le pire
en t'estropiant, mais elle t'a aussi offert le meilleur !

Papa était entré le premier dans la salle où je repo-
sais après l'opération. Dans ses yeux, j'avais soudain
vu la puissance de son inquiétude, j'avais vu le père
qui semblait avoir disparu depuis bientôt quatre ans
et, aussitôt après, la main de maman s'était posée
doucement sur la sienne, ils étaient bouleversés et
moi je l'étais plus que tout de les voir ainsi réunis :
oui, je m'étais senti profondément heureux, conscient
qu'il me fallait pourtant garder ce sentiment pour
moi. Qui aurait compris que je me réjouisse ?

Plus tard, il y a eu l'explication, la cave, la découverte d'Anton, j'étais si fier de mon père, deux ou
trois ans plus tôt, je lui en aurais voulu de ne pas
m'avoir mis dans la confidence, mais désormais, je
savais qu'il s'était tu par amour et non à défaut de
confiance.

Anton était le garçon le plus gentil et le plus secret
que j'aie jamais rencontré, sûrement parce qu'il lui
était impossible de formuler ce qui lui pesait sur
le cœur. Nous l'avons tous aimé immédiatement,
dès que papa nous l'a présenté. Muguette et Lucie
retrouvaient quelque chose en lui de Marline, sa
délicatesse, sa fragilité, et moi je ne pouvais m'empêcher de le regarder comme le petit frère dont j'avais
si longtemps rêvé jusqu'à admettre qu'il n'arriverait
jamais.

Anton avait passé plus d'un an et demi à s'ennuyer
au fond de la cave de l'école, mais dès qu'il avait
officiellement intégré notre famille, il n'avait plus eu

un instant à lui. Je lui enseignais les mathématiques, Lucie le français et l'histoire, papa jouait avec lui aux échecs, maman lui donnait à lire des romans et des livres de poésie, Muguette lui cousait des vêtements sur mesure en utilisant ceux qu'elle avait conservés d'oncle Louis.

Bien sûr, occuper chaque seconde, pour lui comme pour nous, était aussi une manière de lutter contre la peur. Depuis le mois d'avril, les bombardements avaient repris, avec les scènes d'épouvante déjà vécues, le pouls qui s'emballe lorsque l'alerte sonne et que les canons tonnent, la course à s'en arracher les tripes pour gagner en pleine nuit l'abri au milieu de la cour, papa portant Anton, moi forcément plus lent, claudiquant, trébuchant parfois, accrochant la main de Lucie pour garder l'équilibre tandis que maman et tante Muguette portaient de petites valises contenant notre trésor (en fait, des papiers administratifs, livret militaire, carnet de navigation, actes de baptême, des photos, des tableaux d'honneur).

La situation s'était aggravée au mois de mai, puis encore au mois de juin, avec le débarquement pourtant tant attendu des Alliés sur nos côtes normandes. Comme toujours, le meilleur n'allait pas sans le pire, ni le pire sans le meilleur, ceux qui venaient nous libérer étaient aussi ceux qui nous détruisaient.

La ville avait de nouveau été atrocement blessée et, ce matin du 16 juin, après que nous avions retrouvé ce pauvre Albert tout déboussolé au milieu des ruines de sa librairie, papa et maman avaient décidé de nous envoyer, tante Muguette, Lucie et moi, à la campagne, à l'écart des combats.

Mon sang n'avait fait qu'un tour, j'avais bondi, rappelé que j'étais un homme, je pouvais être utile à Anton, à ma famille, à ma ville, à mon pays, j'avais regardé papa dans les yeux, le défiant presque, comme je n'avais jamais osé le faire, et il avait simplement répondu :

— Tu as raison, mon garçon, tu resteras avec nous.

En l'entendant, j'avais pensé que ce devait être ça, l'ivresse, une porte qui s'ouvre en grand dans la poitrine, un vent qui vous renverse de l'intérieur, la sensation de marcher sur l'air.

Pour la première fois depuis mon accident, je ne sentais plus la douleur, je ne sentais plus la tristesse ni la peur, je pouvais bien avoir une jambe raide, je me sentais indestructible – comment aurais-je pu imaginer ce qui se produirait à la fin de l'été ?

Muguette et Lucie sont parties quelques jours plus tard à Saint-Martin-du-Manoir, hors des limites du camp retranché. Le temps était affreux depuis des semaines, la pluie tombait quasi continuellement, la visibilité était si mauvaise que les avions anglais avaient bien été obligés de faire une pause et de déposer ailleurs leurs engins de mort, tandis que l'artillerie allemande ouvrait le feu chaque matin sur les navires qui tentaient d'approcher.

Jour après jour, nous regardions passer les bombardiers ennemis, ils volaient en meute dans un bruit terrifiant, si bas que l'on craignait qu'ils ne finissent par arracher nos toits, puis ils disparaissaient en direction de l'Angleterre.

Caen est tombée le 19 juillet, l'Armée rouge, disait-on, enchaînait les succès, j'employais mes journées à l'hôtel de ville en renfort des Équipes nationales, servant la soupe aux nécessiteux. Une fois par semaine, maman montait bravement à pied jusqu'à Saint-Martin pour rendre visite à Lucie et Muguette et leur porter des nouvelles. Elle partait à l'aube et rentrait en fin d'après-midi, juste avant le couvre-feu, épuisée d'avoir autant marché, grimpé, munie de quelques provisions, une boîte d'œufs, un peu de beurre ou des légumes devenus impossibles à se procurer ici et que nous dégustions avec solennité.

Puis la Royal Air Force a brutalement repris les bombardements. D'abord sur le port, déjà si durement touché que l'on pouvait douter qu'il restât quoi que ce soit d'importance à détruire et, au début du mois d'août, à nouveau sur la ville.

Le Petit Havre avait tenu les comptes : nous étions visés pour la cent huitième fois. Dans ses colonnes, on pouvait lire la longue liste des victimes, des immeubles et des maisons effondrées, la multitude des drames – la prison avait été lourdement touchée et douze détenus étaient morts ensevelis.

Dès ce moment, papa a interdit à maman de quitter la ville. Un soir, il a demandé à Anton de patienter dans la cuisine, puis il nous a conduits elle et moi dans la cave à charbon. Il a déplacé une pierre et sorti deux revolvers dont il nous a expliqué le mode d'emploi. Il venait d'apprendre que six cents maquisards avaient été tués ou torturés dans le Vercors et craignait que cela ne donne des idées aux sales bêtes de la Gestapo, sur les nerfs depuis que Leboucher, un gars des FFI, avait fait sauter la base pour vedettes lance-torpilles.

Nous avons conclu qu'il en savait sûrement plus qu'il n'en disait sur les jours à venir et cela nous a inquiétés. L'atmosphère en ville était lugubre, les Alliés progressaient rapidement dans les environs, pilonnant bientôt Tancarville, j'essayais d'être positif, je pensais, les Boches vont se rendre, n'importe qui pourrait voir qu'ils seront encerclés d'un jour à l'autre.

Je me trompais. À la mi-août, un nouveau colonel allemand, Wildermuth, a pris le commandement du camp retranché du Havre et, le 19, *Le Petit Havre* a publié un avis dans lequel il prévenait que nous serions exposés sous peu à un siège et « aux dangers d'événements militaires très graves », ajoutant que « la population civile subirait les pertes les plus terribles par bombardements, manque de vivres, maladies », qu'enfin « le devoir de l'humanité le forçait d'ordonner l'évacuation du Havre et de l'agglomération ».

Les Havrais étaient méfiants : pouvait-on parler d'humanité lorsque l'on était la cause de tant de malheurs ? Ce nouveau projet d'évacuation n'était-il pas un moyen sournois de vider la ville de ses combattants de l'ombre pour éviter qu'ils appuient les Alliés de l'intérieur ? Sans compter qu'il fallait s'en aller à pied si l'on n'était pas un vieillard infirme, une femme enceinte ou chargée d'enfants en bas âge, presque tous les moyens de transport ayant été confisqués.

Beaucoup disaient : partir, c'est bien joli, mais qu'arrivera-t-il à nos maisons ? On en avait vu assez, de ces évacuations, pour savoir que les pillards ne tarderaient pas à se servir. D'autres plaidaient au contraire que les Boches avaient fait la preuve de cette fameuse humanité l'année précédente, lorsqu'ils avaient envoyé nos enfants au-dehors.

Quoi qu'il en soit et à force de tergiverser, au 21 août, la plupart des Havrais étaient toujours en ville. Pour leur forcer la main, Wildermuth a annoncé qu'il supprimerait les cartes d'alimentation à ceux qui ne feraient pas partie des réquisitionnés et, aussitôt, chacun a cherché une bonne raison d'être inscrit sur les listes – papa et maman, eux, l'étaient depuis toujours.

Peu ont réussi, mais cela ne les a pas découragés de rester.

Quelque temps plus tard, alors que les températures étaient brusquement montées au-dessus de trente degrés, à croire que le ciel lui-même se trouvait excité par les circonstances, nous avons appris la libération de Paris. Cela nous a redonné de l'espoir, de quoi tenir bon, pensions-nous, en attendant les colonnes blindées des Alliés.

À la maison, nous ne jouions plus, nous ne lisions plus, aucun d'entre nous n'avait d'espace libre dans l'esprit pour autre chose que le ravitaillement et les nouvelles de la zone de combat. Anton se recroquevillait, les bras noués autour des genoux, papa m'a raconté qu'il avait cette posture tout le temps où il avait dû se cacher dans la cave, maintenant, il n'y était plus, mais la peur devait agir comme une sorte de plafond imaginaire.

Les derniers jours d'août, la ville est devenue subitement silencieuse, seulement agitée par les bourrasques de l'orage, le battement de la pluie et les sifflements du vent entre les immeubles éventrés, comme si chaque être vivant se préparait au pire. Le jeudi 31, un nouvel avis de Wildermuth a sommé la population d'évacuer le camp retranché, annonçant deux ultimes départs de trains à destination de Goderville et Bolbec, puis, le 1er septembre, les instructions donnant les limites de la zone d'évacuation, le couloir d'évacuation et les routes à emprunter ont été placardées sur les murs.

Certains, pris de remords, se sont hâtés de saisir cette dernière chance, qui était aussi la seule, en principe, d'obtenir des vivres, mais malgré l'injonction, beaucoup ont persisté dans leur refus. Une consigne était même passée d'une maison à l'autre de rester calfeutré chez soi pour laisser croire à l'ennemi que les ordres avaient été exécutés, mais après quelques heures employées à jouer au chat et à la souris, la plupart des habitants sont ressortis, apprenant que notre cher maire prenait sur lui d'organiser une distribution de vivres et de cartes d'alimentation gratuites au nez et à la barbe des Boches.

Papa s'était rendu à l'hôtel de ville – occupé dans l'aile est par la Kommandantur, mais dans l'aile ouest par l'équipe municipale – pour participer à l'opération. Il en avait rapporté que le maire et ses adjoints, même s'ils auraient préféré savoir leurs administrés à couvert, s'étaient presque réjouis de voir la tête des Boches en constatant qu'il restait finalement une foule de Havrais insolents croisant sous leurs fenêtres.

Les trois jours suivants, les Allemands, dont la nervosité augmentait à vue d'œil, ont dynamité tout ce qui tenait encore debout, des quais, des grues, des digues et des écluses, nous plongeant dans un vacarme permanent d'explosions sourdes qui nous soulevaient le cœur. Il a été de nouveau brièvement question d'évacuer, puis plus du tout après que des tirs d'artillerie ont touché les dernières colonnes de déplacés : les combats étaient désormais bien trop proches et nourris pour que quiconque tente de sortir. Quatre-vingts pour cent de notre population avait quitté la ville, nous demeurions dans les quarante mille, jeunes et adultes, puisque les enfants étaient à distance, à quoi on pouvait ajouter les vingt-cinq mille habitants des communes du camp retranché.

Chaque matin, Anton demandait :

— Est-ce que c'est bientôt fini ?

Et l'un d'entre nous répondait :

— C'est presque fini.

C'était la seule certitude que nous avions : le siège s'achèverait rapidement. Mais de quelle manière et à quel prix ?

Papa et maman gardaient confiance. Maman disait qu'il y avait tant de blessés chez les Allemands que Le Havre finirait par être déclaré ville sanitaire et que ce serait un bon moyen de capituler sans perdre la face. Papa assurait qu'il serait inutile d'en venir à ce point, les Alliés n'avaient plus de raison de bombarder autre chose que les fortifications allemandes, ils allaient terminer leur travail avec soin, les Allemands seraient bien obligés de se rendre sans négocier, à moins de vouloir périr un par un.

Lorsque je répliquais que les Anglais n'avaient guère fait preuve de soin jusque-là, il prenait un air mystérieux et prétendait que le maire travaillait secrètement à une entente entre les adversaires – mais qu'il ne pouvait en dire plus.

— Crois-tu sinon que les Boches seraient si décontractés ?

La veille encore, nous avions croisé des Allemands qui déambulaient, pensifs, sans casque et sans fusil.

Papa m'avait tapé dans le dos.

— Allons, Jean. Encore deux ou trois jours de patience et nos amis seront ici. Il leur faut le soleil, voilà tout.

La pluie continuait à verser, le vent à hurler et souffler les poussières des gravats si bien qu'on y voyait à peine, papa avait raison, ce n'était pas un temps à combattre.

Le mardi 5 septembre, la journée s'épuisait encore en attente, attente d'une éclaircie ou d'un morceau de pain, lorsque enfin, avec beaucoup de retard, *Le Petit Havre* a paru, annonçant qu'une rencontre avait bien eu lieu entre Wildermuth et un émissaire des Alliés. Papa avait vu juste, mais le résultat se révélait terriblement décevant. Wildermuth avait seulement réitéré que Le Havre serait « défendu jusqu'au bout », demandant une suspension des hostilités afin d'évacuer tous les civils restant encore dans les murs, mais les Anglais – l'adversaire, écrivait le journal – avaient fait répondre que « ce n'était plus possible ».

Papa et maman ont échangé un regard sombre, j'ai compris que les choses tournaient mal. J'ai pensé à Lucie et je me suis senti profondément triste, papa est allé vérifier notre tranchée-abri, elle ne valait pas grand-chose, mais nous craignions toujours d'exposer Anton à la vue d'étrangers, alors c'était mieux que rien. Nous avons préparé nos couvertures, de l'eau et des vivres, puis nous nous sommes assis ensemble dans la cuisine, en attendant le signal.

À dix-huit heures, des fusées ont illuminé le ciel opaque. Aussitôt après, nous avons entendu les premiers bombardiers, une vague énorme, un épouvantable rouleau de plomb, quelque chose de monstrueux que nous n'avions jamais connu. Nous nous sommes précipités dans l'abri avec Mouke, et l'horrible cauchemar a commencé. « Ils iront forcément sur les fortifications, pourquoi iraient-ils ailleurs », répétait papa avec désespoir, mais des fortifications, ils étaient déjà de retour, ou bien était-ce une autre vague qui approchait ? Nous nous tenions les uns contre les autres, à nous enfoncer littéralement sous terre autant que nos pieds nous le permettaient, tandis que les Lancaster avançaient en rangs serrés vers le centre-ville, méthodiquement, quartier par quartier, anéantissant dans une pluie de fer et d'acier immeubles, maisons, monuments, bâtiments en tout genre, repartant, puis revenant encore et encore, tandis que le fracas des murs s'écroulant, des toits et des verrières éclatant, résonnait telle une atroce symphonie d'ouest en est et nous saisissait d'effroi.

Anton s'est mis à hurler, d'une note aiguë qui semblait ne vouloir jamais terminer, pourtant nous pouvions à peine respirer, les poussières emplissaient tout, pénétraient chaque millimètre de l'espace, s'insinuaient entre nos lèvres, dans les creux de nos yeux et sous nos langues asséchées. Maman a trempé un linge dans un bol d'eau et nous a humecté le visage pour nous soulager, sans doute aussi pour nous permettre de déguiser nos larmes.

Profitant d'une courte accalmie, papa est sorti un instant au coin de la rue. Il est réapparu presque aussitôt, blanc de colère et de désespoir : une pluie de bombes incendiaires s'abattait derrière l'hôtel de ville tandis que la meute rugissante des Lancaster approchait de nouveau, par centaines d'appareils, se dirigeant clairement dans notre direction. Alors il a proposé que l'on se prenne les mains, pour que l'on meure au moins conscients d'être ensemble lorsque nous serions frappés.

Nous avons entrecroisé nos doigts, chacun de nous a dit aux autres combien il les aimait et a demandé pardon pour toutes les peines qu'il avait causées, en particulier à cause de cette sale guerre.

Maman, Anton et moi avons prié pour que Lucie et tante Muguette soient heureuses et retrouvent Joseph et Marline, puis Anton a demandé que l'on écrive sur un papier qu'il avait vécu et était mort ici, espérant que son père retrouve son corps parmi les décombres lorsqu'il rentrerait des camps de travail.

Papa a noté : « Anton Orenstein aura vécu ici, se comportant avec bravoure jusqu'à son dernier souffle. » Puis nous avons chanté *La Marseillaise*.

Les bombardiers sont repartis à vingt heures sans être parvenus jusqu'à nous.

Nous avons attendu qu'il n'y ait plus aucun bruit de moteur pour remonter, encore tremblants, dans la maison. Rien ne semblait touché autour de nous, même s'il était difficile d'en être sûr, car on ne voyait pas à plus de deux ou trois mètres.

Papa et moi avons marché en direction de l'hôtel de ville. Il y avait des trous partout dans la chaussée, des blessés qui arrivaient de toutes parts, gémissant, criant, conduits par d'autres survivants jusqu'à une grande excavation censée les protéger mais dont je n'ai pu m'empêcher de penser qu'elle ressemblait à une gigantesque tombe.

Tout l'ouest de la ville était anéanti. Les maisons vomissaient des flammes depuis les environs de la rue Thiers, du boulevard de Strasbourg jusqu'aux bassins. Comme si ce n'était pas suffisant, le vent nourrissait la multitude des foyers et propageait des milliers de flammèches que nos malheureux pompiers et la défense passive, appelée en renfort, combattaient avec des moyens dérisoires, de nombreuses conduites d'eau ayant été crevées et le système de pompage de bassin étant bien trop lent au regard d'une telle situation.

Nous avons aidé tant que nos forces nous l'ont permis, soulevant, épaulant, transportant des corps et des débris, puis, exténués, nous sommes rentrés pour essayer de dormir. Mais de nous tous, cette nuit-là, seul Anton a fini par trouver un véritable sommeil.

Le lendemain, 6 septembre, nous sommes ressortis, comme la plupart des Havrais, constater de plein jour l'étendue du cataclysme. L'hôtel de ville flambait encore, nous marchions sur un effroyable amoncellement de cendres, de poutres, de fils électriques, d'arbres abattus, de terre retournée, de morceaux de meubles ou de murs, de cadavres. Partout, de pauvres gens à l'allure fantomatique erraient, sanglotant, cherchant ce qu'avait bien pu devenir leur logement, incapables même de reconnaître le tracé de certaines rues tant il ne restait rien, ni de la chaussée ni des trottoirs – quand ils ne cherchaient pas le corps calciné d'un proche sous les débris.

Papa a voulu approcher du port, qui avait déjà tant souffert, mais il ne demeurait qu'un affreux tapis, mélange de plâtras et de béton.

Presque tous les monuments publics, l'ancien centre-ville, les quartiers maritimes avaient disparu. Au beau milieu du désastre pourtant, les Équipes nationales et celles de la Défense passive continuaient à lutter d'arrache-pied, et c'est le ventre noué que nous leur avons prêté main-forte. Je marchais lentement, mais j'écrivais vite, il fallait enregistrer des dizaines de milliers de sinistrés et surtout d'innombrables déclarations de décès qu'il avait été nécessaire de simplifier en toute hâte – il y avait trop de victimes et pas assez de médecins pour établir les certificats. J'y ai mis tout ce que j'avais de cœur et d'énergie, tandis que papa aidait courageusement à enterrer les morts.

Nous sommes rentrés vers seize heures, plus harassés encore que la veille, nauséeux d'avoir respiré si longtemps cette odeur âcre de bois, de plâtre, de viande brûlée, d'avoir contemplé un tel chaos de souffrances et de malheur, avec pour seule consolation d'être vivants.

Nous avons ôté nos vêtements crasseux sans réussir à nous débarrasser de la puanteur. Maman avait préparé de quoi manger, nous avons plongé nos cuillères dans la soupe sans un mot, plusieurs fois papa s'est mouché bruyamment, enfouissant son visage dans son coude – nous savions tous qu'il pleurait.

Jusqu'à dix-huit heures, nous sommes demeurés ainsi, presque hébétés, ne sachant plus que faire de nous-mêmes, vides de tout, malgré ou à cause de l'horreur dans laquelle nous étions plongés, attendant, espérant la reddition de Wildermuth qui nous semblait inéluctable.

Mais le Boche ne comptait pas se rendre. Je me suis soudain souvenu de ses déclarations orgueilleuses au *Petit Havre*, selon lui la population avait eu tout le temps d'évacuer, il avait assez insisté sans être jamais obéi, eh bien, désormais, nous n'aurions qu'à assumer les conséquences de nos choix.

À dix-heures, les fusées ont annoncé le retour des bombardiers.

Papa a bondi de sa chaise, livide.

— Ils viennent terminer le travail, a-t-il frémi. Ils ont commencé par l'ouest, maintenant, c'est notre tour, nous ne pouvons plus rester ou nous allons mourir. Il faut nous mettre en lieu sûr.

Tant pis si l'on nous interrogeait à propos d'Anton : nous prétendrions qu'il s'agissait d'un neveu, et puis, au point où nous en étions !

Papa a mis sur son dos le sac dans lequel nous stockions le nécessaire pour les temps d'alerte et nous nous sommes dirigés vers le tunnel abri, où nous savions la galerie de montée aménagée pour protéger sept mille personnes.

Les premières bombes déjà s'écrasaient vers Frileuse et Aplemont. Anton s'est agrippé à la main de maman. « Plus vite », a fait papa d'une voix nouée, mais plus vite, je ne pouvais pas, je faisais de mon mieux, mon pied raclait le sol, butait contre les pierres, me coupant le souffle, ralentissant le mouvement général, alors je les ai suppliés d'avancer seuls, je leur ai promis que je me débrouillerais, mais papa a répondu qu'il n'en était pas question et il a ordonné à maman de courir avec Anton jusqu'à l'abri.

Maman s'est mordu la joue, je voyais bien qu'elle se retenait de répondre. Anton dans un sanglot a demandé si nous étions certains d'arriver à temps, papa a répliqué « Bien sûr que oui, vous serez seulement mieux installés ! ». Il leur a fait signe de se dépêcher.

Nous n'étions pas si loin du tunnel : ils l'atteindraient en moins d'un quart d'heure. Tandis qu'ils disparaissaient au coin d'une rue, papa m'a soulevé par le bras, me portant presque, calant son pas sur le mien. Les grondements des Lancaster se rapprochaient, le sol tremblait, le ciel brûlait, le vent nous fouettait le visage, mais après une demi-heure d'effort, nous sommes parvenus à l'entrée.

La galerie était pleine. Une foule compacte s'y pressait, des familles entières, hommes, femmes, vieillards qui n'avaient pas voulu quitter la ville, certains juchés sur leurs meubles qu'ils avaient déménagés là pour les protéger ou se sentir plus confortables, sans mesurer l'égoïsme dont ils faisaient preuve. Nous avons cherché à apercevoir maman et Anton, en vain, la muraille humaine refusait de s'écarter, sans doute avaient-ils réussi à se frayer un passage au creux de la fourmilière ?

Papa a crié qu'on nous fasse de la place, rejoint par des dizaines d'autres malheureux surgissant à notre suite, mais personne ne voulait céder un centimètre, « Allez-vous-en », crachaient-ils, maintenant les bombardiers frappaient avec une régularité terrifiante la ville haute, bientôt ils seraient sur nous, alors papa et d'autres hommes ont décidé d'arracher les planches qui condamnaient l'accès à la galerie descendante.

Les travaux y avaient été suspendus depuis des mois à cause des restrictions des Boches sur la main-d'œuvre et l'électricité, et il n'y avait là qu'un simple boyau, peu profond, d'environ deux mètres sur deux, avec de la terre au sol et des poutrelles métalliques, faiblement éclairé par une poignée d'ampoules.

Nous nous sommes rués à l'intérieur, nous étions plus de trois cents, épouvantés par le vacarme et le tressaillement qui nous secouait jusqu'à la moelle épinière, lèvres soudées, estomacs et cœurs retournés, mais pendant plus d'une heure, nous avons cru que nous étions sauvés, lorsque l'inconcevable s'est produit : une bombe, la dernière bombe, est tombée juste au-dessus de nous dans un tonnerre assourdissant, éboulant sous nos yeux horrifiés un morceau de la côte, refermant l'unique issue qui nous aurait permis de fuir et ensevelissant ceux qui en étaient les plus proches.

Des femmes se sont mises à hurler tandis que plusieurs d'entre nous tentaient de déblayer l'amas de terre et de pierre à mains nues, y abandonnant forces et ongles, mais le peu de roches que nous déplacions laissaient seulement apparaître un mur compact, et bientôt, la lumière s'est éteinte, nous plongeant dans le noir complet pour une éternité.

Nous étions épuisés. La chaleur montait affreusement, l'eau s'était insinuée d'on ne sait où, formant une boue gluante sous nos pieds. Papa m'a recommandé de respirer le plus doucement possible, « Tout ira bien », a-t-il murmuré, et j'ai eu cette brève image de maman au moment de l'exode, lorsque je n'étais encore qu'un gosse et qu'elle cherchait à nous rassurer.

Un moment plus tard, un homme âgé s'est subitement effondré, l'œil fixe, puis un deuxième, un troisième et encore une femme, juste à côté de moi. Cela n'a plus cessé, ils chutaient les uns après les autres dans l'obscurité, nous entendions un bruit mat, puis des cris, des gémissements, des prières, j'ai pensé, pourvu que la lumière ne se rallume pas, je ne voulais pas voir les cadavres, ni sentir leur contact, je voulais seulement voir papa, sentir papa, sentir son pouls, son souffle, et il était là, faisant rempart de son corps malgré sa gorge brûlante et sèche, malgré

ses poumons vrillés, tendant le poing, montrant les
dents car désormais, les survivants s'empoignaient, se
tiraient par les cheveux pour s'approcher de l'issue,
espérant que l'oxygène filtrerait un peu mieux au travers de l'éboulis, ou au moins qu'ils seraient parmi
les premiers à être secourus.

Combien d'heures ont ainsi défilé ?

Pendant longtemps, papa a encore murmuré,
« Tout ira bien, mon fils, ils vont venir », puis il
s'est tu, nous étions allongés l'un contre l'autre en
silence, plus personne ne se battait, plus personne ne
criait, plus personne ne pleurait, le sang me coulait
du nez, de la bouche, des oreilles, une odeur pestilen-
tielle terminait de pourrir le reste de l'air incandescent, et j'ai su que j'étais prêt à mourir.

De l'autre bout du monde, des voix me sont parvenues, disant qu'il valait mieux laisser tomber, personne ne pouvait survivre plus de quatorze heures
sous un tel amas de pierres. J'ai pensé : c'est vrai.
Mais derrière moi, un gamin à qui je ne donnais pas
quinze ans a hurlé – avec quelle force ? – qu'il fallait venir nous chercher, que nous étions nombreux à
être encore en vie.

Des coups de pioche et de pelle ont résonné, un
trou s'est formé, puis agrandi, laissant sourdre la
lumière, j'ai regardé autour de moi et j'ai bien cru
que le gosse avait raison, que j'avais été pessimiste,
des dizaines d'hommes et des femmes étaient age-
nouillés, crispés, agglutinés contre la paroi et les poutrelles, têtes droites, yeux grands ouverts malgré les

griffures lacérant leurs visages, dans une posture qui semblait naturelle.

Un sauveteur s'est avancé, visiblement soulagé et heureux, il a posé sa main sur l'épaule de l'un d'eux, mais d'un seul coup, l'homme a basculé sur le sol, bras collés au corps, entraînant avec lui une quinzaine de ses voisins.

Alors tout s'est noué en moi, j'ai murmuré à papa, réveille-toi, ils sont morts, ils sont presque tous morts, j'ai puisé ce qui me restait d'énergie, je l'ai poussé pour qu'il réponde, réveille-toi papa, il faut sortir maintenant !

J'ai pensé aux tempêtes qu'il avait affrontées lorsqu'il naviguait encore, j'ai pensé aux sacs de charbon qu'il portait sur son dos avec légèreté, comme s'il s'était agi de plumes, j'ai pensé que papa était fort, le plus fort d'entre nous, mais il ne bougeait pas, son front était glacé et son corps rigide.

— Appuie-toi sur moi, mon gars, je vais t'aider, a soufflé le sauveteur, anéanti.

Nous avons retrouvé l'air libre, seulement sept d'entre nous, portés par les brancardiers, laissant trois cent dix-neuf cadavres dans le tunnel effondré. Le ciel était clair malgré la pluie battante, il faisait froid, des mouettes criaient en décrivant de larges boucles, maman a surgi, a souri, puis aussitôt a lu la vérité dans mon regard, s'est écroulée, non, a-t-elle hurlé, non, non, non !

À peine avait-elle retrouvé son amour qu'elle en était privée.

On m'a transporté vers l'hôpital souterrain, où je suis demeuré jusqu'au surlendemain, luttant pour ne pas devenir fou. Le temps s'était encore gâté jusqu'à devenir exécrable, des averses torrentielles avaient détrempé le sol labouré par les bombes. Les comptes avaient circulé d'un lit à l'autre, fournis par les secouristes, quatre à cinq cents bombardiers anglais avaient déversé près de cinq mille tonnes de bombes au cours de leurs deux derniers raids, deux fois deux heures avaient suffi pour achever le meurtre de notre pauvre ville, à l'exception de l'est – notre quartier était intact.

Maman est venue me chercher, vêtue d'une robe et d'un foulard noir, l'œil cerné de bleu, la démarche presque aussi raide que la mienne. Elle m'a seulement dit que papa avait été enterré dans un square non loin du tunnel, parce qu'il fallait faire au plus vite, au plus près, chaque quartier conservait au moins provisoirement ses morts. Nous avons enjambé ensemble les décombres, les monticules, les cratères, silencieux, pinçant notre nez pour échapper à l'odeur de charnier. Malgré la pluie, des foyers brûlaient encore çà et là, les poussières et les fumées formaient un brouillard épais, nous entendions au loin des tirs incessants d'artillerie : rien n'était encore terminé.

Nous avons trouvé Anton assis sur les marches de la maison, Mouke allongé à ses côtés. Il m'attendait, s'est jeté sur moi en réprimant des pleurs, je n'ai pas su quoi lui dire, mais tout était déjà inscrit dans ses yeux, dans les miens, nos pertes irréparables. J'ai pénétré dans la maison, contemplé longuement le tablier de cuisine bleu marine de papa, suspendu, impeccable, à côté de la porte, puis le tiroir de la table dans lequel il rangeait ses couteaux, sa pierre à aiguiser et cette mèche de cheveux de maman qu'il emportait autrefois dans sa cabine, jusqu'à New York ou Fort-de-France.

Vers midi, le ciel s'est enfin dégagé. Le soleil a réapparu pour s'installer durablement, alors maman a joint ses mains et prié pour que l'assaut survienne, que l'on en finisse, que l'on sache pour de bon qui sortirait de là mort ou vivant, puisque les Boches refusaient toujours de capituler, malgré l'horreur et l'abomination.

Nous manquions de tout, d'eau, de nourriture, d'électricité. La plupart des Havrais s'entassaient encore, la nuit venue, dans le tunnel abri côté nord, là où s'étaient réfugiés maman et Anton le soir de la tragédie, et qui disposait de puits d'aération et de commodités. C'était impensable pour moi, alors après avoir tenu conseil, et sachant pourtant que le maire organisait là-bas des distributions de soupe et de biscuits de guerre, maman, Anton et moi avons décidé de rester tous les trois dans l'école, quoi qu'il advienne, quel qu'en soit le risque.

Les prières de maman, peut-être, avaient porté leurs fruits. Dans la nuit du dimanche au lundi, le vent était à l'est, neuf cent quatre-vingt-douze avions anglais ont déversé des milliers de bombes explosives et incendiaires sur les défenses extérieures. Le son de l'artillerie et des mitrailleuses s'est amplifié tout au long de la journée, des tracts sont tombés du ciel par centaines, des sauf-conduits pour les soldats

allemands désireux de se rendre, promettant un traitement digne. Dans l'après-midi nous avons entendu
des rafales tout près de chez nous, nous avons pensé
aux FFI, puis à papa qui aurait été si heureux de les
assister.

« Havrais, malgré les cruelles épreuves que nous
venons de subir, soyez indulgents pour les soldats
alliés qui viendront nous libérer car ils ne sont pas
personnellement responsables des malheurs qui nous
arrivent. Les seuls responsables sont les Boches »,
prévenaient les tracts du Vagabond Bien-Aimé, prévoyant déjà la confusion des esprits.

Le mardi 12 septembre, une semaine exactement
après que les Anglais ont rasé les quatre cinquièmes
de notre pauvre ville, les premiers tanks alliés ont
surgi près du Rond-Point, accompagnés de groupes
d'infanterie. Un homme a couru dans notre rue en
hurlant que Le Havre était libéré, alors nous sommes
sortis, nous avions besoin de le voir par nous-mêmes.
De chaque immeuble, de chaque maison encore
debout, d'autres sont apparus à leur tour, s'enhar-
dissant, hagards, presque incrédules, se prenant à
témoin, s'interrogeant mutuellement pour s'assurer
qu'ils ne rêvaient pas, formant un fleuve qui grossissait à chaque coin de rue.

Sans réfléchir, chacun a convergé vers le lycée-
mairie où notre maire avait installé ses quartiers après
la destruction de l'hôtel de ville. Des voitures cana-
diennes arrivaient d'un côté et, de l'autre, notre maire
à la tête d'un petit groupe de ses fonctionnaires.

La foule bouleversée a entonné *La Marseillaise*.

Il n'y a pas eu de cris de joie, ou si peu.

Nos gorges étaient trop serrées pour acclamer nos libérateurs, puisqu'ils étaient aussi nos assassins. Les soldats canadiens s'étaient dispersés dans les ruines, contemplant l'effroyable tableau de notre ville presque effacée, nous ne leur en voulions pas, au moins ceux-là avaient-ils combattu, mais il était impossible de ne pas laisser éclater notre chagrin et notre haine, haine envers Wildermuth qui avait refusé de se rendre, haine envers les Anglais, qui avaient refusé notre évacuation avant de nous broyer, et dont beaucoup pensaient qu'ils avaient sacrifié nos vies, au mieux pour opérer un coup d'éclat dont ils n'avaient nul besoin au regard du maigre contingent allemand, au pire pour éliminer le plus beau port d'Europe parce qu'il leur faisait de l'ombre.

Le Havre était libéré, nous étions soulagés.
Mais nous portions un deuil impossible à guérir.

MARLINE

Août 1945

Les enfants comme les adultes ont bondi en apprenant la capitulation. Les drapeaux ont orné les rues et les fenêtres, les cris et les youyous ont fusé, le vin a coulé. Jusque tard le soir, Joseph a dansé avec les autres sur la place du village.

Puis il est venu s'asseoir à côté de moi sur le muret blanc qui entourait le grand figuier.

— Nous avons gagné la guerre, Marline ! Réjouis-toi !

Il savait très bien ce que je pensais.

Je voulais rester ici, avec Ma et Pa.

— Tu sais, moi aussi je serai triste de quitter Yasmine.

J'ai soupiré. Yasmine était gentille, Joseph l'aimait beaucoup, mais ce n'était pas sa mère. Ma et Pa (je les appelais ainsi depuis l'époque du naufrage) étaient devenus mes parents depuis plus de trois ans et demi.

Ma et Pa ne m'avaient jamais déçue.

Ma et Pa n'avaient que moi.

— Et puis nous n'avons plus maman, mais nous retrouverons papa, a ajouté Joseph. Il est peut-être déjà rentré, ou bien il ne tardera pas. Tu penses un peu à lui ? Ce que nous devons lui manquer… Et Jean, et Lucie. Oncle Joffre, tante Émélie. Notre véritable foyer est là-bas.

— Je me sauverai. Je resterai ici. J'ai déjà réussi, non ?

— Je t'en empêcherai. Plus tard, tu seras bien contente, tu me remercieras.

Je voyais qu'il était sérieux, il exécuterait sa menace. Il préviendrait le monde entier de mes plans et je serais surveillée, menottée, enfermée jusqu'au Havre.

Les premiers temps, je m'étais tue parce que je n'avais que six ans et qu'à six ans on écoute sagement son papa. Papa m'avait dit : « Marline, tu ne diras pas un mot, c'est bien clair ? »

J'ai obéi, je n'ai plus dit un mot, de toute façon, c'était bien trop difficile à dire, à comprendre, alors ça m'arrangeait de me taire, même si ça m'obligeait à garder une épée dans le cœur. Je me suis tue, même quand maman m'a présentée aux médecins, même quand Joseph m'a interrogée, pourquoi Marline, pourquoi maintenant, de quoi as-tu peur ?

Ils ont mis ça sur le dos de la guerre, c'était pratique.

Depuis que nous étions arrivés en Algérie, à plusieurs reprises, j'avais pensé tout révéler à Joseph.

Il méritait de savoir, et puis l'épée était toujours là, même si je ne la sentais presque plus, grâce à Ma et Pa.

À chaque fois, je repoussais le moment pour lui éviter du chagrin. Jusqu'à aujourd'hui, rien ne pressait.

— Je ne veux pas revoir papa.

— Tu es drôle, Marline. Ça ne se passe pas comme ça, figure-toi.

Il a enroulé son bras autour de mes épaules et j'ai pensé, lui, il me manquera.

Mais un frère ou une sœur, un jour, part vivre sa vie, s'éloigne, fonde sa propre famille. Joseph rêvait de voyager, d'aller explorer l'Afrique ou de traverser l'Atlantique comme oncle Joffre, jusqu'aux Amériques, alors, pour reprendre l'expression de maman lorsque nous étions au Havre, mieux vaut tenir que courir : je resterais ici, près de mes parents.

— Joseph… J'ai une autre famille maintenant, et papa aussi. Je suis désolée si ça ne s'est pas si bien passé avec tes parrains.

— Papa n'a pas d'autre famille, voyons. Il est prisonnier en Prusse-Orientale, ou bien il est rentré et nous attend.

Prisonnier, c'est possible. Qu'il nous attende, j'en doute.

Nous étions la veille de son départ, juste après l'annonce de la mobilisation. Maman m'avait envoyée le chercher parce qu'il tardait beaucoup et que Joseph aidait encore oncle Joffre à fixer des sacs de sable sur les soupiraux de l'école. Je voyais bien que maman était malheureuse, quelle femme ne serait pas triste de savoir son mari préférant ses amis pour sa dernière soirée. Elle pensait qu'il était au café, tout près de la maison, là où il nous emmenait quelquefois, mais le café était désert, les autres hommes devaient être chez eux, occupés à embrasser leurs enfants, leurs épouses, à découper une photographie et l'emballer dans un papier de soie pour être sûrs de la conserver contre leur poitrine – en cas de malheur.

J'ai couru dans les rues environnantes, je me souviens que j'avais mal aux jambes, j'étais si petite. J'ai pensé que je l'avais manqué, qu'il avait emprunté un autre chemin, puis j'ai pensé à maman qui allait me gronder de m'être aventurée si loin. C'est là que je l'ai aperçu, sur le trottoir de la rue Hilaire-Colombel, avec ces deux petits dans les bras, un garçon, une fille, alors je me suis approchée, fâchée qu'il soit si gentil, qu'il offre ces précieux instants aux enfants d'un autre, mais il y avait cette dame aux cheveux noirs qui les étreignait en pleurant, sa voix portait jusqu'à moi, « Papa reviendra, disait-elle. Pas vrai, mon Louis, que tu reviendras ? »

Je n'ai pas compris immédiatement.

J'ai cherché au fond de ma mémoire qui pouvaient être ces gens, cette jolie dame, cette minuscule fille et ce petit garçon, rien, je ne trouvais rien, puis l'épée a commencé à pointer dans mon cœur, alors j'ai compris, j'ai voulu m'enfuir, mais mes pieds refusaient absolument de bouger, c'est la dame qui m'a vue la première, sa bouche s'est ouverte, grande, ronde, brillante de ses larmes, elle a pris le menton de papa entre ses doigts aux ongles écarlates et a tourné son visage dans ma direction, elle semblait soudain très agitée et papa très contrarié, en colère, il lui a tendu les petits et s'est penché vers moi avec sa tête des mauvais jours : « Qu'est-ce que tu es venue faire ici, tu n'as rien à faire ici, écoute-moi bien, Marline, tu ne diras pas un mot, c'est entendu ? Pas un mot ! »

Puis il m'a fait signe de patienter plus loin.

Je les ai observés. Leurs regards à tous, je les ai encore accrochés quelque part dans ma tête, c'était de l'amour qu'ils éprouvaient les uns pour les autres, tous les quatre, c'est sûrement ce qui m'a fait le plus mal, papa ne regardait pas maman de cette manière, il ne nous regardait pas non plus de cette manière, c'était un autre papa.

Nous sommes rentrés ensemble et il était très fort, car personne ne pouvait se douter qu'il y avait deux papas, en moins d'une minute, il avait repris son expression habituelle, il a réprimandé maman en lui disant qu'elle était folle de laisser une gamine de six ans traîner dehors à une heure pareille et maman n'a pas protesté. Elle a répondu : « Ne gâchons pas le peu de temps qui nous reste. »

Joseph m'avait écoutée sans m'interrompre. Je savais que je lui flanquais un sacré coup mais, après tout, il valait mieux qu'il apprenne la vérité ici, plutôt que découvrir au retour papa installé avec ses autres enfants dans les meubles de la femme aux cheveux noirs, parce que déjà, lorsque maman était encore en vie, nous étions au dernier rang de ses priorités, alors là, on pouvait parier sur le résultat.

Il est demeuré silencieux un instant, puis il a demandé si j'étais certaine de ce que j'avais vu et entendu, mais il ne m'a pas laissé le temps de répondre, il est allé marcher seul.

Les rues débordaient toujours de gaieté et de musique, l'idée folle m'a traversée qu'il pourrait renoncer à embarquer lui aussi, nous trouverions une solution avec Pa et Ma qui étaient comme moi rongés d'inquiétude en songeant à la séparation.

Rien de tout cela ne s'est produit. Dix jours plus tard, Ma m'a tendu une enveloppe qui venait du Havre et j'ai reconnu l'écriture aussitôt, cette écriture fine, ronde, légèrement oblique, celle qui disait, « pour mon petit bouquet de fille » sur cette carte jaunie, ornée de fleurs splendides, que j'avais fixée au mur de ma chambre et qui était tout ce qu'il me restait d'elle, maman.

Je me suis sentie mal, Ma a avancé une chaise, j'ai ouvert l'enveloppe.

Maman était en vie.

Maman !

Elle écrivait son séjour au sanatorium, sa guérison inattendue, « Grâce à vous, mes chers petits, je voulais tant vous retrouver », les bombardements, le manque, l'absence, les communications coupées, le silence, le chagrin, la tragédie, les Anglais sans pitié avaient rasé la ville, il y avait des morts, des blessés, oncle Joffre, Jean, des torrents de haine et de douleur, mais au moins la guerre était-elle terminée,

nous serions bientôt réunis, les dames Guynemer y
travaillaient.

Elle écrivait : « J'ai peur de ne pas vous reconnaître, cela fait si longtemps. »

De papa, elle ne savait rien.

J'ai bien cru que mon corps se coupait en deux.
La moitié voulait courir dans les bras de Joseph et
remercier le ciel jusqu'à la fin des temps de nous
avoir rendu maman, et l'autre voulait se blottir contre
Ma, qui s'était reculée dans l'angle de la pièce et se
laissait glisser doucement le long du mur pour finir à
genoux.

Ainsi, l'on pouvait être à la fois la personne la plus
heureuse et la plus malheureuse du monde.

Ce soir-là, malgré mes douze ans, Ma et Pa m'ont
autorisée à dormir entre eux deux, mais c'était la dernière chose à faire, nous avons pleuré tous les trois
jusqu'au matin, et j'ai réintégré ma chambre.

Au mois de juillet, nous avons reçu une deuxième
lettre. « Mes enfants, je suis bien affligée de vous
apprendre que votre cher papa n'a pas survécu à la
rigueur de la Prusse, Dieu ait pitié de lui. »

J'ai pensé, maman est la tuberculeuse, mais c'est
papa qui a été terrassé, Dieu a pitié de nous.

Nous avons quitté l'Algérie au mois d'août.
J'ai cru que je ne survivrais pas à la déchirure,
quitter Pa et Ma, Djaouida, Youssef, Yasmine,
Balek, ma chambre, les eucalyptus, les ifs, les oli-
viers, les champs d'orangers et de citronniers, ceux

d'absinthes et d'héliotropes, les nèfles et les bougain-
villées, les cigognes perchées en haut des minarets,
le bleu si particulier du ciel et celui si particulier de
la mer, la terre sèche, brûlée, jaune et ocre, les col-
liers de piments rouges et les guirlandes de jasmin,
les plaintes du muezzin, les bavardages des femmes
qui étendaient leur linge de muret en muret, les
vendeurs de bonbons et de gâteaux qui cassaient
les blocs de nougat de leurs petits marteaux, les
galettes de seigle parfumées au cumin, les joueurs de
dominos, le thé à la menthe, la limonade, les jeux sur
la place.

Je voulais que maman vienne, qu'elle vive avec
nous, je lui aurais fait une place dans ma chambre,
elle aurait adoré ce pays de couleur, de douceur,
de bonheur, ces robes longues et brodées, ce soleil
piquant, elle ne serait plus jamais tombée malade.

C'était impossible, bien sûr.

Nous avons navigué sur le *Gouverneur Général
Lépine*, la plupart des bateaux avaient été sabordés,
celui-là était assez vétuste, lent, mais solide. Nous
avons dormi deux nuits sur le pont, il faisait chaud,
tout le reste du temps, nous l'avons employé à parler
de ce que nous laissions et à imaginer ce que nous
retrouverions.

Joseph m'a juré qu'il reviendrait un jour avec
moi, dès qu'il serait assez riche pour nous offrir
le trajet. Il aurait pu se moquer de ma peine, ne
songer qu'à sa joie de revoir maman – la savoir en
vie semblait l'avoir guéri de la trahison de papa qui,

de toutes les manières, ne serait plus le papa de quiconque.

Au contraire, il s'est appliqué à me consoler.

Nous sommes arrivés en gare du Havre un vendredi à l'aube, après plus de quatre jours de voyage. J'avais très mal au ventre, j'étouffais, j'avais peur de ne plus aimer assez maman, j'avais peur qu'elle le devine et qu'elle en soit blessée, j'avais peur d'être un monstre, j'avais peur d'être déçue, je n'osais pas sortir du wagon.

Joseph m'a aidée à descendre.

Maman nous attendait sur le quai avec tante Émélie, Lucie et Jean.

Nous sommes d'abord restés immobiles, mesurant chacun ces presque quatre ans qui avaient compté pour quatre siècles. Maman plissait les yeux, incertaine, cherchant dans mes traits la petite fille muette qu'elle avait conduite au même endroit à l'automne 1941, soudain Joseph s'est rué dans ses bras, enfouissant son visage dans son cou, sanglotant – comme c'était étrange, il était plus grand qu'elle.

Puis Lucie a avancé le bout de ses doigts, caressé mes cheveux et soudain je me suis souvenue de mes boucles, disparues l'année de mes dix ans. Je me suis souvenue des rubans que maman nouait autour de mes couettes, de sa manière de me brosser en chantant, longuement, avec cette incroyable délicatesse, et d'ajouter d'un geste une goutte d'eau de Cologne derrière mon oreille.

Quelque part tout au fond de moi, sa voix aux accents délicieux m'est revenue, « *Un amour comme le nôtre, il n'en existe pas deux, ce n'est pas celui des autres, c'est quelque chose de mieux*[1] ».

J'ai fermé les yeux et mon cœur s'est renversé.

---

1. Lucienne Boyer, *Un amour comme le nôtre*, 1934.

BIBLIOGRAPHIE

Si les héros et l'intrigue de ce roman sont imaginaires, ils s'inspirent de personnes, d'événements, de faits et d'un contexte historiques bien réels. Au-delà des souvenirs et récits familiaux, mon écriture s'est nourrie de très nombreux ouvrages, sites, archives diverses et témoignages. Le travail de recherche fut long et épineux. Les archives courantes du Havre depuis 1942 avaient disparu dans les bombardements de septembre 1944. Nombre des témoignages publiés à la fin de la guerre étaient quasiment introuvables. Il y avait également très peu de traces écrites au sujet des enfants évacués. Ce fut donc une grande chance de rencontrer Jean-François Masse, membre éminent du Centre havrais de recherche historique et de la Société havraise d'études diverses, qui m'a permis d'accéder à des documents très rares, ainsi que Chloé Glotin, auteure et réalisatrice de *Loin des bombes*, formidable documentaire sur l'évacuation des enfants de Saint-Nazaire, qui m'a généreusement transmis l'ensemble de ses archives sur le sujet.

Ci-après, la liste des principales sources exploitées.

OUVRAGES ET PUBLICATIONS DIVERSES

Almanach de la famille française, Paris, Éditions Durassié, 1941.

Max Bengtsson, *Le Havre. Les Années noires. 1939-1944*, Le Havre, Imprimerie Grenet, 1997.

Max Bengtsson, *Le Havre. Histoire et témoignages. Seconde Guerre mondiale. 1939-1945*, Le Havre, M. Bengtsson, 2014.

Roger Berg, *Crimes ennemis en France. La persécution raciale*, Paris, Service d'information des crimes de guerre, Office français d'édition, collection « Documents pour servir à l'histoire de la guerre », 1947.

Dr Léon Bernard, *Le Pneumothorax artificiel dans le traitement de la tuberculose pulmonaire*, Librairie J. Baillière et fils, 1913.

Gilbert Betton, *Un enfant havrais dans la guerre 1939-1945 réfugié à la campagne*, Éditions du Havre de Grâce, 2011.

Isabelle von Bueltzingsloewen (dir.), *Morts d'inanition : Famine et exclusions en France sous l'Occupation*, Presses universitaires de Rennes, 2005.

Nicole Buffetaut, *Cuisinons sous l'Occupation*, Louviers, Ysec, 2007.

Jeanne Cheula, *Avoir marché sur ces chemins*, Montbrison, Éditions le Caroubier, 1986.

Pierre Courant, *Au Havre pendant le siège*, Le Havre, Imprimerie de M. Etaix, 1945.

Jean-Paul et Jean-Claude Dubosq, *Le Havre. Cinq années d'Occupation en images*, tome 1 : *1940-1942*, tome 2 : *1942-1944*, Luneray, Bertout, 1995.

Maguy Dumont-Courau, *Le Naufrage du Lamoricière*, Louviers, Éditions L'Ancre de Marine, 2010.

Bernard Esdras Gosse, *Le Havre, pierre par pierre, maison par maison, 1939-1944*, Le Havre, Association des prisonniers de guerre du Havre (Imprimerie de M. Etaix), 1946.

Eddy Florentin, *Le Havre 44 à feu et à sang*, Paris, Presses de la Cité, 1985.

Huguette Garcia-Demangeon, *Deux vies à travers ce siècle*, Luneray, Bertout, 2003.

Jeannine Guez, « Les Enfants du Havre pendant la Deuxième Guerre mondiale », *Cahier havrais de recherche historique*, n° 53, 1994.

Julien Guillemard, *L'Enfer du Havre*, Caen, Éditions Médicis, 1948 ; Rouen, Éditions L'Écho des Vagues, 2010.

Stéphane Henry, *Vaincre la tuberculose (1879-1939). La Normandie en proie à la peste blanche*, Presses universitaires de Rouen et du Havre, 2013.

Jean-Charles, *La Bataille du rire. 1939-1945 et la suite*, Paris, Presses Pocket 1972.

Yves Lecouturier, *Shoah en Normandie, 1940-1944*, Coudray-Macouard, Cheminements, 2004.

Rosalie Le Croisic, *Contre vents et marées*, Copie Plus S.A., 1993.

Jacqueline Lemaistre-Bernard, « Un camp scolaire de réfugiés havrais, Coqueréaumont », *Cahier havrais de recherche historique*, n° 69, 2011.

Claude Malon, *Occupation, épuration, reconstruction. Le monde de l'entreprise au Havre (1940-1950)*, Presses universitaires de Rouen et du Havre, 2012.

Yannick Marec (dir.), *Accueillir ou soigner ? L'hôpital et ses alternatives du Moyen Âge à nos jours*, Presses universitaires de Rouen et du Havre, 2007.

Mémoires vivantes. 1944-1994, Magazine Cité Le Havre, juin 1994.

Édouard de Pomiane, *Cuisines et restrictions*, Paris, Corrêa, 1940.

Jean Quellien, « Les victimes civiles de la bataille de Normandie », *Cahier havrais de recherche historique*, n° 53, 1994.

Raymond Ruffin, *Le Prix de la liberté. Vie quotidienne des Normands après le débarquement de juin 1944*, Coudray-Macouard, Cheminements, 2004.

Vies de châteaux ? (collectif), Université inter-âges de Saint-Nazaire, 2005.

PRINCIPAUX TÉMOIGNAGES INDIVIDUELS

René Glotin, évacué en Algérie (Archives Chloé Glotin).

Xavier Montaggioni, novice de passerelle sur le *Lamoricière*, rescapé du naufrage (Archives Frenchlines).

Jacqueline Rioche, évacuée en Algérie (*Paris-Normandie*, 2011).

Daniel Canu, dans l'enfer du tunnel Jenner (*Paris-Normandie*, 2011).

PRINCIPAUX SITES ET BLOGS

Havrais-dire (le blog de Dan et Nicéphore) :
http://www.havraisdire2.canalblog.com

Le Havre Photo (blog) :
http://lehavrephoto. canalblog.com

Oissel en cartes postales :
http://oissel-cartes-postales.blogspot.fr

Le Havre d'avant :
http://lehavredavant. canalblog.com

Mémoires d'Alger :
http://alger50.org/cms/index.php

Propos d'un octogénaire :
http://phmailleux.e-monsite.com/

Sabotages et attentats au Havre (avril 1941-février 1942) :
http://politique-auschwitz.blogspot.fr/2011/11/sabotages-
et-attentats-au-havre-avril.html

FILM DOCUMENTAIRE

Loin des bombes, Chloé Glotin, Ciné Sud Promotion, 2014.

REMERCIEMENTS

À Karina Hocine, qui a cru en ce livre dès l'origine et soutenu avec force et sensibilité mon travail dans chacune de ses étapes, ainsi qu'à toute l'équipe des éditions Jean-Claude Lattès.

À Jean-François Masse et Chloé Glotin, qui m'ont offert non seulement une aide inestimable dans mes recherches, mais leur amitié.

À Corinne Rives, pour sa présence éclairante.

À Nathalie Couderc et Lydie Zannini, pour leur confiance et leur générosité et, à travers elles, à tous les libraires qui m'accueillent, m'accompagnent et m'encouragent au fil du temps.

À mes amis, mes lecteurs et tous ceux qui, croisant ma route, me permettent d'avancer.

Et, bien sûr, à ma famille et particulièrement mes parents, Éric, Jade, Justine, Solal et Siouxsie, pour leur amour.

DU MÊME AUTEUR :

Big (Nil Éditions, 1997, J'ai Lu, 1999)
Gabriel (Nil Éditions, 1999, J'ai Lu, 2001)
Où je suis (Grasset, 2001, J'ai Lu, 2006)
Ferdinand et les Iconoclastes (Grasset, 2003, J'ai Lu, 2006)
Noir dehors (Grasset, 2006, Le Livre de Poche, 2007)
Providence (Stock, 2008, J'ai Lu, 2010)
L'Ardoise magique (Stock, 2010, J'ai Lu, 2013)
La Battle (Les Éditions du Moteur, 2011)
L'Atelier des miracles (JC Lattès, 2013, J'ai Lu, 2014)
Pardonnable, impardonnable (JC Lattès, 2015, J'ai Lu, 2016)